明清帝后寶璽

故宫经典 CLASSICS OF THE FORBIDDEN CITY

IMPERIAL SEALS OF THE MING AND QING DYNASTIES

明清帝后宝玺

故宫博物院编 COMPILED BY THE PALACE MUSEUM

故宫出版社 THE FORBIDDEN CITY PUBLISHING HOUSE

图书在版编目（CIP）数据

明清帝后宝玺/徐启宪，李文善，郭福祥编著.—北京：故宫出版社，2008.4（2021.10重印）
（故宫经典）
ISBN 978-7-80047-695-2

Ⅰ.明… Ⅱ.①徐…②李…③郭… Ⅲ.古印（考古）-中国-明清时代-图集 Ⅳ.K877.62

中国版本图书馆CIP数据核字（2008）第041275号

故宫经典
明清帝后宝玺

故宫博物院编
顾　　问：朱家溍
主　　编：徐启宪　李文善
撰　　稿：郭福祥　关雪玲　恽丽梅
摄　　影：马晓旋
钤　　本：郭福祥　关雪玲　恽丽梅
拓　　本：郭玉海
图片资料：故宫博物院资料信息中心
责任编辑：白建新　王志伟
装帧设计：王　梓
出版发行：故宫出版社
地址：北京市东城区景山前街4号　邮编：100009
电话：010-85117378　010-85117596　传真：010-65129479
邮箱：ggzjc@vip.sohu.com
制版印刷：天津图文方嘉印刷有限公司
开　　本：889×1194毫米　1/12
印　　张：28
字　　数：123千字
图　　版：820幅
版　　次：2008年4月第1版
2021年10月第6次印刷
印　　数：7001～9000册
书　　号：ISBN 978-7-80047-695-2
定　　价：460.00元

经典故宫与《故宫经典》

郑欣淼

故宫文化，从一定意义上说是经典文化。从故宫的地位、作用及其内涵看，故宫文化是以皇帝、皇宫、皇权为核心的帝王文化、皇家文化，或者说是宫廷文化。皇帝是历史的产物。在漫长的中国封建社会里，皇帝是国家的象征，是专制主义中央集权的核心。同样，以皇帝为核心的宫廷是国家的中心。故宫文化不是局部的，也不是地方性的，无疑属于大传统，是上层的、主流的，属于中国传统文化中最为堂皇的部分，但是它又和民间的文化传统有着千丝万缕的关系。

故宫文化具有独特性、丰富性、整体性以及象征性的特点。从物质层面看，故宫只是一座古建筑群，但它不是一般的古建筑，而是皇宫。中国历来讲究器以载道，故宫及其皇家收藏凝聚了传统的特别是辉煌时期的中国文化，是几千年中国的器用典章、国家制度、意识形态、科学技术以及学术、艺术等积累的结晶，既是中国传统文化精神的物质载体，也成为中国传统文化最有代表性的象征物，就像金字塔之于古埃及、雅典卫城神庙之于希腊一样。因此，从这个意义上说，故宫文化是经典文化。

经典具有权威性。故宫体现了中华文明的精华，它的地位和价值是不可替代的。经典具有不朽性。故宫属于历史遗产，它是中华五千年历史文化的沉淀，蕴含着中华民族生生不已的创造和精神，具有不竭的历史生命。经典具有传统性。传统的本质是主体活动的延承，故宫所代表的中国历史文化与当代中国是一脉相承的，中国传统文化与今天的文化建设是相连的。对于任何一个民族、一个国家来说，经典文化永远都是其生命的依托、精神的支撑和创新的源泉，都是其得以存续和赓延的筋络与血脉。

对于经典故宫的诠释与宣传，有着多种的形式。对故宫进行形象的数字化宣传，拍摄类似《故宫》纪录片等影像作品，这是大众传媒的努力；而以精美的图书展现故宫的内蕴，则是许多出版社的追求。

多年来，紫禁城出版社出版了不少好的图书。同时，国内外其他出版社也出版了许多故宫博物院编写的好书。这些图书经过十余年、甚至二十年的沉淀，在读者心目中树立了“故宫经典”的印象，成为品牌性图书。它们的影响并没有随着时间推移变得模糊起来，而是历久弥新，成为读者心中的故宫经典图书。

于是，现在就有了紫禁城出版社的《故宫经典》丛书。《国宝》、《紫禁城宫殿》、《清代宫廷生活》、《紫禁城宫殿建筑装饰——内檐装修图典》、《清代宫廷包装艺术》等享誉已久的图书，又以新的面目展示给读者。而且，故宫博物院正在出版和将要出版一系列经典图书。随着这些图书的编辑出版，将更加有助于读者对故宫的了解和对中国传统文化的认识。

《故宫经典》丛书的策划，这无疑是个好的创意和思路。我希望这套丛书不断出下去，而且越出越好。经典故宫藉《故宫经典》使其丰厚蕴含得到不断发掘，《故宫经典》则赖经典故宫而声名更为广远。

目 录

后世伪造之受命于天既寿永昌玺

弁　言 朱家溍

宝玺者何？天子所佩曰玺，臣下所佩曰印。无玺书则王言无以达四海，无印章则有司之文移不能行之于所属，此秦汉以来之事也。古者，上之所以示信于天下惟圭璧符节而已。诸侯朝于天子，则执其所受之圭以合焉。战国时人所佩方寸之印皆称玺。秦灭六国统一寰宇，惟皇帝所掌独称玺。秦始皇制六玺，曰：皇帝之玺、皇帝行玺、皇帝信玺、天子之玺、天子行玺、天子信玺。六玺之外又得蓝田玉，命李斯书其文曰："受命于天既寿永昌"。汉制亦六玺。自此以降，魏晋南北朝隋唐，或六玺，或八玺不等，玺文大抵同前。武则天称帝改诸玺皆称宝。唐中宗即位复称玺。玄宗开元六年又称宝。天宝初改玺书为宝书。自此历代相沿皆称宝。至明清两朝则宝玺并称。此宝玺之由来也。

明太祖洪武元年制宝玺凡十七。其大者曰：皇帝奉天之宝，祀天地用之。曰皇帝之宝，凡诏若敕用之。曰皇帝行宝立封及赐劳用之。曰皇帝信宝，诏亲王大臣用兵用之。曰天子之宝，祀山川鬼神用之。曰天子行宝，封外国及赐劳用之。曰天子信宝，诏外夷调兵用之。曰制诰之宝，赐敕用之。曰广运之宝，奖谕臣工用之。曰皇帝尊亲之宝，册上尊号用之。曰皇帝亲亲之宝，敕谕亲王用之。曰敬天勤民之宝，奖谕来朝官员用之。有御前之宝，以进御座用之。又有表章经史之宝及钦文之玺。嘉靖时新制七宝，曰奉天承运大明天子之宝、大明受命之宝、巡狩天下之宝、垂训之宝、命德之宝、讨罪安民之宝、敕正万民之宝，与洪武元年所制共为二十四宝，皆玉制。皇后之宝册，金制。皇贵妃以下有册有印。掌宝玺符牌之官，有尚宝司卿一人，少卿一人，司丞一人，后增至三人。在内设尚宝监，有掌印太监一人，签书、掌司无定员。凡用宝，外尚宝司以揭帖赴尚宝监请旨，至女官尚宝司领取，监视外司用讫，存号簿缴进。有明一代宝玺见之于官书者，如上述。今以官书所载检点故宫旧藏明代遗留之宝玺，则佚者十之九，盖以明清之际，宫中曾遭变乱之故耳。然官书所未载之宝玺，尚有大明皇帝之宝、文华殿之宝等诸玺。帝后升祔太庙之谥册、颁赐功臣之铁券犹有存者，更有嘉靖朝宫中道箓祝釐青词所用诸玺，虽为不经之物，今亦一并编入本册，庶几可见有明一代钤用宝玺之概况。

清代开创之际，宝玺专用满文，既乃改镌，兼用汉文古篆。其大小自方六寸至二寸不一。有大清受命之宝、皇帝之宝、奉天之宝、天子之宝、奉天法祖、亲贤爱民、制诏之宝、广运之宝。康熙以来，历年久乃增至三十九宝，贮于交泰殿宝座之左右以次列。其质有玉，有金，有栴檀香木。玉之品有白玉，有青玉，有碧玉；纽有交龙，有盘龙，有蹲龙。凡诰制敕书当用宝，则内阁请旨而用之。遇大朝宣诏之仪，太和殿设宝案于御座前，大学士一人率学士诣乾清门请皇帝之宝，陈于宝案上正中王公百官行礼毕，大学士捧诏诣宝案前，学士北面用宝讫，乃颁诏布告天下。皇帝还宫，内阁学士捧宝，大学士随后，送至乾清门，交宫殿监正，仍贮于交泰殿。遇皇帝行幸，内阁中书一人，穿吉服，乘马，负皇帝之宝，在华盖前行。如不设卤簿，则常服冠袍，在豹尾枪侍卫班后随行。每岁末封印日洗宝，内阁先期奏闻，至期学士、典籍各一人，赴乾清门接宝。洗毕交宫殿监正，仍贮交泰殿。此三十九宝传至乾隆十一年，重新排定宝玺次序。《御制宝谱》序云："今交泰殿所贮宝玺，历年既久，纪载失真，且有重复者。爰加考正，排次定为二十有五，以符天数，并著成谱"云云。又御制盛京尊藏《宝谱》序云："乾隆十一年春，阅交泰殿所贮诸宝，既详定位置，为文记之。其应别贮者，分别收贮；至其文或复见，及国初行用者，为数凡十。虽不同于见用之宝，而未可与古玩并列。因念盛京为国家发祥地，爰奉此十宝赍送盛京，镉而藏之"云云。乾隆十三年御制交泰殿《宝谱》序后云："宝谱成于乾隆十一年丙寅，越三年戊辰，始指授儒臣为清文各篆体书。因思向之国宝、官印，汉文用篆书而清文则用本字，以清文篆体未备也。今既定为篆法，当施之宝印，以昭划一。按：谱内青玉皇帝之宝清本字传自太宗皇帝时，自是而上四宝，均先代相承，传为世守者，不敢轻易。其檀香木皇帝之宝以下二十有一，则朝仪纶綍所常用，宜从新制，因敕所司一律改镌，与汉篆文相配，并纪之《宝谱》序后”云云。自此以后，除开国时行用之四宝未改镌以外，其余二十一宝皆改满文本字为玉筯篆体满文，与篆体汉文并列行用。至皇太后、皇后金宝，各宫妃嫔金印，均为玉筯篆满文，与汉篆文并列焉。

交泰殿所贮二十五宝，自乾隆十三年传至宣统年，未尝增减。乾隆六十年行授受大典，于御案左陈太上皇帝之宝，礼成后并未陈于交泰殿国宝之列。又有光绪年新镌大清帝国之宝于类应属国宝，而均未列入交泰殿。御制《匣衍记》云："天子所重，以治宇宙，申经纶，莫重于国宝。而涉笔记事之玺，即其次也”云云。故二十五之数既定，虽有新镌，于类应属国宝者，亦不入交泰殿之列。凡涉笔记事之玺，皆分贮各宫殿，如康熙钤用御书之敬天勤民宝，贮于乾清宫西暖阁。乾隆钤用御书之古稀天子宝，贮于东暖阁。五福五代堂宝，则贮于景福宫。凡以宫殿命名诸玺，即贮于各该处所。此类常用之玺多如星云，除御笔、御览、御赏诸玺之外，所镌玺文多引经史奥旨，以寓箴儆，或怡情山水，即景咏怀，方圆大小不一。凡听政寝兴之所，以及园囿之轩馆台榭，咸贮此类宝玺，以备挥毫染翰之用。皇太后、皇后之宝册及各宫妃嫔宝或印，皆贮于各本宫。帝后升祔册宝，贮于太庙。诸宝收藏处所大抵如上述。

宝玺之制做，凡御用国宝，皇太后、皇后、皇贵妃金宝、金册，帝后升祔太庙之谥册、宝，俱命儒臣书写，由礼部会同内务府造办处铸金琢玉，承做讫，进呈行用。其涉笔记事诸玺，其石质者，俱命御书处写字人精写，由刻字作刻字匠人双钩顶朱填写镌刻，礼部不与焉。

明清两朝宫中所贮本朝宝玺之外，尚有所谓秦玺者。明弘治十三年，陕西献玉玺，其文曰："受命于天既寿永昌”。礼部尚书傅瀚言："自有秦玺以来，历代得失真伪之迹具载史籍。今所进篆文与《辍耕录》等书摹载鱼鸟篆文不同。其螭纽又与史传所记文盘五龙螭，缺一角，旁刻魏录者不类。盖秦玺亡已久，今所进与宋元所得皆后世摹秦玺而刻之者。窃惟玺之为用，以识文书，防诈伪，非以为宝玩也。自秦始皇得蓝田玉以为玺，汉以后传用之。自是巧争力取，以为得此乃足以受命，而不知受命以德，不以玺也。故求之不得则伪造以欺人，得之者则君臣色喜，以夸示于天下，是皆贻笑千载。我高皇帝自制一代之玺，文各有义，随事而施，真足以为一代受命之符。而垂法万世，何藉此玺哉”云云。明孝宗从其言，却而不用。

乾隆御制交泰殿《宝谱》序云："交泰殿中有受命于天既寿永昌一玺，不知何时附藏殿内，反置之正中。按其词虽类古所传秦玺，而篆法拙俗，非李斯虫鸟之篆明甚。独玉质莹洁如截肪，方得黍尺四寸四分，厚得方之三，以为良玉不易得则信矣。若论宝，无问非秦玺；即真秦玺，亦何足贵？乾隆三年，高斌督河时奏进属员浚宝应河所得玉玺，古泽可爱，文与《辍耕录》载蔡仲平本颇合。朕谓此好事者仿刻所为，贮之别殿，视为仿古器而已。夫秦玺煨烬，古人论之详矣。即使尚存政、斯之物，何得与本朝传宝同贮，于义未当”云云。原藏交泰殿之所谓秦玺，与浚河所得玉玺，皆视为玩器，置之器物库中。故宫旧藏所谓秦玺，其来源始末如上述。虽然明清两朝皆屏而不用，藏之宫中数百年，亦颇为世人所关注，故附于编末，仍视为玩器可也。

故宫旧藏《交泰殿宝谱》、《盛京宝谱》、《宝薮》皆为钤印本，而向未刊行。至于明代宝玺，则未见有钤印成册之宝谱传世。今以故宫所藏明清两代帝后之宝玺，钤印释文成谱。首载国宝，以次为御书钤用诸玺、后妃宝册、帝后升祔庙号谥号宝册，最后为符牌、铁券，以类相从，裒为一编，付影印问世。虽近拾遗订坠之举，而征文存献亦可为明清史研求者之一助欤。惟其间或有谬误，尚冀读者正之是幸。

乙亥年五月二十六日

萧山朱家溍撰并书

壹 明代宝玺

徐启宪

中国的印玺，有着悠久的历史和独特的民族风格，是我国灿烂的历史文化有机组成部分。印玺按其内容功能可分为两类，一类具有征信作用，包括帝后宝玺、百官印信、政府各衙门关防印记、功臣铁券以及私人姓名字号、斋馆室名印章等。另一类不具征信作用，其内容广泛，形式繁多，有各种图形印、古语印、格言印、诗词印等。这些印玺有的阳文，有的阴文，质地多样，形制各异，用途不一。这类印玺一般称为闲章。

具有征信作用的印玺，至尊至贵者莫过于帝后宝玺。皇帝宝玺是行使国家权力的最高凭证，始于秦始皇的“乘舆六玺”。

秦始皇所制“乘舆六玺”，曰“皇帝行玺”、“皇帝之玺”、“皇帝信玺”、“天子行玺”、“天子之玺”、“天子信玺”，其制皆在方寸之间，螭虎纽。另以蓝田玉制“受命于天既寿永昌”玺，后世相传皆宝之，曰“传国玺”。自此后，汉、晋及南北朝之宋、齐、梁、陈皆沿六玺及传国玺之制，或琢玉为之，或范金为之。北齐制天子之玺乘并依旧式：“皇帝行玺”封常行诏敕用之，“皇帝之玺”赐诸王书用之，“皇帝信玺”下铜兽符发诸州镇兵，下竹使符拜将、代召诸刺史用之，并白玉为之，方一寸二分，螭兽纽。“天子行玺”册拜外国则用之，“天子之玺”赐诸外国书则用之，“天子信玺”发兵外国若征召及有事鬼神用之，并黄金为之，方一寸二分，螭兽纽。又有“传国玺”，白玉为之，方四寸，螭兽纽上交蟠螭。又有“督摄万机”印，纽以木为之，长尺二寸，广二寸五分，鼻纽纽长九寸，厚一寸，广七寸，以印籍缝用。后周皇帝八玺，有“神玺”，有“传国玺”，皆宝而不用。皇帝负扆则置神玺于筵前之右，置“传国玺”于筵前之左。六玺皆白玉为之，方一寸五分，高一寸，螭兽纽。隋制神玺，宝而不用，“受命玺”则封禅用之，其余六玺并用旧制。唐制：天子有“传国玺”及八玺，皆玉为之。“神玺”以镇中国，藏而不用，“受命玺”以封禅礼神。又重定六玺行用之制，“皇帝行玺”以报王公书，“皇帝之玺”以劳王公，“皇帝信玺”以召王公；“天子行玺”以报四夷书，“天子之玺”以劳四夷，“天子信玺”以召兵四夷，玺皆泥封，遇大朝会则符玺郎进“神玺”、“受命玺”于御座，行幸则合八玺为五舆函封于黄钺之内。延至宋代，屡有增广，大观元年（1107 年）置八宝，并设符宝郎四员，隶门下省，二员以中人充，掌宝于禁中。遇朝会则内符宝郎捧宝出授外符宝郎，外符宝郎从宝行禁卫之内，朝则分进于御座之前。应合用宝，外符宝郎具奏，请内符宝郎御前请宝，印讫，付外符宝郎承受，宝则归于内。政和七年（1117 年）又制“定命宝”，合前为九宝。至绍兴十六年（1146 年），其御宝制度乃完备。凡中兴御府所藏御宝计十有四方。一曰“镇国神宝”，以“承天福延万亿永无疆”九字为文；二曰“受命宝”，以“受命于天既寿永昌”为文；三曰“天子之宝”；四曰“天子信宝”；五曰“天子行宝”；六曰“皇帝之宝”；七曰“皇帝信宝”；八曰“皇帝行宝”；九曰“大宋受命之宝”；十曰“定命宝”，以“范围天地幽赞神明保合太和万寿无疆”为文；十一曰“大宋受命中兴之宝”，以上皆玉制。十二曰“皇亲钦崇国祀之宝”；十三曰“天下合同之宝”；十四曰“书诏之宝”，以上为金铸。宝之制，一寸二分至九寸不等，螭纽、龙纽不一。宝皆纳于小盝，盝三重，皆饰以金，内设金床、金宝斗、龙钥金镤，覆以绯罗绣帕，载以腰舆、行马。

辽代于穆宗应历二年（952年）诏用得于汴京之旧玉宝，乃后晋遗物，其文为“御前之宝”、“书诏之宝”，又有契丹宝，其文不详。受契丹册，符宝郎捧宝置御座东。金灭宋辽，尽得其御宝。《金史·礼志》曰：“凡天子大祀则陈八宝及胜国宝于庭，所以示守也。”继又于皇统五年（1145年）铸金“御前之宝”一，“书诏之宝”一，大定年间又铸“大金受命万世之宝”、“宣命之宝”、“礼信之宝”，其制径四寸二分，厚一寸四分，纽高一寸九分，字深二分。合八宝及胜国宝，金代御宝凡十四宝。元代，见之文献者只八宝而已，即“传国玺”、“宣命之宝”及“乘舆六玺”。

明以前历代国宝之制大略如上。然朝代更迭，战乱频仍，国家宝玺传世者无几。《封泥考略》著录一方“皇帝信玺”封泥拓片，玺仅2.7厘米见方，乃西汉遗物，也是迄今所见最早的一方宝文。另《隋唐以来官印集存》著录一方元“皇帝之宝”，文分三行，左行为八思巴文“皇帝”二字，右行为汉文“之宝”二字，中行为梵语“吉祥”二字，宝边长为12.5厘米见方。此二宝文字能延留至今，极为珍贵。

有明一代的皇帝宝玺制度，不外乎历朝皇帝宝玺制度的继承和发展。明太祖朱元璋于洪武元年（1368年）下诏制皇帝宝玺。此后相继刻制了十七宝，后因火而毁。嘉靖时，不仅补造了十七宝，而且新制七宝，共计二十四宝，终明一代，沿用不改。即为：“皇帝奉天之宝”、“皇帝之宝”、“皇帝行宝”、“皇帝信宝”、“天子之宝”、“天子行宝”、“天子信宝”、“制诰之宝”、“敕命之宝”、“广运之宝”、“皇帝尊亲之宝”、“皇帝亲亲之宝”、“敬天勤民之宝”、“御前之宝”、“表章经史之宝”、“钦文之玺”、“奉天承运大明天子宝”、“大明受命之宝”、“巡狩天下之宝”、“垂训之宝”、“命德之宝”、“讨罪安民之宝”、“敕正万民之宝”。在二十四宝中，只有二十三宝可列出其名。另一宝名无史据可考。明代皇帝的宝玺皆玉制，龙纽，继承了宋元宝玺的形制，但尺寸在明代典制政书中却无记载。根据其承袭古制判断，其尺寸大小应与历代皇帝的宝玺尺寸大体一致。现今北京故宫博物院收藏的明代帝后宝玺中，明代二十四宝原物已不存。究其原因，或失之战乱，或失之灾火，或为清朝所重刻。除二十四宝之外，还有各朝皇帝刻制的宝玺：如：“大明皇帝之宝”、“皇帝之宝”、“大明天子之宝”、“广运之宝”、“御前之宝”、“制诰之宝”、“皇帝尊亲之宝”、“钦文之玺”、“勤民之玺”、“奉天勤民之宝”、“成化皇帝之宝”、“大明成化之宝”等。这些宝玺的尺寸都小于二十四宝，大小各异，虽然不是明朝各帝沿用的传世宝玺，但仍具有皇帝宝玺的性质和作用，反映了皇权的地位和权威。

在明代皇帝宝玺中，还有其他具有征信作用的宝玺。如皇帝的御书玺、宫殿玺、收藏玺、封验玺以及死后的谥宝等。这些宝玺数量很多，如：“成化御书之宝”、“大子御书”、“御笔”、“文华殿宝”、“御前谨封”、“御前封完”、“御前密封”、“谨具密封”、“宝藏谨封”、“收藏物件”、“宝藏”、“御药之记”、“御前收记”、“日收物记”、“御前密封之宝”、“密旨封完”等等。除皇帝宝玺外，明代后妃、皇太子及皇太子妃、世子及世子妃、亲郡王及亲郡王妃、公主册玺印，在《明会典》中都有严格而明确的规定。后妃及皇子公主的玺印，故宫现存无多，但从零星的收存中，也可对明宫廷宝玺制度有梗概了解。

以上所述，是明代帝后宝玺中有征信作用的部分，其中包括有明一代的传世国宝和历朝帝后的个人专用玺。从这些宝玺中，可以看出以下几个特点：其一，明代的宝玺，继承了历代王朝帝王宝玺制度，特别是宋元王朝的宝玺制度。历朝皇帝的宝玺，皆玉制，自秦汉始多螭虎纽，宋以后皆龙纽，称宝玺。每宝都有其具体内容和用途，都为皇帝所专用，百官平民都不得使用皇帝宝玺的名称及形制。朱明皇帝的宝玺，名称、形制、质地及用途基本照搬前代之制，但相关规定比前代更具体更严格了。其二，明代皇帝发展了历代宝玺制度，宝玺数量有所增加。秦汉为六玺，唐八玺，至宋辽有十四玺，到明代发展到二十四宝。宝玺内容和名称有了重要变化，除主要宝玺沿用历代宝玺名称外，又增添了新的内容。如：明改“受命宝”为“皇帝奉天之宝”，又有“奉天承运大明天子宝”、“大明受命之宝”，又有“制诰之宝”、“敕命之宝”、“敬天勤民之宝”、“表章经史之宝”、“巡狩天下之宝”、“讨罪安民之宝”、“敕正万民之宝”、“命德之宝”等，从而看出皇帝宝玺的内容更具体化了，用途更单一了。其三，为了显示皇权的至高无上，历朝皇帝都刻制了自己的宝玺，或与二十四宝中某玺同名，或冠以某一年号，或另刻新宝，这在明皇帝宝玺中屡见不鲜。这使各方宝玺的用途不再是非常明确的，导致规制混乱，甚至出现了某方宝玺刻而不用的现象。其四，皇宫中大量的宫殿玺、收藏、封记印玺的出现，也说明了大内机构的庞杂和管理的混乱。

在明代皇帝的宝玺中，除具有征信作用的宝玺外，还有大量的不具征信作用的宝玺，社会上称为闲章。在我国，闲章的使用，早在战国时期就有较多出现，其内容多以吉祥语入印，故又称为吉语印；同时也出现了表达处世志向的格言印。这些印形制不一，活泼多样。其后出现的图形印和图字并存印，其内容亦多寓意吉祥多福。图形印，又称肖形印，盛行于两汉及其以后，除龙、凤、虎、蛙、牛、羊、犬、鹤等禽兽外，还有人物形象和人们日常生活场面。闲章刻制发展到宋元，为之一变，脱离了吉语印的传统内容，发展到抒发个人情感和表达文人志向的新阶段。明代更是这一艺术发展的鼎盛时期。明代闲章的内容，不再局限于刻制吉语印、肖形印，更多地是将经史名言、诗词佳句作为刻制印章的内容。一个流行于社会的文化艺术形式，必然影响着社会各方面。皇宫是封建社会的活动中心，社会上流行的闲章艺术形式很明显地在宫中反映出来，而且形成了它的独有特色。其一，明代皇帝的吉语印与表达皇帝治理国家的理想结合紧密，不再是避邪敬神一般吉语。如：“万邦咸宁”、“乾坤清泰”、“治教休明”、“协和万邦”、“海宇宁谧”、“日月昭明”、“万国来朝”、“德延万世”、“抚御洪规”、“功高宇宙”、“缵承隆运”、“保和太和”等。其二，突出反映了儒、道、释三教合一的思想。宋元之后，儒、道、释三教不再像唐以前那样的对立和斗争，逐渐合一，相互包融，相互借重。而且，明代皇帝除了毫不放松世俗社会的伦常观念基础儒教之外，于道释两家亦各有所好，或为求仙求寿，或为测秘探微，亦有出于联络边远地区的目的把其作为纽带，总之，皇宫也建立了相当多的佛堂、道场。皇帝宝玺中也明显反映了这一历史特点。如：“三教一家”、“三教宗主”、“明心见性”、“万法归一”、“法轮常转”、“大乘法宝”、“博通经教”、“致知力行”、“宗儒守道”、“真火生丹”、“金宝内炼”、“阴阳无始”、“紫宸黄道”、“温养沐浴”等。其三，在皇帝的闲章中，出现了大量的诗词。如：“醍醐直上昆仑顶，昼夜河车几万遭”、“草绿花明日，东风春意多。一团清趣处，至治正熙和”、“金殿当头紫阁重，仙人堂上玉芙蓉。太平天子朝元日，五色云车驾六龙”、“心兮本虚，应物无迹。操之有要，视为之则。蔽交于前，其中则迁。制之于外，以安其内。克己复礼，久而成矣”等等。其例举不胜举。其四，发展了古代的肖形印和吉语印。字图结合，有的文字已不再是一般的吉语，而且出现了诗词的形式，内容也更为广泛复杂。如：“五龙捧圣”、“双龙捧寿”玺，边刻龙纹，中刻文字，表示了真龙天子圣寿无疆。“八方光照四海丰登”玺，中间刻上下两组八字，两边刻万字吉磬，表示普天同庆五谷丰登。“四夷献瑞”玺，玺正面刻两夷人赶一瑞兽进贡皇帝，上方刻“四夷献瑞”四字，表现国家统一，国力强盛，八方来王。还有一长方玺，中刻一仙人，四周刻诗一首：“道德养丹久，乾坤任化机。苍龙飞竹枝，一气运玄微。”在肖形玺中，除部分禽兽，如：狻猊、马哈兽、仙鹤、羚羊等外，较多的是佛教的金刚佛像，反映了明代统治尊佛扬道的思想。

综上所述，明代帝后宝玺，不论是表示国家最高权力，具有征信作用的包括二十四宝在内的宝玺，还是不具征信作用的各种闲章，都是中国印玺制度的继续和发展，并具有鲜明的明代皇家宫廷特点，是当时社会政治、经济和思想文化在宫廷中的反映。我们从明代皇帝的宝玺中，可以了解明代皇帝集权的痕迹和其中思想意识的变化。明代皇帝的宝玺，是我们研究明代的政治制度史、经济史、思想史、文化史、艺术史、宗教史、宫廷史的重要历史资料。方寸之间存有一个大社会，说明印玺对研究历史的重要作用。故宫博物院现藏明代皇帝玺印的数量虽不如清代的多，但却是明代皇帝宝玺收藏最集中的地方。这里我们选择了明代皇帝和后妃的部分宝玺，供研究中国印玺者参考，让更多的人了解它们的历史价值与艺术价值。

国宝

GUO BAO …… 郭福祥

国宝制作与演变。明代国宝之制始肇于朱吴。据《太祖洪武实录》载：吴元年（1367年）十二月丁卯"定开读诏敕仪，前期翰林院判官承制草诏讫，礼部告示百官于皇城守宿。至日，内使监设御座香案于奉天殿，尚宝司设宝案于御座南，用宝案于诏书案东……皇帝皮弁服出，乐作，陞座卷帘，鸣鞭，乐止。礼部官捧诏书至宝案，尚宝司奏用讫，礼部同中书省官用黄销金袱裹之。奏请于午门外开读"。又同卷载册封皇太子时用宝情况："……内使舁册宝亭，东门出至西道，仪仗鼓吹前迎，百官迎送至东宫，安奉册宝于殿内。初，皇太子降阶，礼部尚书跪奏用宝，诣案捧诏书，尚宝卿用宝，以诏书置于案。礼部尚书于殿西跪奏云：捧诏赴午门开读。"此时正在草创之际，用宝想必仍沿旧例。

有明一代于洪武元年（1368年）始制宝玺。洪武元年正月庚辰，太祖欲制宝玺而未得玉，有贾胡浮海适至，闻上即位，以美玉来献。云：此于阗宝玉也，自其祖父相传，云当为帝王传国之宝，上喜，以示玉工，果良玉，即命制为玺一、圭一。又洪武二年（1369年）九月庚子："造御宝六，白玉三，青玉三。文曰：'天子行宝'、'天子信宝'、'天子之宝'、'皇帝行宝'、'皇帝信宝'、'皇帝之宝'。"（《太祖洪武实录》卷四十五）又洪武二十一年（1388年）五月庚寅："诏吏部自今诰命丹符许用'敕命之宝'"（《太祖洪武实录》卷一百九十），知此时已有"敕命之宝"之作。终洪武一朝，国家御宝凡十七。

十七宝为有明一代世守。正德九年（1514年）甲戌，大内遭火，宝玺皆佚。至嘉靖十八年（1539年）二月始补造。《明世宗实录》载："甲辰造御宝玺十一颗，曰'奉天承运大明天子宝'、曰'天子信宝'、曰'天子行宝'、曰'皇帝信宝'、曰'皇帝行宝'、曰'大明受命之宝'、曰'巡狩天下之宝'、曰'垂训之宝'、曰'命德之宝'、曰'讨罪安民之宝'、曰'敕正万邦之宝'。"除"天子信宝"、"天子行宝"、"皇帝信宝"、"皇帝行宝"为洪武年间曾制以外，其余七宝皆新制。所有国宝掌于尚宝司者共二十有四，遂成一代定制。

以后又有世宗补造玉宝之事。《万历野获编》卷二："至嘉靖四十五年（1566年）之冬，则世宗已不豫久矣。乃下诏曰：先朝甲戌遇灾，御宝凡六，其五已遭毁，命所司觅美玉补造。"然此事与嘉靖十八年（1539年）造御宝十一颗之载相忤，故沈德符推测曰："想十七宝者，大半范金为之，而此六玺乃玉制耶？"查《明世宗实录》卷五百六十四亦有类似记载：嘉靖四十五年闰十月壬寅"礼部既进玉，上意未惬，召户部尚书高耀论之曰：祖制五宝用料，三块玉皆不堪，全无光泽，须得美料。西夷贡玉以无价赏多，则其美者，今若以重价访购其上品，当用得耳。"据前述，旧十七宝已于嘉靖十八年补造添齐，何以此时再行补造？待考。

明二十四宝"其文不同，各有所用"（明　郎瑛《七修类稿》），非若隋唐之神玺，藏而不用。兹据有关典籍将明代国宝情况列表于下：

编号	宝名	用途	典籍	备注
一	皇帝奉天之宝	祀天地、郊天齐醮	《明史》卷七十四；《明会要》卷二十四；《明宫史·木集》	为唐宋之传玺
二	皇帝之宝	诏与敕	《明史》卷七十四；《明会要》卷二十四	
三	皇帝行宝	册封、赐劳	同上	
四	皇帝信宝	诏亲王、大臣及调兵	同上	
五	天子之宝	祀山川、鬼神	同上	
六	天子行宝	封外国及赐劳	同上	
七	天子信宝	召外服及征发	同上	
八	皇帝尊亲之宝	上尊号	《明史》卷七十四；《明会要》卷二十四；《明宫史·木集》	
九	皇帝亲亲之宝	论亲王与藩府	同上	有大小二颗
十	制诰之宝	诏用；一品至五品诰命用	同上	用之最多
十一	敕命之宝	敕用；六品至九品用之	同上	同上
十二	广运之宝	奖励臣工	同上	同上
十三	敬天勤民之宝	敕论朝觐官	《明史》卷七十四；《明会要》卷二十四	
十四	御前之宝	图书、文史等用之；宫中库藏箱锁用	《明史》卷七十四；《明会要》卷二十四；《明宫史·木集》	

十五	表彰经史之宝	图书文史等用之	《明史》卷七十四；《明会要》卷二十四	
十六	钦文之玺	同上	同上	
十七	丹符出验四方	凡敕命远出者，用一黄纸封套，上下悉用此玺封识	《大明会典》卷二百二十二；《明史》卷六十八；《明宫史·木集》	
十八	奉天承运大明天子宝		《明史》卷七十四；《明会要》卷二十四	世宗增制
十九	大明受命之宝	同上	同上	同上
二十	巡狩天下之宝	同上	同上	同上
二十一	垂训之宝	同上	同上	同上
二十二	命德之宝	同上	同上	同上
二十三	讨罪安民之宝	同上	同上	同上
二十四	敕正万民之宝	同上	同上	同上

掌宝机构。宝者，人君所以信其令于天下者也。人君之于宝则设官以守之，以慎其令也。

吴元年曾设符玺郎，专掌宝玺，秩正七品。后置尚宝司，为正三品衙门，设卿、少卿、丞。洪武元年，改为正五品衙门，置卿一人，少卿一人，司丞二人。明代诸帝于尚宝司诸职十分重视，视其为亲近侍从。明太祖曾颁《尚宝卿诰》曰："宝乃乾符也。昔列圣握而统寰宇，故为神器，特谨以示信，然非忠勤无伪之士，安可职于尚宝者耶？今命尔某为朕尚宝某官，尔当宵昼慎恭，使事密而隐，机潜而发，方可周旋于左右，尔其敬哉！"（《明太祖集》卷九）因之此官之选至慎。"国初类以文学儒臣领其职，或兼秩焉。尚书郎而下非有才名者不得调，勋辅大臣子弟奉特旨乃得补丞，他流所弗与焉。"（清孙承泽《天府广记》卷十）

尚宝司诸官除掌前述二十四宝而辨其所用外，亦负责掌管稽查：（一）守卫金牌：有仁、义、礼、智、信五种。以给勋戚侍卫之扈从及班值者、巡朝者、夜宿卫者佩带。（二）半字铜符：有承、东、西、北四种，以给巡城守卫者。巡者左半，守者右半，合契而点察焉。（三）令牌：有申、金、木、土、火、水六种。以给金吾诸卫及五城之警夜者。（四）铜牌：一种，以稽守卒，曰勇。（五）牙牌：有勋、亲、文、武、乐五种，朝参官员出入佩之。（六）祭牌：有陪、供、执三种，以给陪祀官、供事官、执事人佩带。（七）双鱼铜牌：二种。给宿直卫锦衣校尉之止直者曰严，给光禄胥役之供事者曰善。（八）符验。有马、水、达、通、信五种，为官员使用马、船之凭据。这些宝玺符牌"俱系朝廷信物，机密所在，关系匪轻"（清孙承泽《春明梦余录》卷二十六），而尚宝司"稽出入之令，而辨其数，其职至迩，其事至重也。"（《明史》卷七十四）按明代官制，尚宝司诸官品秩不高，然其职掌及作用实不可忽略。

与尚宝司同时，明代宫禁之宦官中，设有尚宝监，其定制演变如下表：

时　间	名　称	品　秩	备　注
吴元年	尚宝兼守殿奉御	正六品	
洪武二年	尚宝	不详	一人
洪武四年	尚宝	从六品	并授内直郎
洪武十七年	尚宝监令	正七品	一人
	尚宝监丞	从七品	一人
洪武二十八年	尚宝太监	正四品	一人
	左、右少监	从四品	各一人
	左、右监丞	正五品	各一人
	典簿	正六品	一人
	长随、奉御	正六品	

明宣宗《武侯高卧图》卷，钤广运之宝

直至洪武末年，尚宝监之人员设置才正式厘定。设掌印太监一人，佥书、掌司则依需要随时增减，无定员。

史载尚宝监职掌为宝玺、敕符、将军印信。凡尚宝司所领用之御宝全部囊括其中。此外，御药房之“御药谨封”，其他不常用之宝玺亦在其中。然其与尚宝司皆非具体参与御宝之保存，而是对用宝过程负责。简言之，尚宝监之作用一为桥梁，二为监视。

作为桥梁，尚宝监太监担负着尚宝司与内官司宝女官、尚宝司与皇帝间的沟通任务。作为内宫女史，司宝女官不可能与外朝之尚宝司官员直接接触，若要使御宝由女官保管场所转至负责使用之尚宝司官手中，其间必须经过可以和这两种人都能接触之尚宝监太监传递。另除常朝时尚宝司官员在御前直接奏请用宝外，若遇有急务或偶发事情需用御宝，尚宝司官员请宝折奏亦不能亲自送达御前，而是要经过尚宝监太监传递，得旨后方能取用御宝。

作为监视机构，尚宝监要参与尚宝司一切用宝程序。“遇用宝，则尚宝司以揭贴赴尚宝监，尚宝监请旨，然后赴内司领取。”“凡各衙门勘合用尽，预编完某字号勘合，开底簿，用宝讫，勘合本司（即尚宝司。下同——引者）收贮，底簿付尚宝监官缴进”，“凡用御宝，俱预编某字号

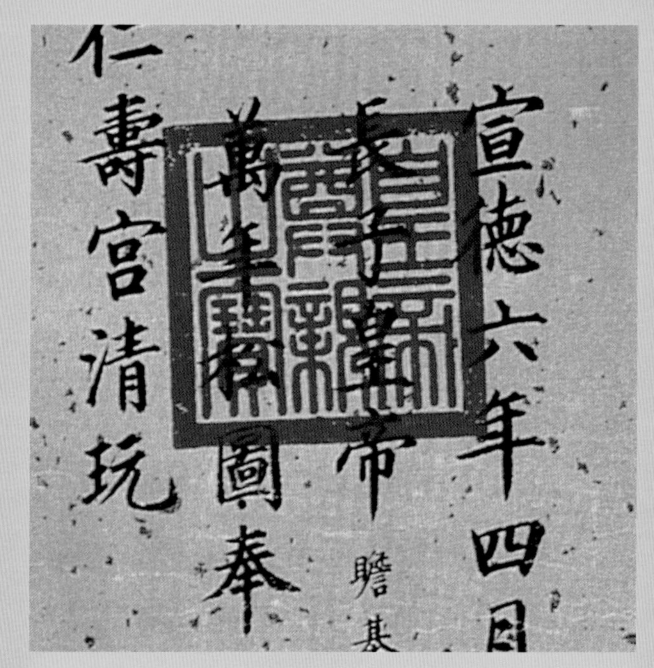

明宣宗《万年松图》，钤皇帝尊亲之宝

勘合一百道，底簿一扇，用尽再编，勘合本司收贮，底簿付尚宝监缴进。”（《大明会典》卷二百二十二）“凡请宝、用宝、捧宝、随宝、洗宝、缴宝，皆与内官尚宝监俱。”（《明史》卷七十四）尚宝司之一切行动，无不在尚宝监之监视范围中。如此内官外司形成相互制约之运行机制，亦成为明代用宝制度之特色。

为确保国宝之安全，有明一代在内宫还设有司宝女官，负责保存收贮御宝符契。司宝女官不参与国宝钤用过程，只据圣谕要求将国宝提供给尚宝监而已。

司宝女官设于明初。吴元年置内职六尚局。其尚服局当有专司御宝之女官。至洪武五年（1372年）更定为六局一司，尚服局下设司宝二人，秩正六品，洪武十七年（1384年）更定品秩，除原有司宝二人外，又增设掌宝二人，秩正七品，洪武二十七年（1394年），再增典宝二人，正七品，女史四人，改掌宝为正八品，司宝之人数，品秩不变。司宝女官之编制遂成定制。至永乐年，女官之职事全部移归宦官时，此编亦未裁除，直至明末。

综上所述，明代负责国宝保管、使用之尚宝司、尚宝监、司宝女官三机构之关系便可一目了然。值得注意者，这种多重掌宝机构，多重用宝手续之制实为晚明宦官控制尚宝司，进而左右诏旨发布以干国政之肇因。

用宝程序。明代诸帝于用宝极为慎重，尚宝司、尚宝监皆奉旨请宝钤用。诚如成祖所言：“无御宝文书，即一军一民，中官不得擅调发”（《明史》卷七十四）。即使于宦官专权之日，国宝使用之程序仍十分严格。

使用御宝之前，“尚宝太监用大黄绒绦，两手恭捧，挂于项。尚宝卿以金盆盛水濯之，次日乃用。”（《明会要》卷二十四）《明会要》载，每年三月二十九日、九月二十九日为用宝之期。实则此二日需举行象征性之仪式，次清理。武职大小，帖黄簿具奏行本司用宝。先期具手本送司，会同兵科给事中一员，于本司查对明白，本司奏请用宝。”(《大明会典》卷二百二十二)以上诸情况用宝，尚宝司以揭帖赴尚宝监，尚宝监请旨，然后赴内司领取，尚宝司、尚宝监官共同钤用后缴回内司。

（二）重大军事行动急令调军用宝，则启用用宝金牌。《明实录》洪武四年（1371 年）五月：“命工部造用宝金牌及军国调用走马符牌。用宝为小金牌二，中书省、大都督府各藏其一，遇制书发兵，省府以牌入而后内府出宝用之。”又洪武四年八月，“改制用宝金牌，其上篆为阴阳文，仍增金符二字，阔三寸，长九寸五分，上钑二凤，下钑二麒麟，牌首为圆窍，贯以红丝绦。上以古者符宝示大信于天下，关防弗严，则奸伪由生，故命改制二牌，仍付中书省与大都督府各收掌之。凡军机文书非大都督府长官与中书丞相及在省长官不许入奏，亦不许擅自奏请。若有诏急令调军，中书省即会大都督府官同人覆奏，然后各出所藏金牌入内请宝出用。”(《明太祖实录》卷六十六)

（三）凡朝廷大礼，尚宝司官取国宝随皇帝至行礼之地。颁诏天下时，翰林院官先撰诏文请旨裁定，付中书舍人书写，然后尚宝司于御前直接用宝。

（四）各种礼仪性随宝：“每大朝会，本司官二员，以宝导驾，俟升座，各置宝于案，立侍殿中。礼毕，捧宝分行，至中极殿，置案而出。驾出幸，则奉以从焉。”(《明史》卷七十四)又皇帝登基大典当日，“捧宝官开盝取玉宝，跪授丞相，丞相捧宝上言：皇帝进登大位，臣等谨上御宝。尚宝卿受宝，收入盝内，”(《明会要》卷十四)又凡遇皇帝亲祀天地、社稷、山川，尚宝司官按例都要“于承天门外乘马，从宝后行。礼毕，仍从宝回至承天门外下马。”

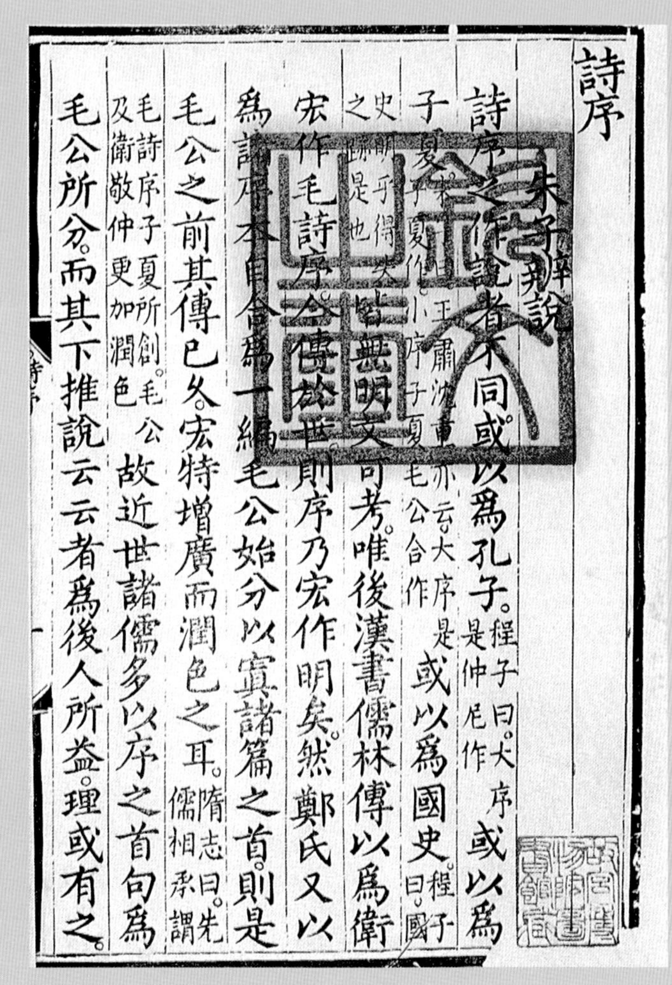
詩序

朱子辨說

詩序之作說者不同或以爲孔子。程子曰。大序是仲尼作 或以爲子夏。王肅沈重亦云大序是子夏作小序子夏毛公合作 或以爲國史。程子曰。國史明乎得失之迹是也 皆無明文可考。唯後漢書儒林傳以爲衛宏作毛詩序今傳於世。則序乃宏作明矣。然鄭氏又以爲諸序本自合爲一編毛公始分以寘諸篇之首。則是毛公之前其傳已久。宏特增廣而潤色之耳。隋志曰。先儒相承謂毛詩序子夏所創。毛公及衛敬仲更加潤色 故近世諸儒多以序之首句爲毛公所分。而其下推說云云者爲後人所益。理或有之。

明永乐刻本《诗传大全》，钤钦文之玺

而绝非只此二日用宝，它日则不与焉。由于原因及地点不同，国宝使用之程序亦有区别：

（一）普通之诰敕文书：“凡诰敕等项写完，合用某宝，本司官会尚宝监官于皇极门用。”“凡吏部选过文职、帖黄，三年两次，底簿每年一次，俱年终奏行本司用宝。先期具手本送司，会同吏科给事中一员，于本司查对明白，本司奏请用宝”。“凡兵部每次选过武职，帖黄簿并三年一

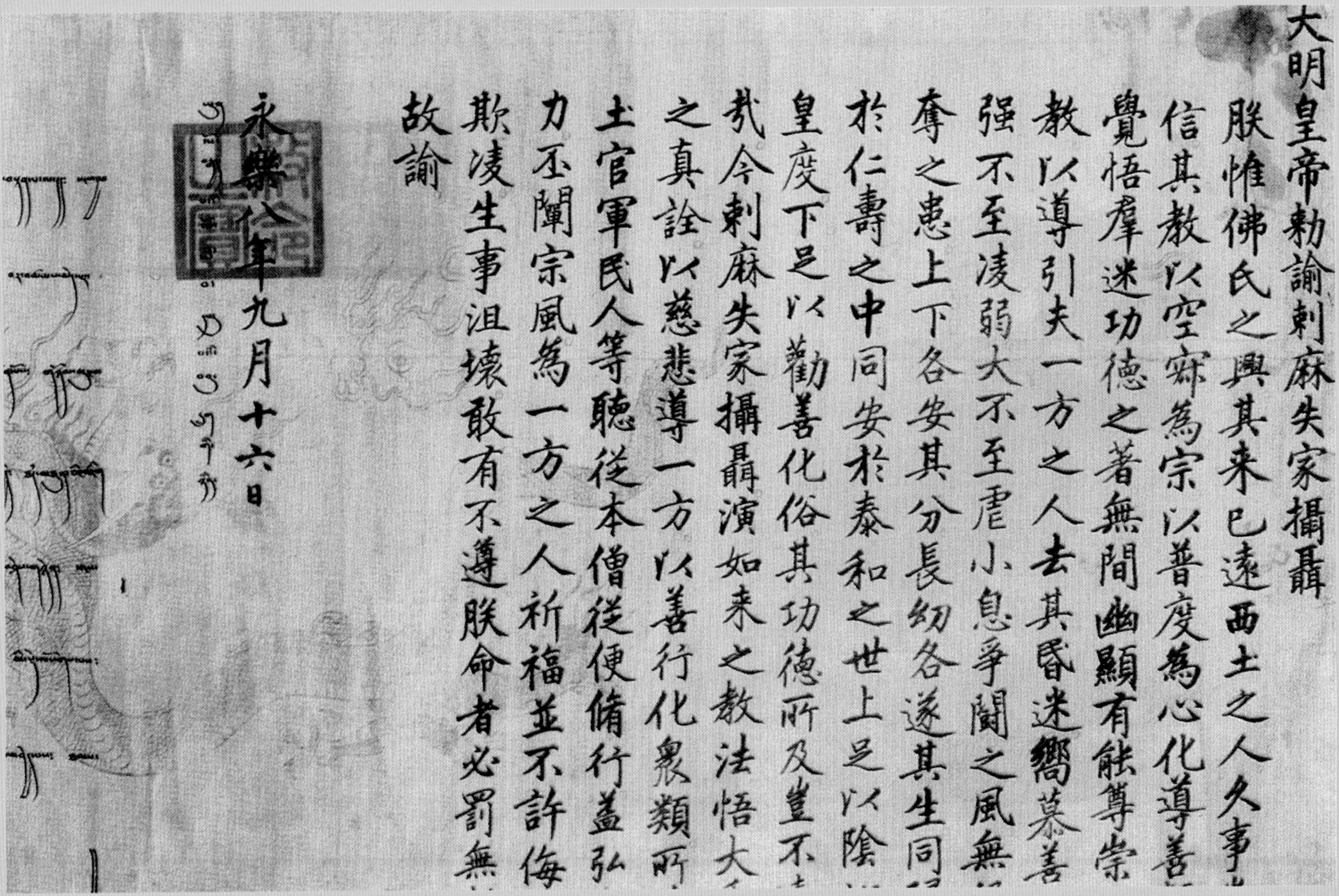

大明皇帝勅諭剌麻失家攝聶
朕惟佛氏之興其來已遠西土之人久事
信其教以空寂為宗以普度為心化導善
覺悟羣迷功德之著無間幽顯有能尊崇
教以導引夫一方之人去其昏迷嚮慕善
強不至淩弱大不至虐小息爭鬬之風無
奪之患上下各安其分長幼各遂其生同
於仁壽之中同安於泰和之世上足以陰
皇度下足以勸善化俗其功德所及豈不
哉今勅剌麻失家攝聶演如來之教法悟大
之真詮以慈悲導一方以善行化衆類所
土官軍民人等聽從本僧從便脩行益弘
力丕闡宗風為一方之人祈福並不許侮
欺淩生事沮壞敢有不遵朕命者必罰無
故諭
永樂八年九月十六日

明永乐八年敕谕，钤敕命之宝

（《大明会典》卷二百二十二）以上诸情况，由尚宝监太监于内司领宝后交付尚宝司官员，由尚宝司全权负责随宝事宜，尚宝监不得参与。

每年岁终，尚宝司官奏行钦天监选择洗宝吉日。至期，尚宝监太监和香物入水，共同捧宝于皇极门洗净，入宝匣谨封。与此同时，尚宝司将本年度用宝数目统计上奏，据统计，每年用宝约三万余次，用宝色银每年约消耗六十余两。（《明宫史·木集》）

故宫今藏明代国宝状况。明代国宝历经李自成进驻紫禁城等变革，所存者迄今未见。现今北京故宫博物院所藏只玺文与明二十四宝有相同者。其纽制、质地、尺寸皆与原国宝迥异。对比研究，其制作当在明中叶成化时。所得计十有五方。其“皇帝之宝”二方，“皇帝尊亲之宝”二方，“制诰之宝”一方，“广运之宝”四方，“钦文之玺”三方，“御前之宝”三方。虽然残缺不全，仍不失为研究明代宝玺制度之珍贵实物。

1. 皇帝之宝

寿山石质，瑞兽纽方形玺。篆书。面3.8厘米见方，通高4.8厘米，纽高2.2厘米。按《明史》卷七十四："若诏与赦，则用'皇帝之宝'。"又朗瑛《七修类稿》："'皇帝之宝'，诏赦圣旨用之。"

2. 皇帝尊亲之宝

白石质，瑞兽纽方形玺。篆书。面3.2厘米见方，通高3.2厘米，纽高1.3厘米。上尊号用之。明制：天子登极，奉母后或母妃为皇太后，则上尊号。见《明史》卷五十三。

3. 制诰之宝

白石质，瑞兽纽方形玺。篆书。面5厘米见方。通高5.5厘米，纽高4.3厘米。附系黄色丝绶。用于皇帝诏书，见《明史》卷七十四。又郎瑛《七修类稿》曰："'制诰之宝'，一品至五品诰命用之。"

4. 广运之宝

白石质，瑞兽纽方形玺。篆书。面5.6厘米见方。通高5.8厘米，纽高2.7厘米。奖励臣工用之。皇帝之御笔书画、赐予臣工之书籍上亦用之。如传世的明宣宗赐平江伯陈瑄之《武侯高卧图》、明宪宗《御制一团和气图》皆钤用此宝。刘若愚《明宫史》称此宝"用途最多"。

5. 钦文之玺

白石质，蹲龙纽方形玺。篆书。面5.5厘米见方。通高4.7厘米，纽高2.2厘米。钤用于图书等册。

6. 御前之宝

寿山石质，螭纽方形玺。篆书。面4.3厘米见方，通高3.2厘米，纽高1.5厘米。图书文史等用之。又刘若愚《明宫史》有："曰'御前之宝'，则宫中库藏箱锁用之"，可知此宝应用相当广泛。成化年间大学士刘健拟《宜密奏疏》称："上（指皇帝）有密旨，则用'御前之宝'封示，下有章疏，则用'文渊阁印'封进，直至御前开拆。此臣等耳闻目见者也。"刘健奏疏内所言情况，应是"御前之宝"最初的重要用途。见《续文献通考》卷五十二。

7. 大明皇帝之宝

白石质，螭纽方形玺。篆书。面4.8厘米见方，通高4.2厘米，纽高1.9厘米。

8. 大明天子之宝

白石质，海水蛟龙纽方形玺。篆书。面4.8厘米见方，通高4.4厘米，纽高1.9厘米。

9. 皇帝密旨

白石质，螭纽方形玺。篆书。面3.3厘米见方，通高3.8厘米，纽高1.9厘米。于皇帝密旨封套上钤用。

御书钤用诸玺

YUSHU QIANYONG ZHUXI …… 李文善

有明一代正值我国文人印大发展时期，受文人治印风尚的影响，或出于其他原因，明代诸帝曾刻治了许多小玺。可惜的是在经历了历史的风云变幻之后，能够幸存下来者只数百方而已。即使如此，这些小玺对于明代帝后宝玺的研究而言，已是相当难得的资料了。

帝后小玺的制作。明太祖时已有小玺。洪武二年(1369年）五月戊戌："造小玉玺一，其文曰'奉天执中'"。(《太祖洪武实录》卷四十一）又洪武四年（1371 年）春正月戊戌："制玉图记二，俱以蟠龙为纽，其一方一寸五分，文曰'广运之记'，其一方一寸二分，以赐中宫，文曰'厚载之记'"。(同书卷六十）可知洪武时期许多小玺的制作是经过皇帝本人决定的。另外，皇帝即位以前为皇太子时，也经常会得到赐玺，如洪武四年正月己丑，"制玉图记一，赐皇太子，其制蟠龙为纽，方阔一寸二分，高一寸六分，文曰'大本堂记'"。(同上）大本堂，为皇子读书之所，"太祖建大本堂，取古今图籍充其中，延四方名儒教太子诸王，分番夜直，选才俊之士充伴读。时赐宴赋诗，商榷古今，评论文字，无虚日"（明余继登《典故纪闻》卷二)，而"大本堂记"玺则成为皇太子身份的象征传之后世。又"文皇帝赐仁庙玉押曰'人主中正'。仁庙即位，时宣庙方为皇太孙，复举以授之，命印识章奏。"（明朱简《印典》卷三）从这些文献中可知明代早期国宝以外诸玺的制作情况。由于那时石质印材还没有广泛使用，因之皇帝诸玺仍旧用玉镌刻者多。至成化年间，叶蜡石和花乳石等进入宫中，从此刻治诸玺获得了充足的材料，诸玺的制作进入了一个新阶段。但明后期皇帝小玺的制作情况，文献却疏于记载，只能从史籍中关于帝后其他宝玺的制作情况加以推断。"万历二十四年（1596 年)，乾清、坤宁两宫皆灾，皇后宝玺焚于其中，及四十二年（1614年)，分封福王，之国，例有皇后及本生皇妃戒谕一道，须用宝玺钤识，垂之久远。神庙轸念财用匮乏，命御用监以梨木雕刻皇后宝玺施用之。中书谢稷摹篆上木，终皇后身不补铸造。"（清抱阳生《甲申朝事小纪》初编卷十）又"旧例：凡遇徽号册封大典，阁臣率领中书官，篆写金宝、金册于南薰殿。"（同书二编卷九）由此不难得知，帝后诸玺亦和其他宝玺一样，由内阁中书官摹篆，由御用监镌刻，这从现存明代帝后诸玺的纽制、篆文风格中也可推知。现存故宫的明代帝后玺不仅玺纽风格基本一致，而且篆文及布局亦多相似，可知皆出于相同手笔。

诸玺的种类。归纳明代帝后诸玺，主要有如下几类：

（一）宫殿名玺。凡有建制，多治印存之。重要者则交由大臣掌管，用以封章奏事。如"仁宗建弘文阁于思善门，作印章，命翰林院学士杨溥掌阁事，侍讲王进佐之，亲举印授溥曰：'朕用卿等于左右，非止助益学问，亦欲广知民事为理道之助，卿等如有建白，即以此封识进来'。"（明余继登《典故纪闻》卷八）又同书卷十六载："宪宗尝召李贤、陈文、彭时，上有密旨，则用'御前之玺'封示，下有章疏，则用'文渊阁印'封进，直至御前开拆。"这里的"弘文阁印"、"文渊阁印"并非某大臣私有，其去位，则应缴进，或传于后任，或被尚宝司保存。现存的"文华殿宝"，除皇帝经常驾临，讲官进讲外，大概也有这种性质。另外如"敬斋"与"东宫图书"合刻于同一玺上，可知"敬斋"即为皇太子宫中的某个场所。其如"乾清宫封记"、"清宁宫"等玺，为本宫封识之标志，自不待言。

（二）年号玺及御书玺。其一，玺文中有皇帝年号，则异代不能延续使用。如"成化之宝"、"成化皇帝之宝"、"大明成化之宝"等。其二，玺文中有"御书"字样。为钤诸御笔书画最直接的证据。如"天子御书"、"御书之宝"、"成化御书之宝"等。这些玺有的还带有明显的征信性质。其使用当与国宝同。

（三）吉祥词句玺。有的玺文为警句箴言，是皇帝们对自己的行为提出的道德准则。如"亲贤保国"、"协和万邦"、"主静制动道德日新"等。有的则是对太平盛世的颂扬。如"万国来朝"、"文德武功"、"天潢演派"及相关诗文玺等。

（四）道释玺与图形玺。明代帝后诸玺中还有相当多关于道教的文字。明代皇帝多崇尚方术，迷恋丹砂而求长生不老，而尤以成化、嘉靖为炽。成化时李孜省"黄袱进誊写之妖书，朱砂养修炼之秘药"(《明孝宗实录》卷二)，从而得到成化的信任和宠幸。故宫藏品中大量成化和嘉靖时期道教玺的存在，正与文献记载相吻合。这些玺有的简单明了，如"丹鼎烹成汞"、"炉中炼鈆"等。有的为一首诗词，如："道在精微授受时，养真先贵立丹基。黍珠一粒空虚里，万象光明耀两仪。""火药生灵质，真原静百痾。金砂闲沐浴，静里养太和。"等等。通过浅显易懂的词句，阐扬了道教理论、思辨方式及炼丹感受。另有部分法印，为斋醮或施法时所用，分属于不同的道教流派，其使用多有文献可据。如"北极驱邪院印"，据道经云："夫天心者，自太上降鹤鸣山日，授天师指东北极之书，辟斩邪魔，救民是务。昔之流传天心正法，止有三符……。有两印，一系北极驱邪院印，二系都天大法主印。简而不繁，留付奇人传于世。”（文物出版社等影印涵芬楼本《道藏》第十册，《上清北极天心正法》）可知此印为道教中天心正法派所用法印，由此可证这一道教流派的影响曾达于宫廷。又有“雷霆都司之印”，道经记载：“此印专为申奏而设，乃天门雷门识认之，私其印文，方圆各有法则，印文乃雷霆都司之印。”（同上，《道藏》第二十九册，《道法会元》卷一百二十三）用于“申发文字，召都司将史吏”（同上，卷五十七）。由此可知该法印代表雷霆之神，通过它可以升天仙去，或役使邵阳雷公遵己命行事。这些多种多样的道教玺，反映出当时宫中丹汞横流、法事不断的情况。

明代帝后图形玺多为宗教人物图像，并显示出帝王利用宗教为政治服务的庞杂性。譬如佛教图像中就有西番秘密教佛像如“葛剌噜巴”像、“孤利孤列”像、白衣母像、救度佛母像等，汉地佛像则有“因竭陀尊者”像、“弥勒菩萨”像、“伐阇罗林多罗尊者”像、“威那波斯尊者”像等。史载：成化年间“西僧以秘密法得幸。”（《明宪宗实录》卷五十三）“考秘密法，即胡元演揲儿法也。元顺帝以此宠信淫秃，致乱天下，至是（成化中）番僧循用其教，以惑圣主。”（明沈德符《万历野获编》卷四）据此，成化时出现大量的秘密图像玺，也就不足为奇了。其他还有表达长寿愿望的寿星图、松鹤图，表现自然生趣的羚羊玺、卧猿玺等。此外，有部分文图合璧玺，如“双龙捧寿”玺、“万里江山”玺、“丹室生光”玺等。其文字在全玺中并不占主要部分，故一并归入此类。这些图形玺多线条流畅，细如发丝，具有较高的欣赏价值。

（五）花押玺。明代诸帝花押玺可分两式，其一为道教心印形式。关于此，清乾隆帝曾有专述。“内府旧藏玉印一，刻为一[illegible]文。因非所识，问之内廷翰臣知古篆者，皆称不能晓。更命西竺唐古特回部及西洋人识之，亦皆不知。因思道家通符箓者或解其义，问之法官刘元斌、周元定，则称是其道家心印。用于醮箓上章等事。上之一画为心字，乃通用者，其下则各从其欲为之。彼此不通，知亦不能晓。如刘元斌之一[illegible]，上文为心，下文则五岳朝天也。周元定之一[illegible]，上文为心，下文则一朵红云也。彼二人向亦弗相知。则古玉印亦惟识上文一之为心，而下文实不知其为何义也……知为嘉靖好道，乃其修醮飞章之所用耳。”（《清高宗御制文三集》卷八）故宫所藏明代此类押印，边皆刻有对押文的注释文字，如“丹在身中”、“善及四方”、“八表来王”、“心地明白”等。使其押文意义更容易辨识。其二为普通押玺。现仅存一方，为明崇祯帝之玺，押文草书释文待考。清人吴大澂《古玉图考》著录。崇祯遗墨中亦有此种花押的使用痕迹，可为辅证。

与诸玺相关的诸问题。故宫现藏明代帝后诸玺，因时代较早，与中国印史的有些基本问题关系至为重要。其一，印材。故宫现藏明帝诸玺多用石质印材镌刻，虽然破损较重，但仍可识别出叶蜡石、花乳石及滑石等不同种类。用石材治印，相传始于元末王冕。郎瑛在《七修类稿》中云：“图书古人皆以铜制，至元末会稽王冕以花乳石刻之，今天下尽崇处州灯明石。”郎瑛为嘉靖时人，可知民间大规模使用石质印材是在此时。现代印坛亦持同样观点。谓文彭“生前尝以处州青田灯光冻石治印，世人风从，标志篆刻由铜印时代进入石章时代。”（韩天衡《中国印学年表》第八页）。然在早于文彭治印约半个世纪的成化时期，便有“赐覃昌‘补衮宣化’石印”（同上，第六页）的记载，而在宫中则大部御笔诸玺都用石材刻治，从而不难推断，明代宫中大规模大范围地采用石材治印的历史要远远早于民间。

其二，由于明人治印遗存较少，人们很难对其风格进行全方位的考察。而故宫现藏大部宝玺雕有玺纽，可填补这一空白。其纽计有神兽类如龙、螭、狻猊、麒麟等；动物类如狮、牛、羊、象等；植物类如竹、莲、梅、葫芦等。此外还有人物、法轮、云头、吉祥图案等。这些玺纽雕刻皆朴厚简练，生动传神，可以说，玺纽雕刻伴随着石材使用的始终，并显示出很高的艺术水平。

其三，明代帝后诸玺在文字篆法及布局方面显示出中国早期流派印的某些特点，诸如朱文细边，以小篆结体，圆劲秀丽等。值得一提的是在明帝诸玺中，有许多稀奇怪异的玺文，如剪刀书、柳叶书、垂露书、蝌蚪书、垂云书等。曾有人论曰“唐人意拟复古，妄自杜撰，狗名之作不可胜计，若龙书、穗书、云书、龟书十八体、三十二体及《大禹衡岳碑》、《比干铭》、《檗铭》、《滕公墓铭》、《延陵季子碑》、《碧落碑》等，篆皆谬妄之书，万不足法。明人好奇怪，以之入印，自炫古奥，见之令人作三日呕。”（孔白云《篆刻入门》第二章）而这些文字在明帝诸玺的出现，显露出明代皇帝追逐当时风尚的某些痕迹。

10．文华殿宝

寿山石质，盘龙纽方形玺。篆书。面4.2厘米见方。通高3.6厘米，纽高1.8厘米。文华殿初为常御之便殿，后来用为经筵进讲之所。天顺、成化两朝，皇太子未践祚前，先摄事于文华殿。成化七年（1471年），召见阁臣于文华殿。殿试进士，在文华殿读卷。

11．乾清宫封记

寿山石质，鼻纽长方形玺。篆书。面宽1.8厘米，长5.6厘米，通高4.3厘米，纽高1.2厘米。《明史》载：明光宗、熹宗召见臣工于乾清宫。明代的十四朝皇帝皆以乾清宫为寝宫，并在此处理日常政务。作为皇帝寝宫，妃嫔亦得以进御。后暖阁凡九间，有上有下，上下共置床二十七张，天子随时居寝，制度殊异。《南山集·左忠毅公传》载："明光宗崩，李选侍居乾清宫，诸内臣教选侍矫遗诏，母天下，以左光斗等疏争，选侍不得已而出。"熹宗还乾清宫守丧。

12．清宁宫图书

寿山石质，双狮纽方形玺。篆书。面4.1厘米见方，通高4.4厘米，纽高2.3厘米。附系黄色绶带，小牙牌，牌书："清宁宫图书"。明清宁宫位于现在东华门内南三所。嘉靖时名慈庆官。《典故纪闻》载：弘治十一年（1498年）十月甲戌夜，清宁宫灾，孝庙于次日昧爽，遣内官召阁臣于左顺门宣旨："昨夜清宁宫失火，朕奉侍圣祖母，彻旦不寐，今尚不敢离左右。欲暂免朝参，可乎？"阁臣对曰："宫闱大变，太皇太后圣心震惊，皇上问安侍膳，诚孝方切，事在从宜，即免朝一日可也。"于是免朝。《明史》卷十七载："嘉靖元年（1522年）春正月己未清宁宫后殿灾。"嘉靖十五年（1536年）建慈庆宫。据此当在原清宁宫旧址所建。此玺应系永乐至弘治间之物。

13. 东宫图书　兰台信符　敬斋　中和完密（五面玺）

青田石质，五面方形玺。篆书。面4厘米见方，通高4.3厘米，纽高1.1厘米。附系黄色绶带。“东宫图书”为皇太子印。《诗·卫风·硕人》：“东宫之妹”。孔颖达疏：“太子居东宫，因以东宫表太子”。兰台，作为有司专称始于两汉。汉代以兰台为宫内典藏图书之所，以御史中丞掌之。故后世沿称御史台为兰台。又，东汉班固曾为兰台令史，受诏撰史，故后世亦称史官为兰台。至唐高宗时，曾改秘书省为兰台。据此，则“兰台信符”与“东宫图书”分置于一玺两面，似别有一番深意。

14. 成化皇帝之宝

白石质，龙纽方形玺。篆书。面 3.4 厘米见方，通高 4.8 厘米，纽高 1.9 厘米。成化（1465–1487 年），是明宪宗朱见深年号。

15. 成化之宝

白石质，龙纽方形玺。篆书。面 3.5 厘米见方，通高 2.8 厘米，纽高 0.9 厘米。

16. 成化御书之宝

白石质，海水蛟龙纽方形玺。篆书。面 5.2 厘米见方，通高 5 厘米，纽高 2.6 厘米。

17. 成化御书之宝

白石质，螭纽方形玺。九叠篆书。面 4.2 厘米见方，通高 3 厘米，纽高 1.3 厘米。

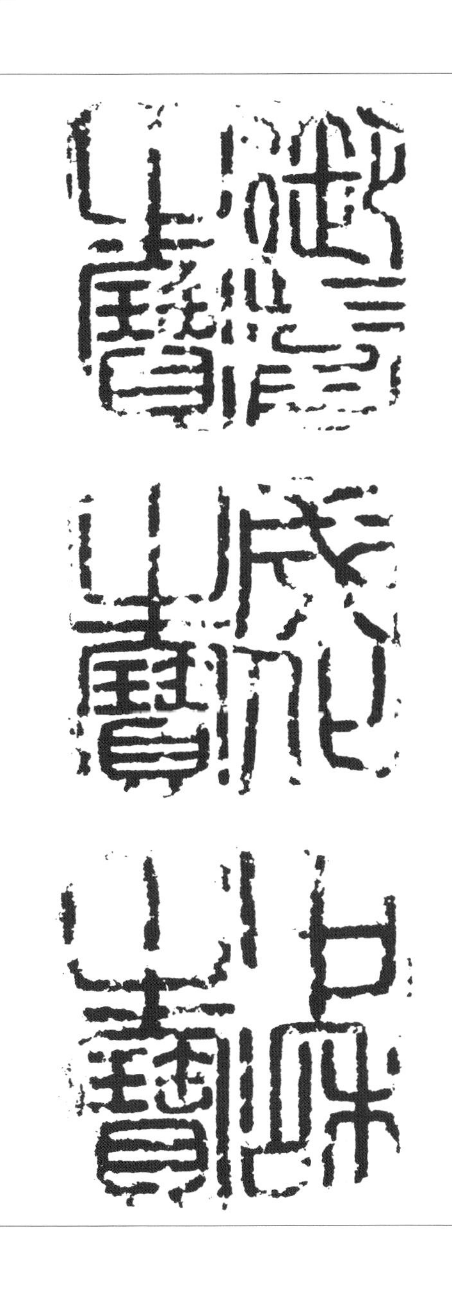

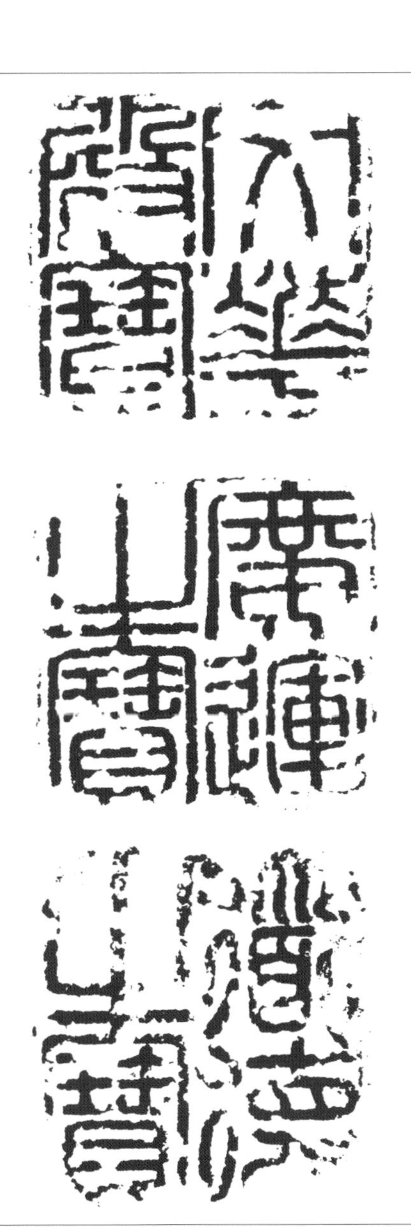

18. 御前之宝　文华殿宝　成化之宝　广运之宝　中和之宝　道德之宝（六面玺）

白石质，六面方形玺。篆书。面 5.2 厘米见方。“成化之宝”为明宪宗御笔钤用玺之一，“文华殿宝”属于宫殿名玺之一，曾见明宪宗钤此玺于御笔《冬至阳生图》。其余“中和之宝”等皆属于皇帝钤用御书诸玺之一。

19. 宸翰天章之宝

青田石质，方形玺。篆书。面5.7厘米见方，通高2.5厘米。此玺背刻三老，长衣博带立于祥云之上，头部皆有神光，当是道教之三清。按，帝王之笔迹曰宸翰。《宋史·宗室传》："子砥，艺祖后令珦之子，仕至鸿胪丞，北迁至燕山，久之欲遁归，乃遣其徒朱国宝王孝安至中京，求得上皇宸翰，怀之以归。"而天章亦以喻帝王之翰墨。杜甫诗曰："龙鸾炳天章"，马祖常诗："昭回云汉见天章"，皆为此意。又《宋史》"天禧四年（1020年），丁渭等请筑天章阁，奉安御集。"此玺为明帝钤诸御笔书画之用。

20. 天子

白石质，纪纽方形玺。鸟虫篆书。面5厘米见方，通高5.4厘米，纽高2.2厘米。

21. 天下人主

白石质，骆驼纽方形玺。篆书。面3.5厘米见方，通高3.5厘米，纽高2厘米。

22. 丹符验记

寿山石质，螭纽长方形玺，面宽4.1厘米，长4.3厘米，通高5.5厘米，纽高2.4厘米。《洪武实录》卷一百九十有“诰命丹符许用敕命”等有关规定。

23. 天潢演派

寿山石质，蹲龙纽方形玺。篆书。面9.8厘米见方，通高7.8厘米，纽高5.4厘米。皇族曰天潢。曹植文有“分支若水，疏派天潢”之句，言皇族脉脉相袭，绵延不尽之意。

24. 亲贤保国

寿山石质，盘龙纽方形玺，篆体。面 4.9 厘米见方，通高 4.6 厘米，纽高 2.1 厘米。《南史 · 宋诸王传论》："帝王之兴，虽系之于历数，至于经启多难，莫不兼藉亲贤。"

25. 协和万邦

黑寿山石质，象纽方形玺。篆书。面 4.5 厘米见方，通高 5.3 厘米，纽高 3.2 厘米。《尚书 · 尧典》云："克明后德，以亲九族。九族既睦，平章百姓。百姓昭明，协和万邦。黎民于变时雍。"

26. 万国来朝

寿山石质，盘螭纽方形玺。篆书。面 5.2 厘米见方，通高 4.5 厘米，纽高 2.5 厘米。玺文颂扬皇帝威德远播，与历代赞颂之道同。如卢象诗"千官扈从骊山北，万国来朝渭水东"、唐太宗《正日临朝诗》"百蛮奉遐赆，万国朝未央"，皆言太平盛世之景象。

27. 肃清精密

白寿山石质，驼纽方形玺。篆书。面3.7厘米见方，通高4.7厘米，纽高2.9厘米。

28. 主静制动道德日新

寿山石质，盘螭纽方形玺。篆书。面3.7厘米见方，通高3.9厘米，纽高1.7厘米。

29. 至治熙和宇宙清（诗玺）

白寿山石质，人物纽方形玺。篆书。面4.4厘米见方，通高6厘米，纽高3.3厘米。刻一人，深目短须，袒胸赤膊，腿单跪，身负一虎，似《职贡图》中番人进宝状，形象生动。玺文五行二十八字，为七言绝句一首。云：“至治熙和宇宙清，梯航重还贺升平。奇珍异宝彤庭贡，一统山河属大明。”玺文内容与纽雕含义吻合。

30. 圣经贤传五车余（诗玺）

寿山石质，人物纽方形玺。篆书。面4.4厘米见方，通高6.1厘米，纽高3厘米。为一老者，袒胸露乳，席地而坐，一肘倚书一函，一手抚腹，笑容可掬。玺文五行二十八字，为七言绝句一首。云："圣经贤传五车余，治世安民赖此书。收拾腹中闲坦坐，一轮红日在空虚。"文意与纽境相契合。

31. 宣鸿化致隆平彰圣德膺皇明

青田石质，光素方形玺。篆书。面4.7厘米见方，通高4.1厘米。玺文四行十二字，为"宣鸿化，致隆平，彰圣德，膺皇明。"

32. 善及四方御押

寿山石质，云纽方形玺。面3.5厘米见方，通高4厘米，纽高2.3厘米。押文待考。边刻"善及四方"四字。

33. 崇祯帝御押

青玉质，蹲龙纽长方形玺。面宽 9 厘米，长 11 厘米，通高 11 厘米，纽高 6 厘米。此押为崇祯皇帝御用。故宫所藏明代遗留的崇祯御笔曾钤有此押。张珩先生释文为“由检”二字。但皇帝只有祭天的祝版署御名，例如“皇帝臣朱元璋”，绝不可能用御名画押。例如故宫还藏有赐内监曹化淳的一幅御笔，亦钤此押。皇帝岂有向太监署名的道理。郭沫若先生因见郑成功在台湾所铸银币面上正中有此押，释作“国姓大木”。郑成功在台湾始终尊大明正朔，用崇祯皇帝御押铸币是顺理成章的。以上两家的释文都不能成立，究竟是什么字句画成此押，仍待考。

34. 双龙捧寿（图形玺）

寿山石质，瑞兽纽正方形玺。面 3.3 厘米见方，通高 3.5 厘米，纽高 2 厘米。

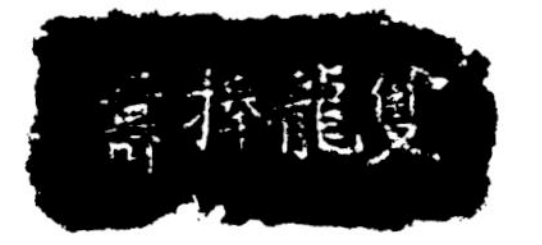

35. 三教一家　静探显密　明心见性　万法归一（四面玺）

黄杨木质，正方形玺。篆书。面 3.9 厘米见方，通高 4.1 厘米。三教指儒、道、释三教。三教互相融合，互为相通。

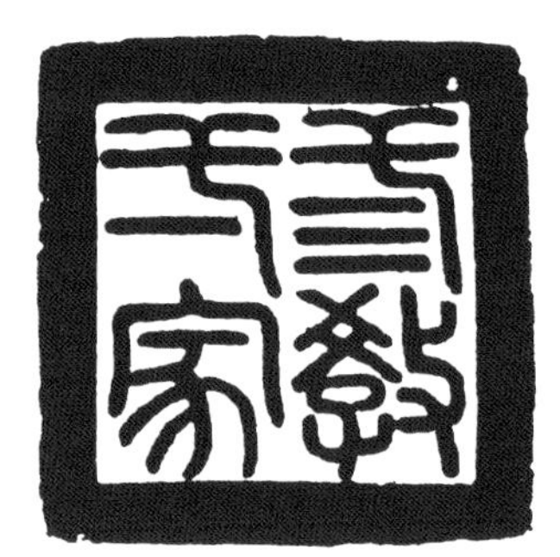

36. 玄谷帝君金丹之玺

寿山石质，法轮纽方形玺。篆书。面5.4厘米见方，通高6.5厘米，纽高3厘米。

37. 转运凭升降（诗玺）

白石质，轮纽正方形玺。篆书。面3.4厘米见方，通高5.1厘米，纽高2.3厘米。玺文为五言诗一首，云："转运凭升降，周旋任往来。机关真巧妙，拨动已千回。"

38. 丹月生光彩（诗玺）

寿山石质，螭纽正方形玺。篆书。面3.2厘米见方，通高1.7厘米，纽高0.5厘米。玺文为五言诗一首，云："丹月生光彩，青天无片云。此时多乐趣，日月在逡巡。"

39. 玄谷帝君道宝

寿山石质，瑞兽纽方形玺。篆书。面5.8厘米见方，通高3厘米。玄谷帝君行道之宝玺。

40. 玄都万寿之宝

寿山石质，雕人物纽正方形玺。篆书。面5.5厘米见方，通高3厘米。玺背高浮雕道教三清形象。玄都，道家所称神仙居处。晋葛洪《枕中书》云："《真记》曰：玄都玉京七宝山，周回九万里，在大罗之上，城上七宝宫，宫内七宝台，有上中下三宫，……上宫是盘古真人元始天尊太元圣母所治。"唐杜甫《冬日洛城北谒玄元皇帝庙》诗称："配极玄都閟，凭高禁御长。"由此可测此玺祈望升仙得道，寿年绵延之意。

41. 紫极真仙之宝

寿山石质，瑞兽纽正方形玺。面6厘米见方，通高6.2厘米，纽高2.5厘米。紫极，星名。借指帝王所居宫室。《文选》潘岳《西征赋》有“厌紫极之闲敞，甘微行以游盘”之句。李善注云：“紫极，星名。王者为宫以象之。”后道家称上天仙人居所为紫极。晋葛洪《抱朴子·微旨》有：“但彼人之道成，则蹈青霄而游紫极”句。至唐，道教崇隆，奉老子为玄元皇帝，长安，洛阳及各州遍置玄元皇帝庙，京都之庙号玄元宫，诸州之庙号紫极宫。由此可测，紫极真仙，或指老子，或指道教神仙，或为此玺原主自喻。

42. 先天一气混元教主紫微真仙秘传玄奥

白石质，异兽纽长方形玺。篆书。面宽6厘米，长6.4厘米，通高5.8厘米，纽高3厘米。印文“先天一气　混元教主　紫微真仙”三句为神号，后一句“秘传玄奥”指道教的传播宣释。

43. 丹在身中御押

寿山石质，狮纽方形玺。面2.6厘米见方，通高4.1厘米，纽高2.3厘米。押文不详。边刻“丹在身中”四字。

44. 阿弥陀佛（图形玺）

寿山石质，双羊纽方形玺。面3.3厘米见方，通高5.4厘米，纽高3.6厘米。阿弥陀佛又称无量寿佛，无边光佛等，密宗称甘露王。净土宗的主要信仰对象，称他是“西方极乐世界”的教主，能接引念佛人往生“西方净土”，故又称“接引佛”。

45. 不动佛（图形玺）

寿山石质，盘螭纽方形玺。面3厘米见方，通高4厘米，纽高1.8厘米。不动佛属金刚部，为五方佛之一。居东方，代表五智中的大圆镜智，头戴毗卢帽，有圆形背光，四外卷云环绕，项饰瓔珞。左手禅定印，掌心立一杵，右手触地定印，结跏趺坐，身下为单层覆莲座。边刻“不动佛”。

46. 观音菩萨（图形玺）

白石质，盘螭纽方形玺。面3.9厘米见方，通高5厘米，纽高2.3厘米。观音为阿弥陀佛的左胁侍，“西方三圣”之一。《法华经》云，众生如遇灾难，只要诵其名号，“菩萨即时观其音声”，故名。观音作女相，在汉地佛教中始于南北朝，盛于唐代。但此玺菩萨坐于狮背，束发，无宝冠璎珞，左托钵，右持枝，宝相庄严。但年代久远，印面图形是男身还是女身，已因漫漶不清难以辨认。边刻“观音菩萨”。

47. 弥勒菩萨（图形玺）

寿山石质，盘螭纽方形玺。面3.6厘米见方，通高4.3厘米，纽高2厘米。弥勒又称慈氏。佛经说他将在很久以后从兜率天降生于人间，继承释迦的佛位成为未来佛，普渡众生，因此深受崇拜。弥勒菩萨有两种形象，一种是菩萨装，一般单独供养。另一种是佛装，为三世佛中的未来佛。这方小玺为菩萨装。边刻“弥勒菩萨”。

48. 因竭陀尊者（图形玺）

寿山石质，卧兽纽方形玺。面3.3厘米见方，通高3.9厘米，纽高1.9厘米。此尊者为十八罗汉之一。

49. 持国天王（图形玺）

寿山石质，盘螭纽方形玺。面3.6厘米见方，通高4.3厘米，纽高2厘米。据佛经称持国天王为护法神，居于须弥山的东面。边刻“持国天王”。

50. 救度佛母（图形玺）

白石质，盘龙纽方形玺。面3.4厘米见方，通高4.3厘米，纽高2.3厘米。度母是印度早期著名的神祇，佛经称为观音的化身，慈悲女神。密宗尊为五方佛中不空成就佛的明妃，又称度母，右手当胸持莲花，左手撑身后座上。在藏传佛教中极受崇拜。边刻“救度佛母”。

51. 白衣母（图形玺）

寿山石质，盘龙纽方形玺。面4厘米见方，通高2厘米，纽带高0.5厘米。白衣母右手持莲，左手撑身后。密宗称其是莲花部阿弥陀佛之明妃，常处白莲中，着白衣，故名。边刻“白衣母。

52. 吉祥语金刚（图形玺）

白石质，盘螭纽方形玺。面 5 厘米见方，通高 5.5 厘米，纽高 2.5 厘米。玺图为双身像。主尊一面二臂，胸前交持铃杵，拥抱佛母，戴骷髅冠，足踏恶神，立于智慧火焰之中。佛母为金刚亥母，一面二臂，左手托嘎布拉碗，盛甘露，右手持钺刀。是藏传佛教密宗的无上本尊神之一。边刻“吉祥语金刚”。

53. 除灾金刚（图形玺）

寿山石质，盘螭纽方形玺。面 3.3 厘米见方，通高 4 厘米，纽高 1.6 厘米。边刻“除灾金刚”。

54. 摩尼宝珠（图形玺）

寿山石质，蹲螭纽方形玺。面 3.1 厘米见方，通高 3.5 厘米，纽高 1.5 厘米。

后妃宝玺

HOUFEI BAOXI …… 郭福祥

今人所言之后妃，盖指太皇太后、皇太后，皇后及诸妃嫔等人。而后妃宝玺则为册纳时朝廷所颁发之宝印或为其所有之私印私玺。后妃作为帝王宫廷中之重要成员，具有严格的等级区别。而后妃宝玺则是其地位和权力之证明和象征，亦等级森严。尊母册后乃钦崇之制，明伦之典，历来王朝相沿不辍，而宝玺之制见乎史籍者，可得中国后妃宝玺制度史一清晰轮廓。

有秦一代，皇后宝玺之制不详。明确记述皇后玺文形制则自汉代始。"《汉书》：皇后玺，文曰皇后之玺，金，螭虎钮。《旧仪》云：皇后婕妤乘辇，余皆以茵。四人舆以行。皇后玉玺，文与帝同。后汉灵帝册宋贵人为后，御章德殿，太尉袭使持节，奉玺绂，宗正读册毕，后拜称臣任位，太尉授玺绂，中常侍、长秋、太仆、高乡侯览，长跪受玺绂，奏于殿前。女使授婕妤，长跪受，以授昭仪，受长跪，以带后，后秩比国王，即位威仪。赤绂，玉玺也。又蔡邕《独断》云：皇后，赤绶，玉玺。贵人緺缑，金印。"（清朱象贤《印典》卷一）可知汉代皇后之玺或金或玉，大小在方寸之间，纽为螭虎。1968年咸阳狼家沟出土之汉代白玉"皇后之玺"与此记载正相符合，可为辅证。

至晋时，又规定有女官印制："贵人、夫人、贵嫔，是为三夫人，皆金章紫绶。文曰：'贵人、夫人、贵嫔之章'。淑妃、淑媛、淑仪、修华、修容、修仪、婕妤、容华、充华，是为九嫔，银印青绶。"（元马端临《文献通考》卷一百一十五）唐代规定："太皇太后、皇太后、皇后、皇太子及妃玺皆金为之，藏而不用。太皇太后、皇太后封令书以宫官印，皇后以内侍省印。"（同上）

宋代后妃宝印制度更为完备，"哲宗元祐元年（1086年），诏：天圣（1023–1032年）中，章献明肃皇后用玉宝，方四寸九分，厚一寸二分，龙钮。今太皇太后权同处分军国事，宜依章献明肃皇后故事。二年又诏：太皇太后玉宝，以'太皇太后之宝'为文，皇太后金宝，以'皇太后宝'为文；皇太妃金宝，以'皇太妃宝'为文。中兴之后，后宝用金，方二寸四分，高下随宜，鼻钮以龟"（《宋史》卷一百五十四）。又"绍熙1190–1194年）初，上'寿圣皇太后'、'寿成皇后'尊号，金宝皆六字，文曰'寿圣皇太后宝'、'寿成皇后之宝'，广四寸九分，厚一寸二分，填以金，盘龙钮。"（元马端临《文献通考》卷一百一十五）以后加上徽号宝印亦如之，这是宋代尊号徽号宝的情况。至于皇后宝玺，则有如下记载："《宋纪》：景祐元年（1034年），立后曹氏，命礼院详定仪注……宝用金，方一寸五分，高一寸，文曰'皇后之宝'，盘螭纽。"又"《文献通考》：绍兴十三年（1143年）四月，行皇后册礼。宝用玉，方一寸有半，盘螭钮。文曰'皇后之宝'，隆兴（1163–1164年）以后，悉合是制。"（清朱象贤《印典》卷二）又"《宋史》：庆历八年（1048年）制，美人张氏为贵妃……金印，方寸。文曰'贵妃之印'龟钮紫绶。"（同上）至此，太皇太后至妃嫔之印制俱备，这是明代后妃印制的基础。

明代后妃宝印现存实物不多。根据文献记载，明代后妃宝印可分为册纳宝印，尊号徽号宝和闲章三种类型。

明代册立后妃仪注，大抵参唐、宋之制而用之。洪武初年，定册立皇后规制。正统七年（1442年），英宗大婚，乃定天子纳后仪注。而授受册宝则为册纳礼中重要的一节。终明一代，皇后册宝规制如下："册用金二片，每片依周尺长一尺二寸，阔五寸，厚二分五厘。镌刻真书，每片侧边上下有窍，川红绦联贯开合，如今书帙之状。背各用红锦嵌护，藉以红锦小褥，册盝以木为之，饰以浑金沥粉蟠龙，用红纻丝衬裹。内以红罗销金小袱裹册，外以红罗销金夹袱裹之，五色绦萦于匣外，宝用金，龟钮朱绶，文用篆书曰：'皇后之宝'。依周尺方五寸九分，厚一寸七分。宝池用金，阔取容宝。宝匣二副，每副三重。外匣用木，饰与册盝同。中匣用金，钑造蟠龙，内小匣仍用木，与外匣同。小匣内置一宝座，四角雕蟠龙，饰以浑金座。上用小锦褥。褥上置一宝池。用销金红罗小夹袱裹宝。其匣外各用红罗销金大夹袱覆之。"（《明会典》卷六十）

明代内廷嫔御，尊称至皇贵妃而极。"皇贵妃始于宣庙朝是固然矣。然亦有异者。如高皇帝洪武十七年（1384年）甲子，册李氏为皇淑妃，又进封郭氏为皇宁妃，而贵妃反不得皇字，此其异也。至文皇帝嫔御，自贵妃而下，凡二十余人，无一得皇字者。至宣宗孝恭后后，而皇字始得专属贵妃矣。"（明沈德符《万历野获编》卷二）在明朝众多的后妃中，有幸得"皇贵妃"称号的不过寥寥八九人。在"二祖及仁宗朝，尚未有'皇'字，故有册而无宝"（同上）。至宣德元年（1426年），"帝以贵妃孙氏有容德，特请于皇太后，制金宝赐之。未几即诞皇嗣，自是贵妃授宝，遂为故事。"（《明史》卷六十八）从而改变了前朝"皇贵妃而下，有册无宝而有印”的惯例。至于皇贵妃宝的大小规制，史无记载，但《明会典》将其归入皇妃冠服类，则可推知其形制当与皇妃印相同，只不过宝文为“皇贵妃之宝”而已。

明代其他妃子，则有印无宝。根据《明会典》的记载，皇妃册用镀金银册两片，广长与皇后册同。印用金，龟纽。依周尺方五寸二分，厚一寸五分，文曰："皇妃之印"。宝匣册盝同皇后册宝。但皇后盝匣雕蟠龙，而皇妃则雕蟠凤。明代嫔以下则只有银册而无印。明代册纳后妃授之宝印的情况大抵如此。

明制："天于登极，奉母后或母妃为皇太后，则上尊号。其后或以庆典推崇皇太后，则加二字或四字为徽号。"（《明史》卷五十三）上徽号致词，上尊号则只进宝册。可知上尊号的主要仪式亦为进献册宝。明代上皇太后尊号，自明宣宗登极尊皇太后始，并形成定制。先期遣官祭告天地宗社。是日，在奉天门设册宝彩舆香亭，在皇太后宫中设册宝案及皇帝、亲王拜位。皇帝先冕服至奉天门，阅视册宝后装入册宝舆亭，皇帝随之至太后宫，先行四拜礼，后进册，再进宝。奉宝官以宝跪进，皇帝受宝献讫，执事官跪受，置宝于案右。皇帝率群臣叩拜毕，皇帝奉皇太后至奉先殿行谒谢礼，次日命妇进表祝贺。正统（1436—1449年）初年，上太皇太后尊号，其礼仪相同。在上尊号前，命有司制作相应册宝以备用，其制不详。今故宫藏有檀香木宝一，宝文“章圣皇太后宝”，为嘉靖生母蒋氏之尊号。“世宗入承大统，即位三日，遣使诣安陆奉迎，而令廷臣议推尊礼。咸谓宜考孝宗，而称兴王为皇叔父，妃为皇叔母。议三上，未决。会妃将至，礼臣上入宫仪，由崇文门入东安门，皇帝迎于东华门，不许。再议由正阳门入大明、承天、端门，从王门入宫，又不许。王门，诸王所出入门也。敕曰：‘圣母至，御太后车服，从御道入……’。时妃至通州，闻考孝宗，恚曰：‘安得以吾子为他人子。’留不进。帝涕泣愿避位，群臣以慈寿太后命，改称‘兴献后’，乃入……（嘉靖）元年（1522年）改称‘兴国太后’，三年（1524年）乃上尊号曰‘本生章圣皇太后’。是年秋。用张璁等言，尊为‘圣母章圣皇太后’。”（《明史》卷一百一十五）这便是著名的嘉靖初年的大礼议事件。而“章圣皇太后宝”即是大礼议事件的直接产物。当然，此宝并非嘉靖上尊号时的原制之物，因为当时除尊号宝外，极有可能再刻治多方含有尊号的玺印，以充闲章钤用，但无论如何，作为章圣皇太后的遗物留存至今，堪称弥足珍贵。

明代至英宗年间才有上皇太后徽号事。“英宗复辟，岷王徽煠请上皇太后尊号。礼部以非本朝故事，乃止。已而尚宝司少卿钱溥谓陈汝言曰：复辟之初，非奉太后诏，谁敢提兵入禁？今论功行赏无虚日，而母后徽号未加，宁非阙典？汝言以闻，帝大悦，乃问李贤，曰：‘此莫大之孝也！’遂上尊号曰：‘圣烈慈寿皇太后’。明代宫闱徽号自此始。”（《明会要》卷十三）上徽号时是否制作册宝，史籍未见明确记载，但从前述“上徽号致语，上尊号则止进册宝”看，很可能不进册宝。此事尚需探究其详。这是明代尊号徽号宝之情况。

明代后妃闲章不是太多。有时是由皇帝钦赐。如洪武四年（1371年）正月戊戌，明太祖朱元璋命“制玉图记二，俱以蟠龙为纽，其一方一寸五分，文曰：‘广运之记’；其一方一寸二分，以赐中宫，文曰：‘厚载之记’”。（《明太祖实录》卷六十）如此“厚载之记”成为明代皇后专用玺文，代有摹制。遗物至今犹有存者。有时由有司摹篆刻治，玺文无具体规定，多含封号或尊号。现存“皇贵妃图书”即属此种情形。

至于后妃宝印之制作，则由中书官及相应匠作共同完成。“旧例，凡遇徽号册封大典，阁臣率领中书官，篆写金宝金册于南薰殿。”（《甲申朝事小纪》二编卷九）所谓中书官，即指中书科之中书舍人。据载："武英殿舍人，职掌奉旨篆写册宝、图书、册页。内阁……制敕房舍人，掌书办制敕、诏书、诰命、册表、宝文、玉牒、讲章、碑额、题奏、揭帖一应机密文书，各王府敕符底簿。"（《明史》卷七十四）。宝文篆写完成后，工部匠作或内官御用监督工刻治，以备典礼之用。一般情况下，后妃宝印制作按程序进行。但也有特殊的时候。“万历二十四年（1596年），乾清、坤宁两宫皆灾，皇后宝玺焚于其中。及四十三年（1615年），分封福王，之国。例有皇后及本生皇妃诫谕一道，须用宝玺钤识，垂之久远。神庙轸念财用匮乏，命御用监以梨木雕刻皇后宝玺施用之。中书谢稷摹篆上木，终皇后身不补铸造。”（《甲申朝事小纪》初编卷十）这是不得已采取的应急措施，不为后世法典。姑备于此，以明一代史事。

55. 章圣皇太后宝　皇帝奉天之宝(双面玺)

檀香木质，双面方形玺。篆书。面14厘米见方，通高4.7厘米。另一面汉文篆书满文本字玺文“皇帝奉天之宝”。应为清廷沿用前朝旧物所刻。虽然在今人所视不免粗率，用料极不讲究，恰能说明清代制玺有沿用明室旧玺改刻之例。

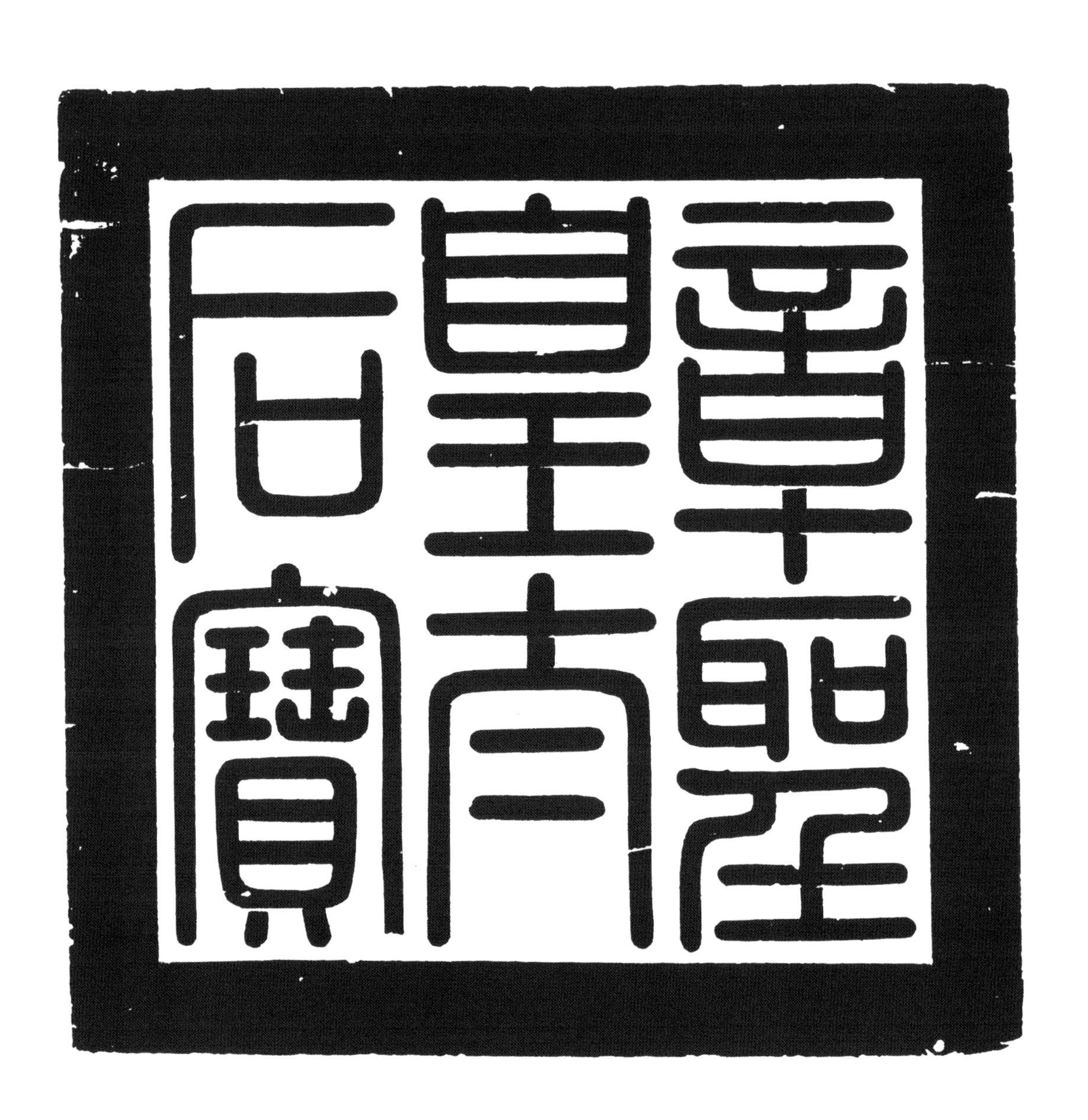

皇帝之寶

56. 皇贵妃图书

白石质，螭纽方形玺。九叠篆书。面4.6厘米见方，通高5.7厘米，纽高2.5厘米。附系黄色绶带。《印文考略》称，古人于图画书籍，皆有印以存识，称图书印，故今呼官印仍曰印，呼私印曰图书。此为皇贵妃御书钤用之玺。

皇帝升祔庙号谥号册

HUANGDI SHENGFU MIAOHAO SHIHAO CE

……恽丽梅

谥是古代在人死后按其生前事迹之美恶给予的称号。帝王之谥，由礼官议上。臣下之谥，由朝廷赐予。帝王谥号之上还有庙号，即某祖、某宗。有关谥名的解释和一套仪注称为谥法。谥号有褒有贬，根据死者生前行为分美、平、恶三类。秦始皇统一全国后废除谥法。西汉时又恢复，并逐渐繁复严密，至唐宋极盛。元以后取消恶谥。

皇帝的谥号，由嗣位皇帝上谥配天。其原则是开国和初期建立基业有殊勋的皇帝称“祖”，而后来的守成皇帝称“宗”。谥号字数有明确规定，《明会要》载：凡皇帝十七字，皇后十三字。谥号的选字也有一定范围，上谥时从中挑选确定。谥号用字皆有释义，如：绥柔士民曰德，夸志多穷曰武，小心畏忌曰僖，安乐抚民曰康。相同之字释义也有不同，如：尊贤敬让曰恭，执事坚固曰恭，既过能改曰恭，芘亲之阙曰恭；道德闻博曰文，慈惠爱民曰文，赐民爵位曰文。

明代上谥有一套仪式。先是敕谕文武群臣议上尊谥，拟定谥文经嗣皇帝看过确定，后授翰林院官，命撰册文。上谥前三日斋戒。遣官祭告天地、宗庙、社稷，鸿胪寺设册宝案舆及香案于奉天殿。是日早，内侍先以册宝置于案。太常寺先设册宝案于太庙门外丹陛上。明永乐元年（1402年）上太祖高皇帝、高皇后谥仪：皇考、皇妣神御前各设册宝案。鸿胪寺设册宝舆于奉天门外御道上，锦衣卫设卤簿，教坊司设中和韶乐如常仪，文武百官具祭服诣太庙门外立俟。执事官并宣册宝官先从太庙右门以序立于殿右。皇帝具衮冕御华盖殿。捧册宝官四员，各具祭服于奉天殿东西序立。鸿胪寺奏请行礼，导驾官导皇帝出奉天殿册宝案前。捧册各官各捧册宝前行，各以册宝置彩舆内，卤簿大乐在前，皇帝乘舆随彩舆后行。至午门外，降舆，升辂。至太庙门，文武百官皆跪。至太庙中门外，置彩舆于中道，捧册宝官各于彩舆内取册宝前行。至丹陛上，捧册宝置于案。典仪唱乐舞生就位。皇帝就位四拜，然后至庙中。皇帝诣皇考妣神御前，奏跪、奏搢圭、奏进册，捧册官以册跪进于皇帝左。皇帝受册，以册授执事官置于案左，宝置于案右。皇帝复位，奏四拜，兴，

行祭礼如常仪。次日，颁诏。(《大明会典》卷八十八)

明代规定："册宝皆用玉，册简长尺二寸，广一寸二分，厚五分，简数从文之多寡。联以金绳，藉以锦褥，覆以红罗泥金夹帕。册匣，朱漆镂金，龙凤纹。其宝，篆文，广四寸九分，厚一寸二分。金盘龙纽，系以锦绶，裹以红锦，加帕于盝，盝装以金。"(《明史》卷五十一)

故宫收藏明代谥册有：永乐元年(1403年)上太祖高皇帝谥册，洪熙元年(1425年)上仁宗昭皇帝谥册，宣德十年(1435年)上成祖文皇帝谥册。嘉靖十七年(1538年)上成祖文皇帝谥册，嘉靖十七年上英宗睿皇帝谥册，天顺八年(1464年)上英宗睿皇帝谥册，成化二十三年(1487年)上宪宗纯皇帝谥册，弘治十八年(1505年)上孝宗敬皇帝谥册，正德十六年(1521年)上武宗毅皇帝谥册，隆庆元年(1567年)上世宗肃皇帝谥册，隆庆六年(1572年)上穆宗庄皇帝谥册，泰昌元年(1620年)上光宗贞皇帝谥册，天启七年(1627年)上熹宗悊皇帝谥册。

诸册均用青玉或碧玉四条制成，多用平金缎长联隔垫。故宫现存实物中没有皇后谥册，但从定陵出土谥册中我们得知，帝后册文格式基本相同，但有尊卑之分。皇帝谥册首称年月日，次称孝子嗣皇帝某臣，其后是赞词说明定谥理由，之后为"请命于天，敬奉册宝，上尊谥曰某某"，最后是赞语。而皇后的谥册，首称年、月、日，次为"皇帝制曰"，其后则为赞语，最后为"兹以册宝谥尔某某"。

定陵发掘所得谥宝共四件，出土时分别置于随葬物箱内的盝顶匣内，孝靖后谥宝与谥册同置一箱内，其余三件都是各置一箱。谥宝匣内铺有黄方缎垫，宝置其上，匣外包以罗袱。谥宝均为梨木制成，不髹不染，呈褐色，宝方形，上雕龙纽，纽与宝可分离。面阳文篆书。纽部穿系黄丝绶，交于龙纽上面。另用丝线结住，使绶带两端丝穗交于纽前。三件完好，一件仅剩残纽，均属于万历帝，无丝穗。刻文二行，文曰："神宗范天合道哲肃敦简光文章武安仁止孝显皇帝之宝"，其中四字者五行，三字者一行，通高14厘米，面13厘米见方(见《定陵》图录)。从而推断，明代进奉太庙之玉谥宝与随葬物应相同，只是质地不同罢了。

57. 永乐元年上太祖高皇帝谥册

青玉册，长方形，计6页。每页长24.3厘米，宽9.7厘米，厚1.2厘米。楷书填金。册附黄绸夹袱，黄织金缎。明太祖朱元璋，元天顺元年（1328年）生。幼名重八，又名兴宗，字国瑞。濠州钟离（今安徽凤阳东）人。家贫，曾剃度为僧。元至正十二年（1352年），投郭子兴红巾军为亲兵，战辄胜。子兴赏识，妻以养女马氏。子兴死，并其兵。攻掠郡县，势渐强。至正十六年（1356年）占集庆（今江苏南京），称吴国公。纵兵四出，与群雄争斗，割据自强。聘刘基、宋濂等为谋士，谘以方略，兴儒教化，定礼乐之制，采纳朱升“高筑墙，广积粮，缓称王”之策，渐次翦灭陈友谅、张士诚等割据群雄，乘胜北伐中原，进军元都。1368年1月，即皇帝位，定国号明，建元洪武，定都南京。是年八月，徐达统大军克元大都（今北京），元顺帝北徙。其后收降方国珍、陈友定，次第略收秦晋，扫平两广，灭夏平滇，挥师东北，完成全国统一大业。开国后厘定制度，奖励开垦，移民屯种，均平赋役，兴修水利，便商轻税，改革工匠之制。定“剥皮实草”酷刑，以严惩贪污。又因胡惟庸谋反案，废中书省，罢丞相不设，政归六部，实以宸纲独断，治国严猛。洪武三十一年（1398年）闰五月卒，年七十一。葬孝陵，庙号太祖，谥号高皇帝。其升祔庙号谥号册文如下：

惟永乐元年岁次癸未六月丁未朔越十一日丁巳，孝子嗣皇帝臣棣谨再拜稽首，言：臣闻俊德赞尧，重华美舜，禹汤文武，列圣相承，功德兼隆，咸膺显号。钦惟皇考皇帝统天肇运，奋自布衣，戡定祸乱，用夏变夷。以孝治天下四十余年，民乐雍熙，礼乐文章，垂宪万世。德合乾坤，明同日月，功超千古，道冠百王。谨奉册宝上尊号曰：圣神文武钦明启运俊德成功统天大孝高皇帝。庙号太祖。伏惟圣灵陟降，阴骘下民，覆焘无极，与天作配。谨言。

58. 隆庆六年上穆宗庄皇帝谥册

墨玉册，长方形，计 10 页。每页长 22.6 厘米，宽 10 厘米，厚 0.9 厘米。首尾两页各刻升龙描金，各页用黄平金缎联结。明穆宗，即朱载垕，明世宗第三子。生于嘉靖十六年（1537 年）正月二十三日，嘉靖十八年（1539 年）二月封裕王。嘉靖四十五年（1566 年）十二月即位，建元隆庆，在位六年。罢一切斋醮，收方士悉付法司治罪。减营建，躬行节俭，尚食岁省巨万。用大学士高拱，张居正等议，封蒙古俺答为顺义王，史称俺答封贡，调名将王崇古、谭纶、戚继光镇守宣化、大同、蓟州，九边粗安，北患大轻。然权臣相倾，门户之争渐兴，遗患后世，党争之端肇于穆宗之世。隆庆六年（1572 年）卒。后世称“令主”。葬昭陵，庙号穆宗，谥号庄皇帝。其升祔庙号谥号册文如下：

惟隆庆六年岁次壬申七月甲申朔初三日丙戌，孝子嗣皇帝臣翊钧谨再拜稽首，言：伏以上圣宅尊，仰六载中天之烈，鸿名归美，升万年大室之华。庆衍无疆，颂均有截。恭惟皇考大行皇帝溥将受命，渊穆凝神，安安天纵于帝文，亹亹日跻于圣敬。爰自龙潜，毓粹高代，王仁孝之风；迄乎凤历，开昌体殷，宗恭默之懿。垂至治之裳而乾纲独运，调大化之瑟而解泽旁流。春秋不辍于谈经，学古训而有获，宵旰克勤于听政，监成宪以罔愆。岁郊时享，信顺孚于帝亲，耕耤临雍，富教兴于邦国；严饬宫庭之纪，罚不贷而赏不轻；信任辅弼之臣，言必从而谋必就，用才贤则幽遐尽；录简将吏则功过无收。谒山陵而顾问边防，虑存未雨；举大阅而鼎新营务，令出如霆。广言路则谴每恕于婴鳞，重刑狱则爱常征于祝纲。朝清道泰，内焉纪纲法度之惟明，吏职民安，外焉弦诵讴谣之毕集。三灵协瑞，万邦屡丰；德施渗漉于函生，威命播扬于殊俗。北虏归诚而请贡，塞垣无烽燧之惊；南夷假息以就歼，岭海有耕桑之乐。皇猷炳朗，六府三事，皆可歌王路；清夷四海，九州莫不眼瞻。成功之丕，赫亶垂世以弥光。宜奉巍巍荡荡之名，乃称尊尊亲亲之礼。虽管窥蠡测，未能究极其闳，摹而镂玉泥金，勉用铺张于显册，爰咨公议，请命于天。谨奉册宝，上尊谥曰：契天隆道渊懿宽仁显文光武纯德弘孝庄皇帝。庙号穆宗。伏惟：永妥圣灵，诞膺天赐，蜚英声，腾茂实，同日月而照临；衰景福，衍鸿休，配乾坤之悠远。谨言。

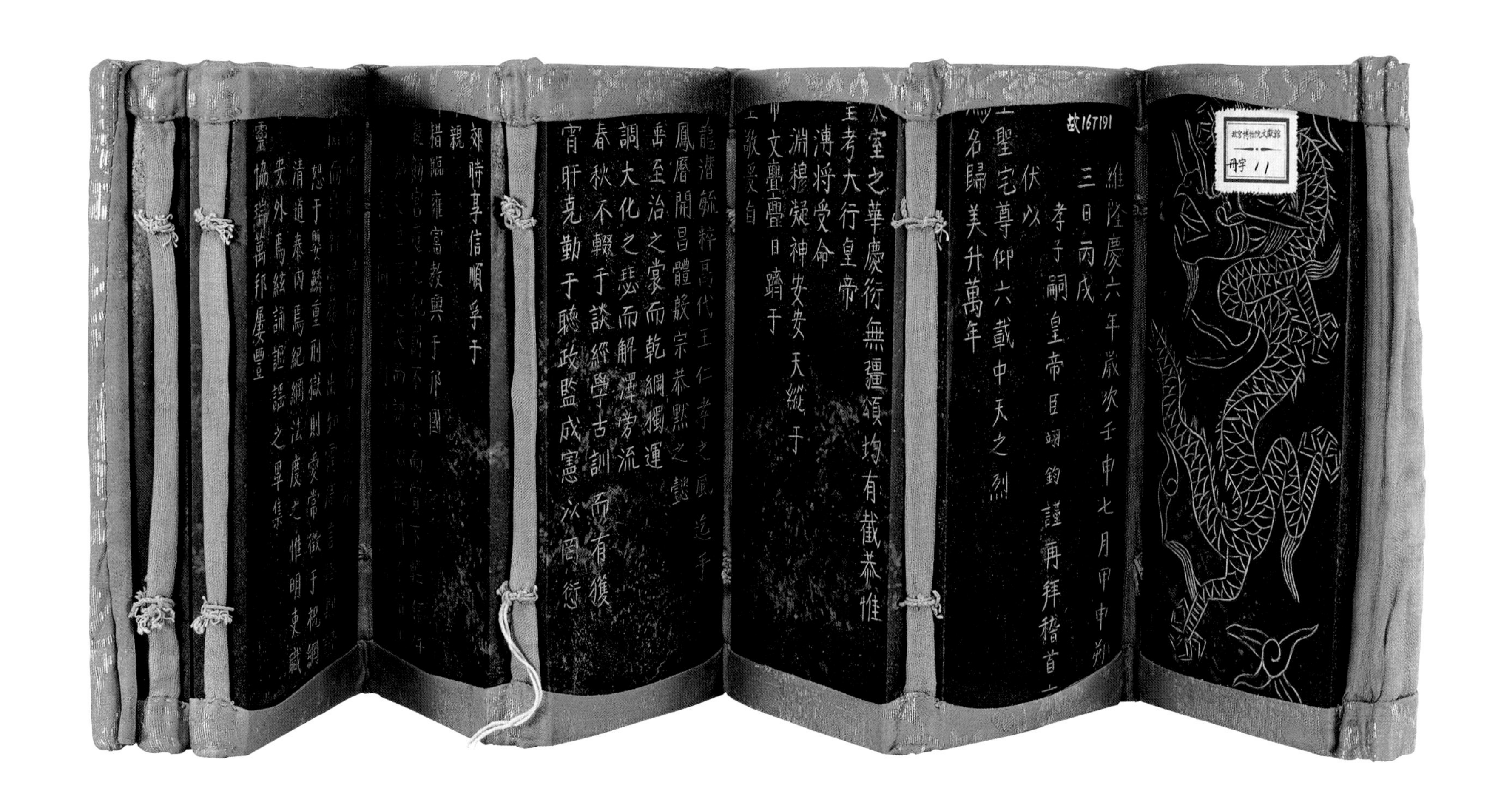

附录 铁券

FULU TIEQUAN …… 关雪玲

铁券是皇帝敕封功臣爵位，赐予功臣某种特权时所颁发的契信物，始于汉初。《汉书·高帝纪》云：高祖刘邦以“天下既定，命萧何次律令，韩信申军法，张苍定章程，叔孙通制礼仪，陆贾造《新语》。又与功臣剖符作誓，丹书铁契，金匮石室，藏之宗庙”，申以丹书之信，又作元功萧何、曹参等十八侯位次，并有欲使功臣传祚无穷的封爵之誓：“使黄河如带，泰山若厉，国以永存，爰及苗裔”（《汉书》卷十六）。誓词用丹砂写在铁制契券上，故称“丹书铁券”或“誓书铁券”。

明代封爵赐券制度，始于太祖。洪武元年（1368 年）八月，大将徐达取元都（今北京）后，太祖念功臣功勋之大，欲封爵加勋，镌铁券以赐之。但苦于无准式可依，翰林学士危素献策：台州人氏钱允一，家藏唐昭宗赐武肃王钱镠铁券。于是遣使前往。允一奉诏椟券。依钱氏所藏唐代铁券为式，略加损益，定制明代铁券。明铁券在减免罪次数上比唐要严厉得多。唐代，“卿恕九死，子孙三死，或犯常刑，有司不得加责。”（《辍耕录》卷十九）明代，受券人本身自免二死，子免一死，这还要在不危及皇权前提下，否则，格杀勿论。“所谓免死者，除谋反大逆，一切死刑皆免。然免后革爵革禄，不许仍故封，但贷其命耳。”（《万历野获编》卷五）明铁券，原则上只颁与武臣，以彰其战功。《大明会典》规定：凡功臣封号，如开国辅运、守正，文臣之类，非特奉圣旨不与。

唐铁券“如瓦，高尺余，阔二尺许，券词用黄金商嵌”（《辍耕录》卷十九）。明铁券形制仿唐，如覆瓦，面镌封爵诰文，文字嵌金，诰文历履恩数之详，以记其功。背刻免罪减禄之数，以防其过。铁券分左右，左颁功臣，右藏内府，印绶监备照。有故，则合之以取信。明铁券共分七等。公二等，侯三等，伯二等。不同等级尺寸各异。

公一等，高一尺，阔一尺六寸五分；公二等，高九寸五分，阔一尺六寸。

侯三等，高九寸，阔一尺五寸五分；侯四等，高八寸五分，阔一尺五寸，侯五等，高八寸，阔一尺四寸五分。

伯六等，高七寸五分，阔一尺三寸五分；伯七等，高六寸五分，阔一尺二寸五分。

公，侯，伯之铁券，由宝源局依式打造，所用瓜铁木炭，须于丁字库抽分，竹木局关支。若遇成形铁券，径送内府镌嵌字样。

洪武三年（1370 年）十一月，太祖首次为功臣封爵赐券。先期，中书省移文大都督府，兵部具诸将功绩，吏部定诸侯功勋爵位，户部备赏物，礼部定礼仪，翰林院撰诰文，中书集六部论定功赏，奏取上裁。封赏当日，执事官各就位，设受赏功臣拜位于丹墀中。皇帝御奉天殿，皇太子、诸王衮冕随侍。受赏功臣入就拜位，四拜。承制官宣制，宣毕，受赏功臣依次受铁券。此次，封李善长、徐达等六人为公，封汤和等二十八人为侯，赐铁券，公、侯皆世袭。

券，如同符、节、印一样，原本是征信之物。古代帝王印、玺，符、节，皆示信于下。铁券属于符类，并镌圣旨，故收入本书。

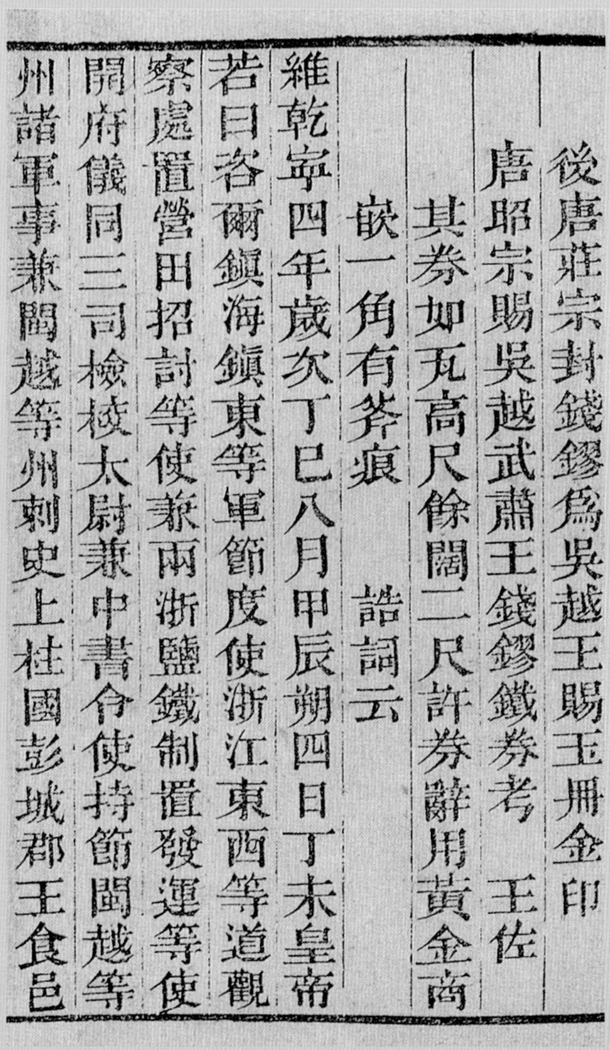

後唐莊宗封錢鏐爲吳越王賜玉冊金印
唐昭宗賜吳越武肅王錢鏐鐵券考　王佐
其券如瓦高尺餘闊二尺許券辭用黃金商
嵌一角有斧痕　誥詞云
維乾寧四年歲次丁巳八月甲辰朔四日丁未皇帝
若曰咨爾鎮海鎮東等軍節度使浙江東西等道觀
察處置營田招討等使兼兩浙鹽鐵制置發運等使
開府儀同三司檢校太尉兼中書令使持節閩越等
州諸軍事兼閩越等州刺史上柱國彭城郡王食邑

陶宗仪《辍耕录》书影

上者給與勅命
凡誥勅用寳誥用制誥之寳勅用勅命之寳仍以文簿
與誥勅各編字號復用寳識之文簿藏于内府
凡功臣鐵券刻其文於上以黄金填之左右各一面右
給功臣左藏内府
諸司職掌
一自榮祿大夫至將仕佐郎凡九等十八級所餘官員
合得散官照依定制奏聞給授及選部付到在京各衙
欽定四庫全書　明會典　卷八　十四
門實授官員及考功考過試職一年堪用并三年稱職
者合得初授陞授散官具奏行移該衙門轉行給授
一凡白身人入仕并雜職人等初入流者與對品初授
散官任内歴俸三年初考稱職與陞授散官又歴俸三
年再考功蹟顯著方與加授散官若考覈平常者止與
初授其任内未經初考遷調改除者仍照見授職事與
初授散官已經初考合得陞授遷調改除仍係本等品
級者照見授職事與陞授散官若陞等者止與對品初

《明会典》书影之一

凡南京六科中書舍人行移各衙門俱從本司轉行
凡南京尚寳司六科中書舍人俸糧俱於本司帶支
中書舍人
國初中書省設直省舍人從八品洪武九年改中書舍
人正七品後中書省革吏定爲從七品衙門職專書寫
誥勅冊符等事
事例
凡本衙門官無正佐倒推年深者一人掌印
欽定四庫全書　明會典　卷一百六十七　六
凡王府自郡王以下至奉國中尉自王夫人以下至鄉
君合給誥命俱從吏部奏准送寫
凡親王郡王并妃初受封號合授金冊銀冊俱從銀作
局造冊文寫完仍從本局鐫刻
凡公侯伯初受封爵合給鐵券從工部造完送寫誥文
轉送銀作局鐫刻以右一面頒給左一面年終奏送古
今通集庫收貯
凡内外文武官應給誥勅從翰林院領寫該用軸數於

《明会典》书影之二

59. 成化五年赐朱永铁券

宽 45 厘米，高 27.6 厘米，卷瓦形。成化五年（1469 年）抚宁侯朱永进封世袭侯爵时所受。正面刻敕封诰文，背面刻朱永及其子朱晖免罪减禄次数，“本身，一犯死罪减禄五分，二犯死罪禄米全不支给。子：一犯死罪禄米全不支给。”边角上刻一“右”字。朱永，字景昌，河南夏邑人。朱谦之子。景泰中，嗣父爵奉朝请。天顺初，分领宣威营禁军，天顺七年（1462 年），率京军巡边，统三千营，寻兼神机营。成化元年（1465 年），改督团营，领三千营如故。因平荆襄之乱和讨石龙、冯喜有功，进封为抚宁侯。成化五年（1469 年）论功进封世袭侯。十四年（1478 年），加太子太保。十五年（1479 年）冬，以靖虏将军东征，进爵保国公。十六年（1480 年），进太子太傅。十七年（1481 年），赐保国公世袭。十九年冬（1493 年），帝手敕加太傅、太子太师。弘治四年（1491 年）监修太庙成，进太师。弘治九年（1496 年）卒，追封宣平王，谥武毅。《明史》有传。

60. 成化二十三年赐朱永铁券

宽 45 厘米，高 29.4 厘米，卷瓦形。成化二十三年敕封朱永进保国公世袭，加太傅兼太子太保所赐。正面刻诰文，背面不再刻免罪减禄次数，仅在边角刻一“右”字。《明史》卷一百七十三云：成化“十四年加（朱）永太子太保。明年冬，……进爵保国公。”十九年“加太傅，太子太师”。现文献与今存实物两不相合，遽难判断孰是。

贰 清代宝玺

徐启宪

公元1644年，清顺治皇帝入主中原，定鼎燕京。清承明制，继承和发展了历代王朝的典章制度，吸收了汉民族和其他民族的思想和文化，形成了具有鲜明多民族特点的东方文化传统。清代皇帝宝玺制度就是其中的典型代表之一。

清代皇帝宝玺，按其内容可分为两种，即代表皇权的国宝和为皇帝收藏、鉴赏用的宝玺。这两种宝玺，都是中国古代印章文化艺术在清代宫廷中的反映。

代表清代皇帝权力的国宝，最典型的莫过于二十五宝玺。从清入关前的努尔哈赤、皇太极时代，到统一中国后的顺、康、雍时期，是清朝皇帝宝玺制度初创和形成时期。努尔哈赤的后金汗国，宝玺刻制尚无章法。他所管辖的势力范围，仅限于东北松辽地区。为了有效的行使政治权力，努尔哈赤用当时的老满文刻制了两方后金汗国的宝玺，即“天命金国汗之宝”和“后金国天命皇帝”。当时汉族和汉官在后金政权内还地位不高，在这两方汗国宝玺上，仅有满文而无汉文。皇太极即位后，改后金为大清国，其统治范围不断扩大。在大清国政权内部，汉族成份日益增多，部分汉族豪强和士大夫已在清政权中做官，而且起着前所未有的重要作用。这在代表皇帝权力的宝玺制度上也有所体现。其时宝玺名称多依明制；玺文除青玉“皇帝之宝”为满文外，其他宝玺开始满汉文并用，数量亦有增加，除“皇帝之宝”外，还有“奉天之宝”、“敕命之宝”、“饬命之宝”等。顺治、康熙、雍正等清初诸帝面对汉族占全国人口的绝大多数，思想文化又有几千年历史传统的局面，如何统治和管理这偌大帝国便成了摆在他们面前的最重要的课题。清初统治者除了大量吸收汉族官员参与政权，实行满汉官员并用外，他们又不得不勤奋学习和大量吸收汉民族丰富的思想文化，按照历代王朝的礼制典章，结合满族贵族占统治地位的实际，逐步塑造清王朝。皇帝宝玺的刻制和使用，基本沿袭明制。清初皇帝宝玺已达二十九方。至乾隆十一年（1746年），收藏在交泰殿的皇帝宝玺，已有三十九方之多。其许多宝玺名称与明代皇帝的前十七宝相同或相近，初步形成了清代皇帝的宝玺制度。清初的皇帝宝玺制度还有不尽完善的地方。其一，宝玺的数量和设放地点尚未制度化。乾隆皇帝弘历在《国朝传宝记》中，明白指出了这一不规范地方：“尝考《大清会典》，载御宝二十有九，今交泰殿所贮三十有九。《会典》又云：‘宫内所贮者六，内库收贮者二十有三’，今则皆贮交泰殿，数与地皆失实。”其次，用途不规范。清初皇帝宝玺，除少数宝玺如“皇帝之宝”、“敕命之宝”有明确的使用范围外，大多数宝玺的使用没有明确的制度规定，文献记载也不详实，基本上沿用明代皇帝宝玺的册档记载使用。所以乾隆皇帝批评说：“盖缘修《会典》，诸臣无宿学卓识，复未尝请旨取裁，仅沿明时所书册档，承伪袭谬，遂至于此”。其三，玺文篆刻不一。清初宝玺，除青玉“皇帝之宝”为清文篆书外，其他宝玺皆满汉两文并用。按，此前历朝皇帝宝玺皆篆书，清初国玺汉文亦篆书，而满文皆是本字，与宝玺皆篆书之制相悖，所以乾隆皇帝也认为清初国玺刻制不合规章，“因思向之国宝、官印，汉文用篆书，而清文则用本字者，以国书篆体未备也”。清初皇帝宝玺制度的不完备，与其同时的各种典章制度的不完备有密切关系。到乾隆时期，清代的政治、经济和文化已发展到鼎盛时期，世所谓的“康乾盛世”即指这一时期。为适应统治的需要，各种典章制度，必然要有进一步的修改和完善，得以制度化、规范化。皇帝的宝玺制度也是如此。

乾隆十一年，乾隆皇帝对当时所有皇帝宝玺加以整理和完善。首先，考定宝玺的数量，“今交泰殿所贮，历年既久，纪载失真，且有重复者。爰加考正排次，定为二十有五，以符天数。”其次，确定了二十五宝玺的名称、尺寸、纽式和用途，其质有玉，有金，有栴檀木。玉之品种有白，有青，有碧。纽有交龙、盘龙、蹲龙等。二十五宝玺分别用于政治、法律、军事、文教、宗室、外交等诸方面，反映了国家一切军政大权集于皇帝一身，皇帝的权力至高无上。其三,统一篆刻。乾隆十三年(1748年),乾隆皇帝命内务府造办处工匠改镌宝文，满汉统用篆体，左为清篆,右为汉篆。乾隆皇帝在《交泰殿宝谱序后》说："既定为篆法，当施之宝印，以昭画一。按谱内青玉'皇帝之宝'，本清字篆文，传自太宗文皇帝时，自是而上四宝，均先代相承，传为世守者，不敢轻易。其栴香'皇帝之宝'以下二十有一，则朝仪纶綍所常用，宜从新制。因敕所司一律改镌，与汉篆文相配。"其四，固定二十五宝收藏地点于交泰殿。清初宝玺大部收藏交泰殿，至乾隆十一年前已全部收贮于此殿，但制度上没有明文规定。到乾隆十一年考定二十五宝后，才"详定位置，为文记之"，固定收贮交泰殿。其他诸宝，除重复十宝令贮清帝龙兴之地东北盛京凤凰楼上,其他国玺则藏之别殿。从此，有清一代的皇帝宝玺制度，在乾隆时始成定制。

乾隆皇帝二十五宝玺的考定，反映了清代典章制度的完善和规范化，也体现了他的历史观和治国安民的思想，表现出乾隆作为一个有作为的皇帝所具备的风度和品格。乾隆皇帝将皇帝宝玺核定为二十有五,取意于《周易》大衍天数之义。其义有说乎?乾隆皇帝自己作了明确的回答："有说。盖天子所重以治宇宙，申经纶，莫重于国宝，而涉笔记事之玺，即其次也。我国家礼服，饰以朝珠，祖宗所御，典礼攸存。定宝数之时，密用周姬故事，默祷上苍，祈我国家若得仰蒙慈佑，历二|五代以长，斯亦尰矣，此亦侈望。然郏鄏定鼎，卜世卜年，已著其例。敬思自古以来，未有一家恒享昊命而不变者，此意恒存于心而不敢言。兹予以难期八十有六岁之侈望，而得符望传位授权，实赖鸿眷，或者侈望我大清得享号二十有五之数，亦可俯赐符愿乎。夫卜世卜年固在人，而赐世赐年则在天，叨天之佑，非敬天爱民别无道。"这段发自乾隆皇帝内心的独白，反映了乾隆皇帝承认事物无不万变的历史观。乾隆通晓中国的历史，他看到了历代王朝，没有一个是"恒享昊命而不变者"，多者二三百年，少者十几年或几十年，不是亡于峻法酷剥，就是在诸侯贵族割据混战中殒命，政权的生存长短是不以人的意志为转移的。乾隆皇帝得出了结论，若大清王国能传二十五代之久，就算侈望，甚至可以说"实赖鸿眷"，天之"赐世赐年"了。这里，乾隆皇帝的历史观虽然不是唯物史观，但他已看到了历史的实际发展状况，而且能够承认这个现实，不再固守天命和万世不变的观点，敢于说出大清王朝能传二十五代即是侈望的话，这可说是难能可贵的了，是乾隆皇帝经世致用的思想在历史观上的表现。这段独白，更突出反映了乾隆皇帝的德重宝轻的思想。宝玺是皇帝权力的凭证，但这种凭证作用的大小和存在,不在宝玺本身,而在于皇帝的修养道德和品质。不论是汉武、唐宗的盛世，还是元世祖、明太祖的雄才大略，都在于他们勤政治国的美德。乾隆皇帝引用唐梁肃对德玺之间关系的论述，说明自己对德玺的看法，"鼎之轻重，玺之去来，视德之高下，位之安危"。也就是说，作为全国最高统治者皇帝，只有"日新厥德，居安虑危"，把国家长治久安放在首位，才能治理好国家，号令全国，行使宝玺的凭证作用，这就是"德足宝重，而宝以愈重"。否则，皇帝宝玺再多也没有用处。清初几代皇帝都看到了这一点，注重勤政爱民，才出现了当时将近一个世纪的稳定发展的盛世。清代中叶以后，由盛变衰，至清末，由于统治者昏庸和内乱外患，传至末代皇帝宣统溥仪，清工朝终于被轰轰烈烈的辛亥革命推翻，乾隆皇帝侈望清代传至二十五代的幻想也随之破灭。

在皇帝宝玺中，除代表帝后权力的宝玺外，大量的乃是清代皇帝平时钤诸御笔、鉴赏书画、刻印图书及收藏玩赏的各式各样的宝玺。这些各式各样的皇帝宝玺，亦可统称之为皇帝闲章。皇帝闲章，按其内容和用途可分为：年号玺、宫殿玺、收藏玺、鉴赏玺、铭言吉语玺、诗词玺以及花押等。从其宝玺质地而言，可分为玉料玺、石料玺、木料玺及杂料玺，其中有青玉、白玉、黄玉、碧玉、墨玉、青田石、寿山石、昌化石、冻石、青金石、玛瑙、水晶、珊瑚、檀香木、竹根、象牙、犀角、金、银、铜等等。从纽式纹饰讲，更是种类繁多，纹饰多样，从传奇灵异到飞禽走兽，从植物花果到各种艺术创作，无所不有，反映了清代皇帝印玺丰富的多样性。这里仅择其几个主要问题，作一简略说明。

清代皇帝的闲章，是当时社会印章文化在宫廷中的反映。中国的印章艺术发展到明清，进人了它的鼎盛时期，这一文化现象的出现，与当时文人书画的兴盛紧密联系。当时的文人书画，强调书、画、印有机结合，成为一个完美的艺术整体，其印章就成了抒情达意时不可缺少的有机组成部分。刻制印章不仅仅限于凭证作用，而更多地是表达作者的人生追求和发自内心的情趣。明清两代，特别是清代，文人治印的风气日盛，他们把反映自己内心世界感情的名言佳句诗词等，通过自篆自刻的印章，连同自己的书法与绘画相结合，达到他们所追求的艺术境界。因此，明清两代书画家兼篆刻家的文人层出不穷，影响极大，为当时的达官贵人所期重，他们的作品也常被重金购买作为珍藏。这一文化现象也影响到了宫廷。清代统治者虽以满族贵族统治为主，但他们在强大而有深远影响的汉文化包围之中，不能不受其影响。特别是清初顺治、康熙、雍正、乾隆诸帝，他们为了自己的政权巩固，十分重视汉文化的学习，他们不仅请有文化素养的理学家作老师，为他们讲解古代经书，而且还组织大批汉族文人编辑出版大量经书和儒学著作；作为文化统治的重要手段，他们还以儒家礼制塑造清王朝，适应统治的需要。这一系列措施，使清代皇帝自己也成了熟悉汉族古代文化与艺术的行家里手。他们认真练习书法绘画，亦常作诗填词，收藏珍玩，鉴赏名品，同时，也刻制了各式各样的印玺，并作为印章玩赏精心排架，收贮在固定的殿堂内。可说清代皇帝酷爱印章，已达到无以复加的地步。特别是乾隆皇帝，刻制的印玺达一千多方，并编辑《宝薮》收藏记存。在这些宝玺中，年号玺七十多方，宫殿玺与御园行宫玺二百多方，鉴赏玺更是不胜枚举。乾隆皇帝将宫中收藏的大量的古代书画，件件过目鉴赏，并将鉴赏玺钤在古书画上，还将大批当时著名书画家集中到宫中如意馆画院，创作大量书画供他欣赏，并钤加印玺；乾隆还编辑印刷了大量的图书并在图书钤加御制宝玺。同时，乾隆自己还写下大量的书法作品，钤上自己的印玺，表现了他对书、画、印的爱好和文化艺术的偏爱。我们从故宫博物院现今收藏的大量的书画、匾联及图书中，可以看到清代皇帝们钤用的各种印玺，切实感受到印章文化在清宫里的影响和作用。

清代皇帝的印玺，有着丰富的思想内涵，是研究清代皇帝思想的极其重要的实物资料。皇帝的闲章，不是毫无目的而刻制，有些印玺是为了特定的目的和出自内心的感情而刻制的，反映了诸帝的思想和内心希望。康熙皇帝是清代最有作为的皇帝，在统一中国，发展生产，兴修水利，治理国家诸方面都有巨大的历史功绩。他是中国封建社会后期最有贡献的政治家，以在位最长而受人尊重。之所以如此，与他遵循了“敬天勤民”这一原则有关。勤民即勤政爱民，把国家和百姓放在日理万机的首位，这是巩固封建统治的根本。为了不忘这一经验，康熙皇帝特令刻制“敬天勤民”宝玺，以示为座右铭。雍正皇帝即位后，把康熙皇帝的诸玺制箱收藏，而独留“敬天勤民”宝，以钤用御书，表示继承康熙遗志。乾隆时，也效仿雍正，留是宝钤用御书。乾隆说：“是宝也（指“敬天勤民”宝），经三世而一例宝用，且将垂之奕禩而无穷，岂以追琢其章哉？盖取义有足重耳。”这里有乾隆皇帝的《圣制“敬天勤民”宝四言诗》为证：“交泰御玺，定数遵天。掌之黄阁，传以亿年。粤是诸玺，缀文寓意。玉案挥毫，以资抑埴。栝棬弗用，箧衍尊藏。绣缫金镭，永闷虹光。惟此截肪，用以三世。匪贵其材，实珍其义。其义云何？敬天勤民。祖考有勗，逮于藐身。天视民视，天听民听。一二二一。作狂作圣。挈纲提要，四字心传。于千万叶，永矢乾乾。”清代所以有“康乾盛世”，与其顺、康、雍、乾几代皇帝勤政治国有着密切关系。三世例用的“敬天勤民”宝即是实证。再如，乾隆七十和八十岁时，分别刻制了两副宝玺。七十岁时刻了“古稀天子之宝”，其副章为“犹日孜孜”。八十岁时，刻制了“八徵耄念之宝”，其副章为“自强不息”。这两副印玺的目的是鞭策自己，年虽老仍要勤政“犹日孜孜”，“自强不息”。这一观念在乾隆皇帝《圣制八徵耄念之宝记》中，表达得十分明白：“予年七十时，用杜甫句镌‘古稀天子之宝’，而即继之曰‘犹日孜孜’，不敢怠于政也。蒙天眷佑，幸无大陨越，于兹又浃旬矣。思有所以副八旬开徵之庆，镌为玺以殿诸御笔，盖莫若《洪范》‘八徵耄念’。且予夙立愿，八十有五，满乾隆六十年之数，即当归政。今虽八十，逮归政之岁，尚有六年。一日未息肩，万民恒在怀，庶征之人，可不念乎？念庶徵，即所以念万民。《曲礼》：八十曰耄，老而智衰之谓。兹逮八十，幸赖天佑，身体康强，一日万几，未形智衰，不可不自勉也，则亦不敢旷职以待六年之期。何则，坛庙之祀，不可不躬亲，雨赐之时，不可不常验；中外之政，不可不日勤；民物之养，不可不心存，苟失其一，从脞随之，则吾岂敢！是则耄而敬念庶徽，乃古稀犹日孜孜之意也。”此两副印玺刻制的意图，是乾隆皇帝仍然要自强不息地勤政，时刻警惕自己怠惰。我们从乾隆《宝薮》中可以看到，有“古稀天子”和“八徵耄念”字样的印玺，多有刻制，直至乾隆逝世为止，其中有“古稀天子”、“犹日孜孜”字样的重印就有五十一方，“八徵耄念之宝”和“自强不息”玺多达六十四方。可见这两副印玺在乾隆心目中的位置。其他皇帝也是如此，如康熙的“戒之在得”和雍正的“为君难”等。

印章虽可分为为有征信作用和无征信作用两种，但不是绝对的。特别是闲章，并不是真闲，它可以在不同角度、场合起到某种征信作用。皇帝的大量印玺，从广义讲，都有某种征信作用，在特定的历史时期和某些重大事件中，起到关键作用，成为某个历史事件的凭证。咸丰皇帝的“御赏”、“同道堂”两颗小玺即是如此。“御赏”、“同道堂”本是咸丰皇帝的两方闲章，一般用于皇帝的鉴赏和收藏。1860年英法联军攻进北京，咸丰皇帝携皇后钮祜禄氏和贵妃叶赫那拉氏以及皇子载淳等，避往热河避暑山庄。在病危中，咸丰皇帝将“御赏”赠皇后，“同道堂”赐与皇子载淳，由叶赫那拉氏保管，以备不豫。咸丰卒后，载淳登极，肃顺等八大臣辅政，与叶赫那拉氏争权。1861年叶赫那拉氏慈禧发动了“辛酉政变”，与皇后钮祜禄氏及恭亲王奕䜣等掌握了清廷大权，实行“垂帘听政”，下懿旨，改“祺祥”年号为“同治”，以后凡同治皇帝的上谕明旨，上起用“御赏”章，下用“同道堂”章，凡上谕明旨无两太后的“御赏”、“同道堂”章，均无效，直至同治皇帝亲政为止。从此，“御赏”、“同道堂”两闲章，便成了同治时期两太后垂帘听政的主要标志，是我们研究这一段历史的主要实物资料，也使我们了解某些闲章在特定历史时期的重大作用。再如，道光皇帝于秘密建储的朱谕中，亲笔御书“皇四子奕詝立为皇太子”，在同一纸上又书“皇六子奕䜣立为亲王”，两份立储文件，一份装入建储匣内放在乾清宫内“正大光明”匾后，一份放在自己身边。道光三十年（1850年）正月十四日，道光皇帝病危，于圆明园召集宗人府令、御前大臣、军机大臣和总管内务府大臣等，宣布立奕詝为皇太子。这份朱谕，放在有“慎德堂”印记的黄硬纸夹板中。即日，道光皇帝卒于圆明园慎德堂。“慎德堂”玺是道光皇帝的宫殿玺之一，原属闲章，但在道光皇帝立储大事上，却起着皇帝权力的凭证作用。这是闲章在特定历史事件中的重要作用。道光建储匣和立储上谕原件，现存中国第一历史档案馆，是研究清代建储制度仅存的一份文献资料。

清代宝玺制度十分完备，其宝玺数量更是超越前代。北京故宫博物院是集中收藏这些宝玺的地方。这些宝玺是研究中国的印章文化和宫廷历史的重要实物资料，也是研究中国政治史、思想史、哲学史，铭刻史及鉴定古代书画的重要参考资料。这里，我们仅遴选其重要者公布于众，以飨方家。

国宝

GUO BAO …… 郭福祥

清代作为中国封建制度的最后阶段，曾大量吸收了以前历代统治方略之精华，这其中也包括国宝制度。清代国宝制度从肇始、确立到消亡的过程，也正是清统治由盛到衰的历史。

早期国宝之承制。清朝开国皇帝努尔哈赤，于明建州左卫都指挥使任上，领有明朝颁给的敕书及印信。明万历四十四年（1616年），努尔哈赤于赫图阿拉（今辽宁新宾）御极开国，定国号“后金”，年号“天命”，尊号“奉天覆育列国英明汗。”在此之前，努尔哈赤给朝鲜及明朝文书上，仍钤“建州左卫之印”（申忠一《建州纪程图记校注》）。此后则另铸宝玺，当时所用宝玺有二：一方六行老满文玺，译曰“天命金国汗之宝”，今沈阳故宫所藏清初信牌、印牌上仍可见此宝印迹（《沈阳故宫文集》277页，南开大学出版社）；另一方则为“后金国天命皇帝”。《朝鲜李朝实录》“光海君日记”卷一百三十九载：“壬申，传曰：‘奏文中后金汗宝’以后金皇帝陈奏，未知如何？令备边司因传教详察以奏。回启曰：‘胡书中印迹，令解篆人申汝櫂及蒙学通事翻译，则篆样番字，俱是‘后金（国）天命皇帝’七个字，故奏文中亦具此意矣。”则知此宝文字亦用老满文，钤于努尔哈赤发布之文告上。

天命十一年（1626年）八月十一日，努尔哈赤卒于叆鸡堡。第八子皇太极继承汗位，以次年为天聪元年。终天聪一朝，所用宝玺为一方四行老满文印，其文汉译曰：“金国汗之印”。此印于《满文老档》称为“金印”，当系金铸。其印迹亦见于沈阳故宫所藏清初印牌、信牌上。另有一方所谓“元传国玺”，在清初历史上具有特殊影响和作用，亦得于此时。天聪九年（1635年）四月，“出师和硕墨尔根戴青贝勒多尔衮、贝勒岳托、萨哈廉、豪格等征察哈尔国，获历代传国玉玺。先是相传兹玺藏于元廷大内，后元顺帝为明洪武帝所败，遂弃都城，携玺逃至沙漠。顺帝崩于应昌府，玺遂遗失越二百余年。有牧羊于山冈下者，见一山羊三日不啮草，但以蹄刨地，牧者发之，此玺乃见。既尔归于元后裔博硕克图汗。后博硕克图为察哈尔林丹汗所侵，国破，玺复归于林丹汗。林丹汗亦元裔也。贝勒多尔衮等闻玺在苏泰太后福金所，索之既得。视其文，乃汉篆‘制诰之宝’四字。璠玙为质，交龙为纽，光气焕烂，洵至宝也。”（《清太宗实录》卷二十四）多尔衮等将此喜讯报与皇太极，皇太极大喜，以“出师诸贝勒久劳于外，又得察哈尔汗妻子及玉玺携来，不可不远迎”（《清初内国史院满文档案译编》，上册）为由，破例出行百里之外，到辽河以西之阳石木迎接，并在此举行隆重的接宝仪式。“汗出营迎出师诸贝勒，时出师诸贝勒率归降察哈尔汗之子额尔克孔果尔及其诸臣从汗右侧驰马来见，汗率众少进前。御营南冈所筑御位上设黄案，案上燃香，吹螺掌号，吹喇叭、唢呐，上率众拜天，行三跪九叩头礼毕，汗还黄幄升座。出师诸贝勒设案，袭以红毡，以所得玉玺置于上，命正黄旗骑兵固山额真纳穆泰，镶白旗固山额真吏部承政图尔格依举案各一端，诸贝勒率众遥跪献汗毕。汗设案于黄幄前，案上陈香烛。汗受玉玺，亲捧之，率众拜天，行三跪九叩头礼毕，汗复位。传谕两侧众人曰：‘此玉玺乃历代帝王所用之宝。’”（同上，189－190页）此后“又以得玺之由，书于敕谕，缄用此宝，颁行满、汉、蒙古，咸知天命之攸归也。”（同上，183页）《朝鲜李朝实录》上之十三年载有此事：“戊午，朴簭回自沈阳，言：汗击破蒙古诸国，广地千里，且得玉玺，以玺印纸，使示我国。其印文曰‘制诰之文’。”同时，在盛京八门各张贴同样之文告，以宣扬“天命归金”、“一统万年之瑞”（《皇朝开国方略》卷二十），从而表示皇太极立国称帝是服膺天命。此玺12.5厘米见方，皇太极时一直使用。中国第一历史档案馆今存《崇德元年七月初十日封庄妃册文》即钤用此宝。

皇太极得元传国玺后，诸臣纷纷上书劝其速成大业。经过筹划，1638年4月11日，蒙古十六部四十九贝勒及满、汉王公大臣拥戴皇太极“受宽温仁圣皇帝尊号”，建国号曰“大清”，改元为崇德元年（《清太宗实录》卷二十八）。其受尊号典礼中又有授四宝之仪式：“左班和硕墨尔根戴青贝勒多尔衮、科尔沁贝勒土谢图济农巴达礼捧宝一，和硕额尔克楚虎尔贝勒多铎、和硕贝勒豪格捧宝一；右班和硕贝勒岳托、察哈尔汗三子额附额尔克孔果尔额哲捧宝一，贝勒杜度、都元帅孔有德捧宝一，各以次跪献于上，上受宝授内院官置宝盒内。”（同上）可知皇太极建国之初使用四宝。又乾隆帝《交泰殿宝谱序后》云：“青玉‘皇帝之宝’，本清文篆文，传自太宗文皇帝时”，则知上述四宝中含“皇帝之宝”玺。以后又有新铸者，至崇德末年御宝数目已有所增加。崇德八年（1643年），皇太极卒，礼亲王代善等奉皇太极子福临嗣位。据《清初内国史院满文档案译编》载：“崇德八年癸未冬十一月十二日壬寅，大清国大臣遣塔瞻等，净身惶悚，谨于圣灵前代奏：今逢冬至，乃阳气恢复之日，谨照惯例，备陈牺牲谨祭，钤‘奉天之宝’”；又十一月三十日：“寄书宁远，钤‘皇帝之宝’三”；十二月三日“由殿寄喇嘛书，钤‘皇帝之宝’一”，又十二月三日有大臣病故或阵亡，以其子袭职，发给敕书六封，“钤‘饬命之宝’十”；又十二月十一日奖励征山东诸臣，颁给敕书十三封，“钤‘敕命之宝’二十三”；又十二月二十八日，“始祖泽王，高祖庆王、曾祖昌王，祖福王、宗室祖武功郡王、列祖神位前，孝孙福临跪奏：春和始布，波气方凝，以礼应时，整治祭食，谨遣大臣阿拜等代祭。又照写祭文一道，遣阿山代祭。祭文钤‘天子之宝’三。”以上诸宝之使用皆在太宗驾崩未几，顺治帝不可能新制国宝，则知崇德末年至少有“皇帝之宝”、“天子之宝”、“敕命之宝”、“饬命之宝”、“奉天之宝”及前述元传国玺“制诰之宝”六方。

顺治元年（1644年）定鼎燕京。入关伊始，规章待立，借前朝之制以为己用为当然之举。有清一代，宝玺之制作在顺治一朝盛况空前，许多宝玺皆应是在此时创制。惜史载偏缺，难以抉微。康熙二十九年（1690年）《钦定大清会典》修成，所记御宝如下：御宝二十九颗，内宫收贮六颗：“皇帝奉天之宝”、“大清受命之宝”、“皇帝之宝”、“天子之宝”、“制诰之宝”、“敕命之宝”。内库收贮二十三颗：

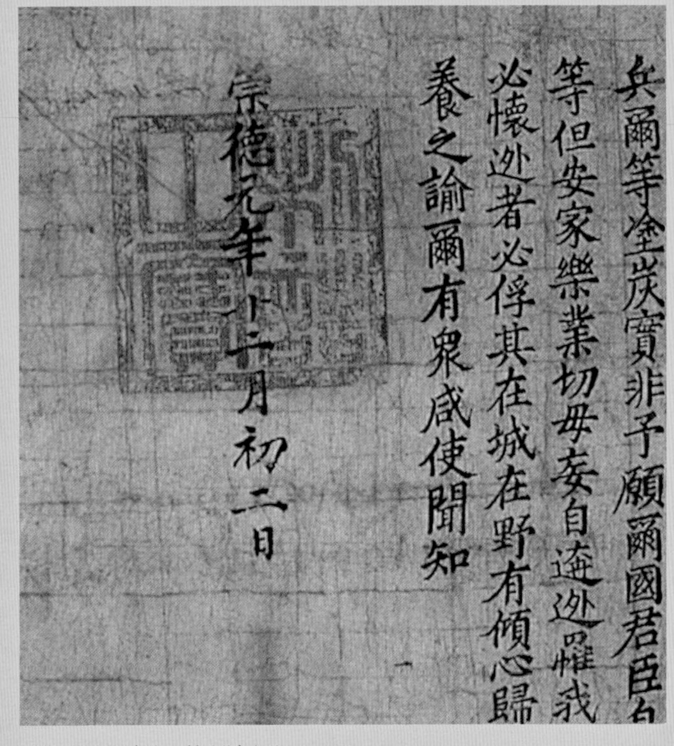

清崇德元年诰谕，钤制诰之宝

“皇帝之宝”、“皇帝之宝”、“皇帝信宝”、“天子行宝”、“天子信宝”、“制诰之宝”、“敕命之宝”、“广运之宝”、“御前之宝”、“皇帝尊亲之宝”、“皇帝亲亲之宝”、“敬天勤民之宝”、“表章经史之宝”、“钦文之玺”、“丹符出验四方”、“巡狩天下之宝”、“垂训之宝”、“命德之宝”、“奉天法祖亲贤爱民”、“讨罪安民之宝”、“敕正万邦之宝”、“敕正万民之宝”、“制驭六师之宝”。至雍正五年（1727年）续修《大清会典》时，所载御宝数目及内容仍无更改。可证康熙至雍正年间清代御宝制度比较稳定，并为乾隆帝重新厘定御宝制度奠定了基础。

乾隆与清代国宝制度。乾隆帝御宇之后，右文稽古，表章经史，成就蔚为大观。其间于国家文武典制各种制度重新厘定，形成一套程式，后世亦多沿袭不改。因而，乾隆朝所定重要典章制度遂成为有清一代旷典。于宝玺制度方面，乾隆帝亦汰繁就简，匡误厘新。“盖天子所重，以治宇宙，申经纶，莫重于国宝”（《清高宗御制文余集》卷一，《匣衍记》），是故对皇帝行使最高权力标志的国家御宝的宝文、形制、保管、使用等做了基本规定。乾隆帝的《国朝传宝记》、《印谱序》、《五朝册宝尊藏太庙礼成论》、《匣衍记》、《交泰殿宝谱序后》及乾隆十四年（1749年）有关印文规定之上谕、《大清会典》有关卷次，都体现出乾隆帝在清代国宝制度的形成和确定过程中所起到的关键作用。

乾隆帝指出以往对国宝失实的记载云：“尝考《大清会典》载，御宝二十有九，今交泰殿所贮三十有九。《会典》又云，宫内收贮者六，内库收贮者二十有三，今则皆贮交泰殿，数与地皆失实。”又廓清既往谬误云：“至谓‘皇帝奉天之宝’即传国玺，两郊大祀及圣节宫中告天青词用之。此语尤诞谬。大祀遵古礼，用祝版署名而不用宝。圣节宫中未尝有告天事，或道箓祝厘时一行之，亦不过偶存其教耳，未云命文臣为青词，亦未尝用宝。且此玺孰非世世传守，而专以一宝为传国玺，亦不经。盖缘修《会典》诸臣，无宿学卓识，复未曾请旨取裁，只沿用明时内监所书册档，承伪袭谬，遂至于此。甚矣，记载之难也。”又“复有‘受命于天既受永昌’一玺，不知何时附藏殿内，反置之正中……政、斯之物，何得与本朝传宝同贮，于义未当。又雍正年故大学士高其位进未刻碧玉宝一，文未刻则未成为宝，而与诸宝同贮，亦未当。”（《清史稿》卷一百四）于此可见，至乾隆初年国家御宝制度已有所混乱，实有重新厘定之必要。

乾隆十一年（1746年）春，乾隆帝对交泰殿所藏前代三十九方皇帝御宝“爰加考正排次，定为二十有五，以符天数”，（同上）仍贮于交泰殿，并制成宝谱。重新排定后的二十五宝，每一方御宝的用途都有明确规定：“大清受命之宝”，以章皇序；“皇帝奉天之宝”，以章奉若；“大清嗣天子宝”，以章继绳；“皇帝之宝”，以布诏赦；“皇帝之宝”，以肃法驾；“天子之宝”，以祀百神；“皇帝尊亲之宝”，以荐徽号，“皇帝亲亲之宝”，以展宗盟；“皇帝行宝”，以颁锡赍；“皇帝信宝”，以征戎伍；“天子行宝”，以册外蛮；“天子信宝”，以命殊方；“敬天勤民之宝”，以饬觐吏；“制诰之宝”，以谕臣僚；“敕命之宝”，以钤诰敕；“垂训之宝”，以扬国宪；“命德之宝”，以奖忠良；“钦文之玺”，以重文教；“表章经史之宝”以崇古训；“巡狩天下之宝”，以从省方；“讨罪安民之宝”，以张征伐；“制驭六师之宝”，以整戎行，“敕正万邦之宝”，以诰外国；“敕正万民之宝”，以诰四方；“广运之宝，”以谨封识（参见《清史稿》卷一百四）。二十五宝各有所用，集合起来，便代表和囊括了皇帝行使国家最高权力的各个方面。发布军政诰令，需钤用与之相关的御宝，体现出皇帝宝玺使用的严肃性。乾隆帝把国宝定为二十有五，亦存深意焉。“定宝数之时，密用姬周故事，默祷上苍，祈我国家若得仰蒙，总祐二十五代之长，斯亦毖矣。”（同上）

乾隆十三年（1748年）时，乾隆帝指授儒臣厘定满文篆法，并及时将满文篆法应用于宝印上。在乾隆十一年，二十五宝中只有青玉“皇帝之宝”为清文篆书，其余二十四宝皆为汉文篆书、清文本字。为使御宝满汉文字字体取得一致，乾隆帝诏谕内阁曰：“国家宝玺，朕依次排定其数二十有五，向兼清汉文。汉文皆用篆体，清文则有专用篆体者，亦有即用本字者。今国书经朕指授篆法，宜用之于国宝。内有青玉‘皇帝之宝’本系清文篆字，乃太宗时所贻，自是以上四宝，均先代相承，传为世守者，不宜轻易。其檀香‘皇帝之宝’以下二十一宝则朝仪纶綍所常用者，宜从新定清文篆体，一律改镌。”内阁据此旨，遂“于内阁现在用宝颁发诰敕内，敬将‘制诰之宝’遵照指授篆法用玉筯体拟篆清文，恭呈御览。俟钦定后即交该衙门选择吉日于大内恭领应镌御宝，敬谨改镌。”（乾隆《钦定大清会典事例》卷六十三）至此，除青玉“皇帝之宝”为满文篆书，“大清受命之宝”、“皇帝奉天之宝”、“大清嗣天子宝”为汉文篆书、清文本字外，其余皆改镌为满汉篆文。

以上即为今存二十五宝之来源。二十五宝自乾隆厘定后，传至宣统末年，其数目和使用范围再没有变更过。

盛京十宝及其变化。乾隆十一年厘定二十五宝后，余下的十四颗御宝除“于义未当”应别贮者分别收贮外，其中十颗或属宝文重复，或为国初行用。乾隆帝认为此十宝“虽不同于现用之宝，而未可与古玩并列”。“因念盛京为国家发祥地，祖宗神爽，实所式凭。朕既重缮列祖实录尊藏凤凰楼上，觐扬光烈，传示无疆。想当开天之始，凝受帝命，宝符焕发，六服承式，璠玙孚尹，手泽存焉。记不云乎，陈其宗器，弘璧琬琰，陈之西序，崇世守也。爰奉此十宝赍送盛京，鐍而藏之。”（《盛京尊藏宝谱序》）据乾隆朝《钦定大清会典》，盛京尊藏十宝情况如下：

编号	宝名	质地	纽式	尺寸	文体
一	大清受命之宝	碧玉	蹲龙纽	方四寸八分，厚一寸九分，纽高二寸四分	
二	皇帝之宝	青玉	交龙纽	方四寸八分，厚一寸九分，纽高二寸七分	满文本字汉文篆书
三	皇帝之宝	碧玉	盘龙纽	方五寸，厚一寸八分，纽高三寸	满文本字汉文篆书
四	皇帝之宝	栴檀香木	素纽	方三寸八分，厚六分，纽高五分	满文篆书
五	奉天之宝	金	交龙纽	方三寸七分，厚九分，纽高二寸	满文篆书
六	天子之宝	金	交龙纽	方三寸七分，厚九分，纽高二分	满文篆书
七	奉天法祖亲贤爱民	碧玉	交龙纽	方四寸九分，厚一寸五分，纽高二寸	满文本字汉文篆书
八	丹符出验四方	青玉	交龙纽	高四寸七分，厚二寸，纽高二寸二分	
九	敕命之宝	青玉	交龙纽	方三寸七分，厚一寸八分，纽高二寸五分	满文本字汉文篆书
十	广运之宝	金	交龙纽	方二寸四分，厚八分，纽高一寸五分	汉文篆书

此十宝于乾隆十一年（1746年）入藏盛京凤凰楼后，乾隆曾对盛京十宝作过一次调整，以清太宗时所得之元传国玺“制诰之宝”取代“丹符出验四方”进入十宝之列。这在《盛京通鉴》、《盛京典制备考》中皆有记载。《盛京典制备考》卷一云盛京藏品有：“《宝录昭符》一分、《宝本》一分、《盛京十颗宝册》一分，内夹入《太宗文皇帝实录》内所载得玺之由清汉缮摺一分，夹入‘制诰之宝’谱页内，永久尊藏。”但实际上，入盛京十宝之“制诰之宝”，并非皇太极所得元传国玺之原件，而是一件仿制品。据《十宝宝谱》记载，此仿制品“青玉，方四寸七分，厚二寸，交龙纽，高二寸二分。”（《故宫周刊》第九期）无论大小，宝文篆法都与前述崇德元年封庄妃册文所钤“制诰之宝”迥然不同。关于此事，有人曾作过专门论述（见《沈阳故宫文集》274-283页）。至于乾隆为何从十宝中撤去“丹符出验四方”，换入“制诰之宝”，又为何用仿造元传国玺替代真正的传国玺，则史载不详。

盛京凤凰楼十宝于光绪初年移至敬典阁保存，光绪二十六年（1900年）俄国出兵东北，盛京告急。“十宝”连同其他藏品被送至热河避暑山庄收藏。民国初，北平成立古物陈列所，迁收奉天、热河二处文物，“十宝”亦从热河送至北平。除佚失者外，“十宝”的其余部分现仍存于北京故宫博物院，为清代国宝之重要组成部分。

晚清国宝。光绪末年至宣统间，新政与立宪成为国家政局的大事。清政府国家机构围绕着君主立宪体制进行了一系列制度的转化。这其中当然也包括国宝制度的改革。在故宫藏品中，有四方檀香木交龙纽宝玺，宝文分别为：“大清帝国之玺”、“大清皇帝之宝”、“大清帝国皇帝之宝”、“大清国宝”，其制作当在光绪末宣统初年，似应钤于新政

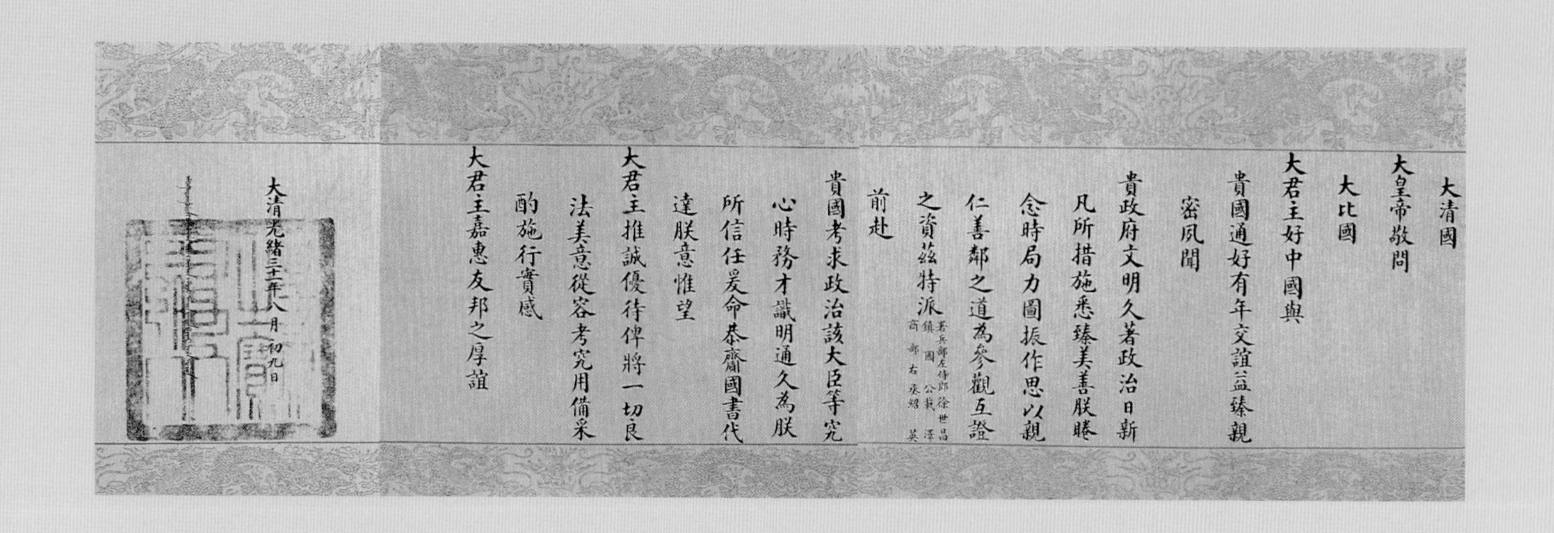

大清國
大皇帝敬問
大比國
大君主好中國與
貴國通好有年交誼益臻親
密夙聞
貴政府文明久著政治日新
凡所措施悉臻美善朕睠
念時局力圖振作思以親
仁善鄰之道為參觀互證
之資茲特派著兵部左侍郎徐世昌 鎮國公載澤 商部右丞紹英
前赴
貴國考求政治該大臣等究
心時務才識明通久為朕
所信任爰命恭齎國書代
達朕意惟望
大君主推誠優待俾將一切良
法美意從容考究用備采
酌施行實感
大君主嘉惠友邦之厚誼
大清光緒三十一年八月初九日

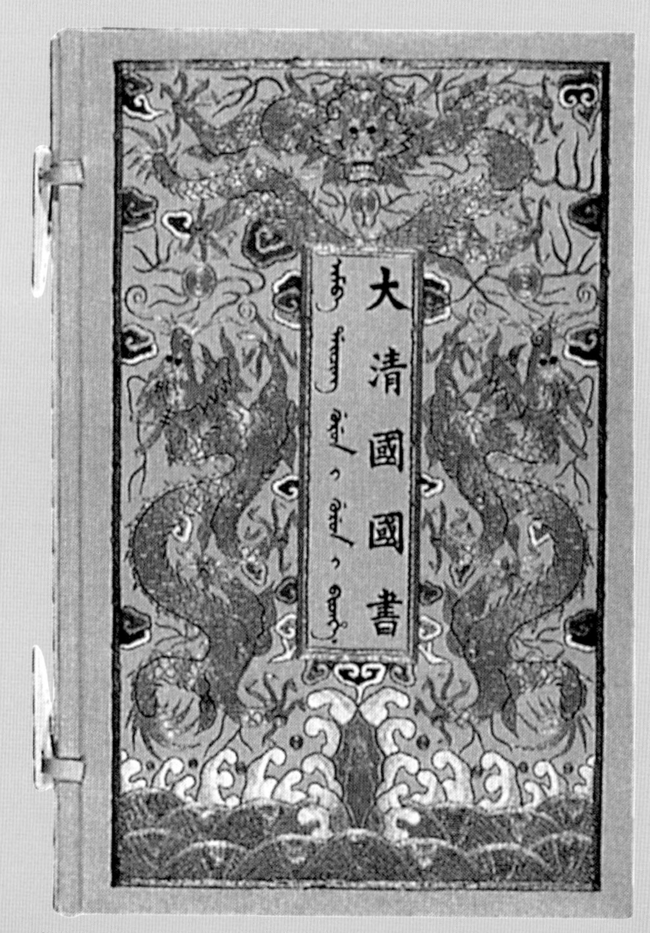

清光绪三十一年国书，钤皇帝之宝

或立宪后中外交往的文书上。但迄今为止还未发现钤用其宝的文件。但不论其是否曾经钤用，亦应列为清代国宝。

清代国宝之保存和使用。清室御宝保管归内院职掌。顺治十年（1653 年）设尚宝监，专责国宝典藏。十二年（1655 年）增设尚宝司，每遇用宝，内院会同两衙门官验用。十三年（1656 年），裁尚宝司，十八年（1661 年）裁尚宝监，专令内监承收。顺、康、雍朝，御宝分别贮于宫中和内库。乾隆定宝后，不再使用的前朝国宝除贮存于盛京皇宫外，其正在使用的二十五宝全部贮于交泰殿，列于宝座左右。并设八品首领太监二名，俱侍监太监六名，专司其事。每当遇有灾异，保护交泰殿御宝为其首要任务。如嘉庆二年（1797 年）十月，乾清宫失火，延及交泰殿、弘德殿、昭仁殿，其中许多陈设，包括交泰殿之铜壶滴漏及自鸣钟皆焚于火海。只有二十五宝全部抢出，转移到安全地方。因而颁赐银帛，以资嘉奖。“首领五名，每名小卷五丝缎一件；太监二十一名，每名银二两。”（《清宫述闻·交泰殿》）

雍正以前，承载国家御宝之箱架亦有规定。康熙朝修《大清会典》载：“皇帝盛宝大箱，高一尺三寸，方一尺二寸，木质朱漆，彩画红黄金云龙，黄绫糊裹。盛宝小箱，高九寸，方八寸五分，金质，钑香草花纹。箱架高二尺一寸，方一尺八寸，楠木为之，雕刻龙文，硃漆，帖金饰，用金饰件装订。印池连盖高三寸四分，方六寸四分，纯素金质，其袱、褥、袋、垫等件用黄绮为之。”现存于交泰殿中的御宝箱架是乾隆时制作的，与康、雍时的规定已有差别。箱架底座木制，外罩织金龙纹锦套。箱架为四足三弯腿，两腿间花牙雕二龙戏珠，上面四周有栏杆，接头与柱头包饰为镀金铜质。箱架上为大宝箱，43厘米见方，高46厘米，木质硃漆。上盖正中嵌铜镀金火焰宝珠一。其一面为彩绘正龙，其余三面皆彩绘双龙戏珠。接缝处用镀金铜片覆盖，铆钉钉合。饰件皆浅刻云龙，正面上部刻填金“乾隆年制”四字，配铜镀金锁一，黄绫表裹。大宝箱内有小宝箱，木质朱金漆，素面，边缝做法同大箱。27厘米见方，高32.5厘米，黄绫裱裹。小宝箱内为印池，依据御宝大小而制，大者22厘米见方，通高26厘米，小者17厘米见方，通高17厘米，皆银制，带盖。盖上部为镀金交龙纽，四周凸雕云龙，火珠、海水江崖等图案并填金，余处填青。大印池下有四足。印池内有黄布垫，宝褥各一，御宝即放在宝褥内。整个箱架又用云龙织锦袱包裹。此正乾隆所谓“袭以重盝，承以髹几”者。

清代御宝作为纶音下达之重要标志，其用宝过程十分严格。清朝规定：“凡大典礼，宣示百寮，则有制辞。大政事，布告臣民，垂示彝宪，则有诏有诰。覃恩封赠五品以上官，及世爵承袭罔替者，曰诰命。敕封外藩，覃恩封赠六品以下官，及世爵有袭次者，曰敕命。谕诰外藩，及外任官坐名敕，传敕，曰敕谕，皆先期撰拟呈进，恭候钦定。”（光绪朝《大清会典》卷二）以上皆须用宝。先期将用宝之数奏明，及期，学士率侍读学士、侍读典籍等，赴乾清宫恭接御宝，与内监公同验用。如果遇到皇帝巡幸在外，则会同内务府大臣在乾清门验用。康熙十二年（1673年）题准，凡诰敕、敕命，敕书等常行之事用宝，不必请旨。如遇要务用宝，仍行请旨。乾隆三十六年（1771年）又进一步规定：“恭办敕书，如系钦奉特旨颁给，仍照旧例用宝外，其余各项敕书，不拘多寡，定以半月用宝一次，每月汇为两次，用宝以后，即日发科。”（光绪朝《大清会典事例》卷十五）皇帝出巡，则请宝随往行在，至期，内阁学士率典籍一人赴乾清门，总管太监将宝匣同该内阁学士启视，再扃封，交赍宝中书，服彩服乘马在华盖前行。如不设骑驾卤簿，则常服在豹尾班后随行。回銮日，内阁学士及典籍赴乾清门，将宝匣仍同总管太监共同启视扃封，由总管太监捧至交泰殿存放。

每年岁尾，一年诸事完毕，因之把交泰殿二十五宝封缄，称封宝。届时。陈苹果、秋梨、红梨等，同时还要恭行洗宝，由内阁学士率典籍赴乾清门，内监捧出，洗净入匣，交内监恭收。直至来年正月，钦天监预选吉日时开封，称开宝。开宝时，掌仪司行文，宫殿监接文具牌奏闻。届日，宫殿监率交泰殿总领太监安供桌于殿中，上陈酒果、香烛，行三跪九叩礼，至吉时取出御宝，恭陈于宝案上，皇帝亦应吉时至此焚香行九叩礼，以祈岁内诸事吉祥。

下列二十五宝、盛京十宝中幸存者及晚清准备实行新政时使用诸宝，是清史中代表当时国家最高权力的重要文物。

宝盝

61. 大清受命之宝

白玉质，盘龙纽方形玺。汉文篆书满文本字。面 14 厘米见方，通高 12 厘米，纽高 8.2 厘米，附系黄色绶带。“以章皇序”之用。

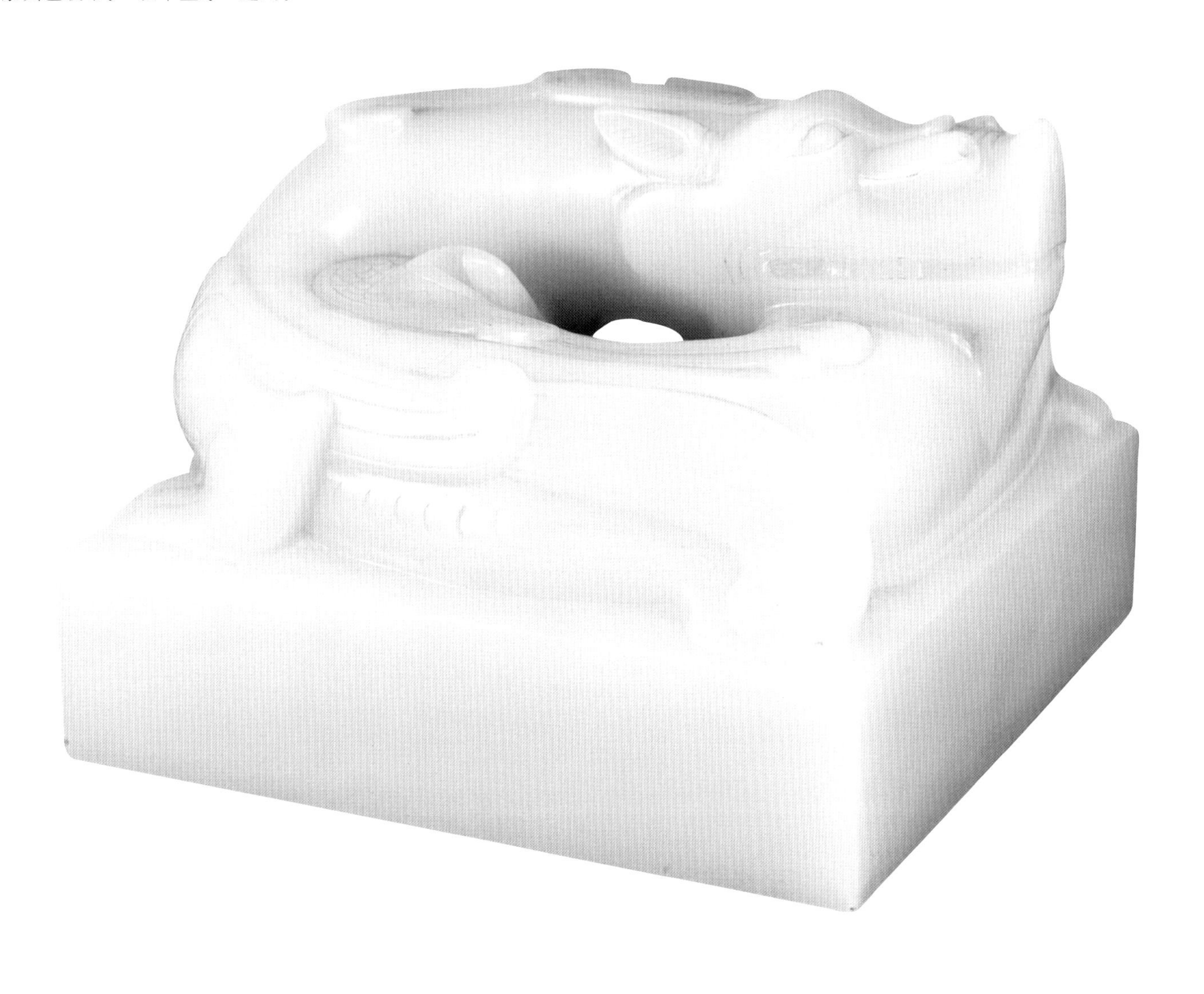

大清受命之寶

62. 皇帝奉天之宝

碧玉质，盘龙纽方形玺。汉文篆书满文本字。面14厘米见方，通高15.2厘米，纽高11.5厘米。附系黄色绶带。据《交泰殿宝谱》，此玺“以章奉若”之用。

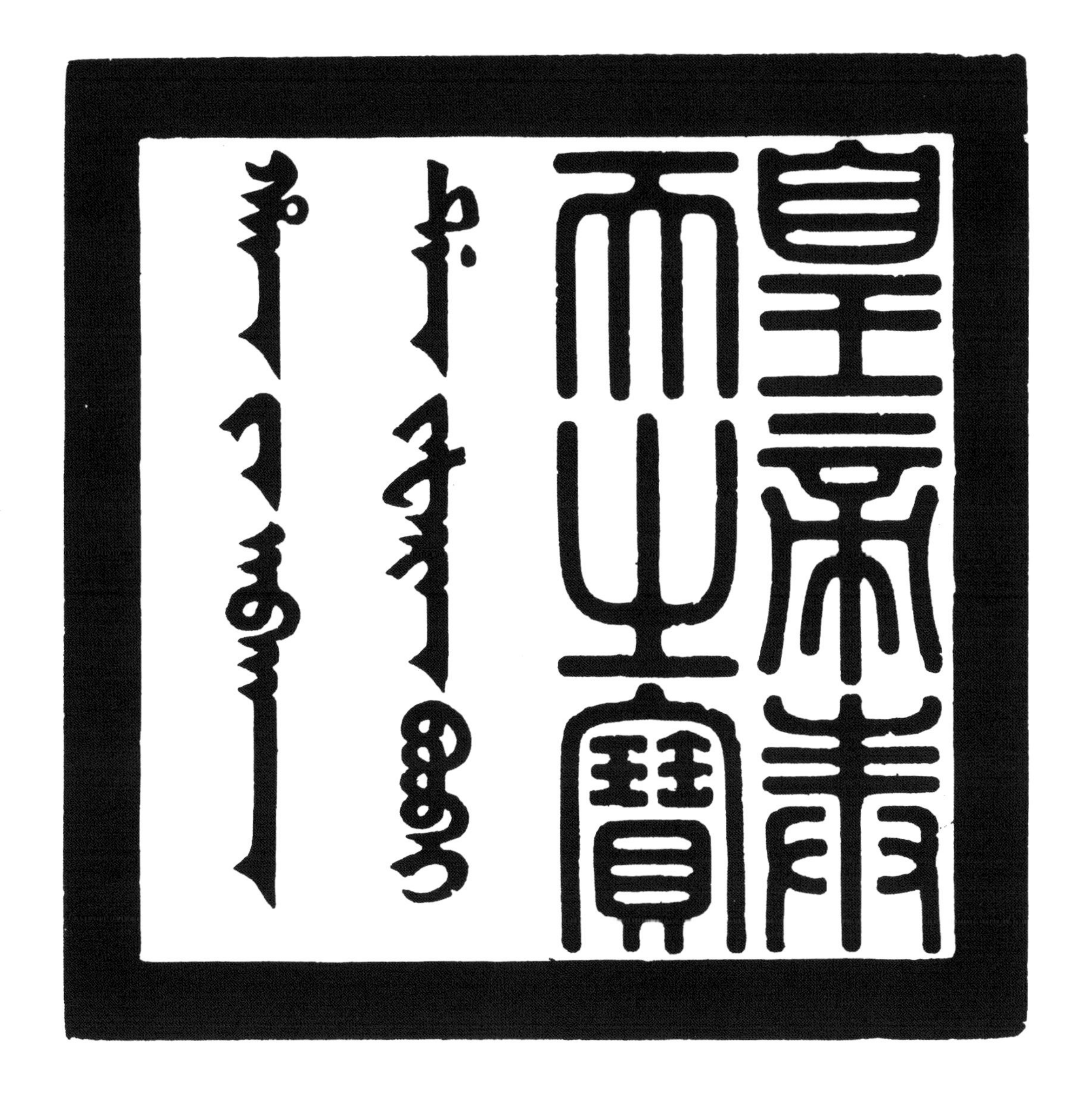

63. 大清嗣天子宝

金质，交龙纽方形玺。汉文篆书满文本字。面 7.9 厘米见方，通高 7.6 厘米，纽高 5 厘米。附系黄色绶带。“以章继绳”之用。

64. 皇帝之宝

青玉质，交龙纽方形玺。满文篆书。面12.5厘米见方，通高9.5厘米，纽高6.3厘米。附系黄色绶带。据乾隆十三年上谕："青玉'皇帝之宝'本清字篆文，传自太宗文皇帝时。"则知此宝刻治于皇太极时。满文篆体此时已初具雏形。直到乾隆十三年创立成熟和规范化之满文篆体，并施之于宝玺，其产生、发展之轨迹清晰可见。据《交泰殿宝谱》，此宝"以布诏赦"之用。

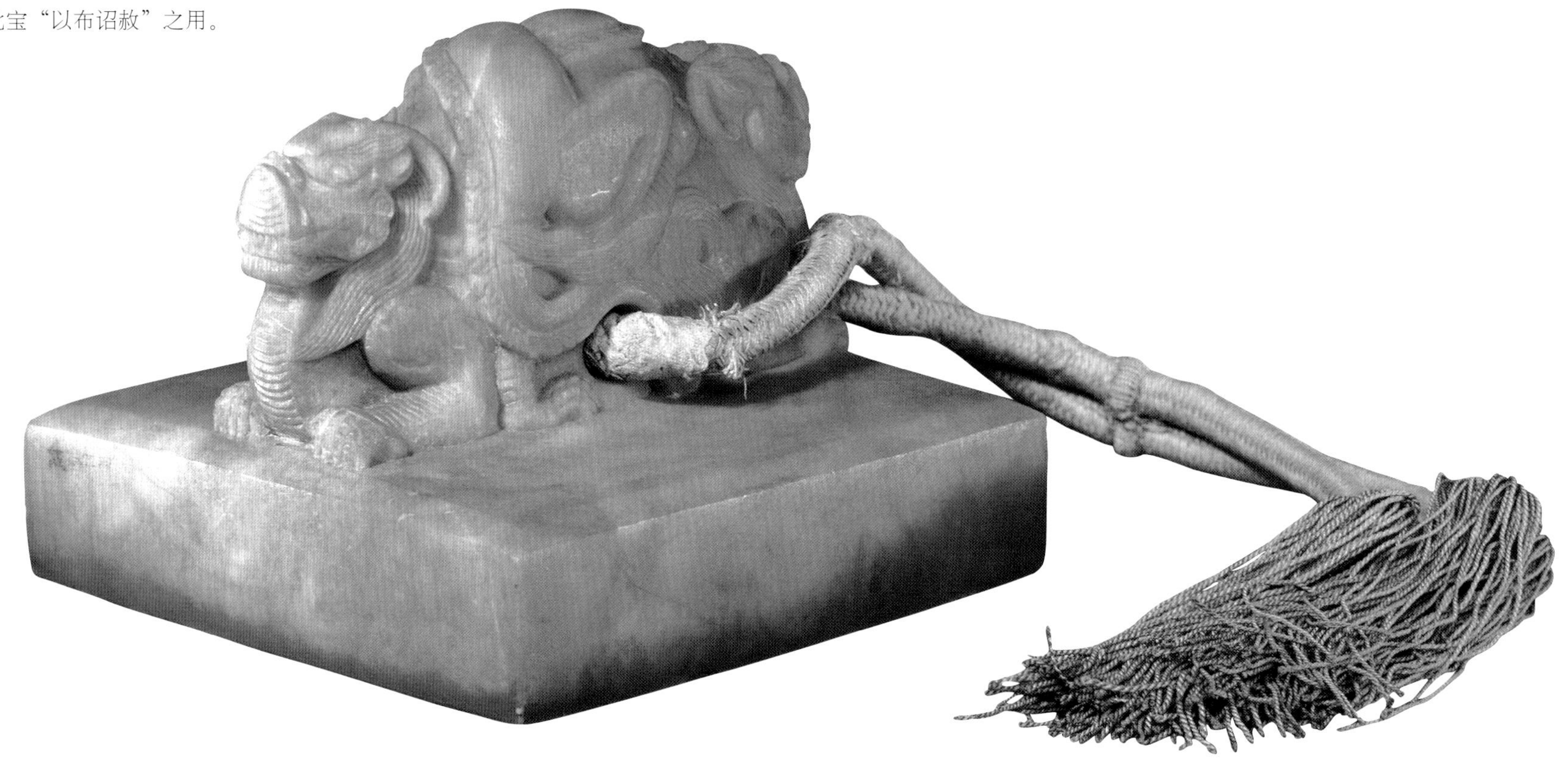

65. 皇帝之宝

栴檀香木质，盘龙纽方形玺。汉文篆书满文篆书。面15.5厘米见方，通高16.6厘米，纽高11厘米。附系黄色绶带。据《交泰殿宝谱》，此宝为“以肃法驾”之象征物。然从清代档案看，却又为钤用最多之宝，且钤用范围极广。诸如皇帝登基、皇后册命、皇帝大婚、发布进士金榜及其他重要诏书上均钤用此宝。其所钤诏敕制诰之性质及使用之经常，它宝实无以相比。应视为清朝皇权之真正标志。

皇帝之寶

66. 天子之宝

白玉质，交龙纽方形玺。汉文篆书满文篆书。面7.8厘米见方，通高6.4厘米，纽高4.2厘米。附系黄色绶带。“祭祀百神”之用。

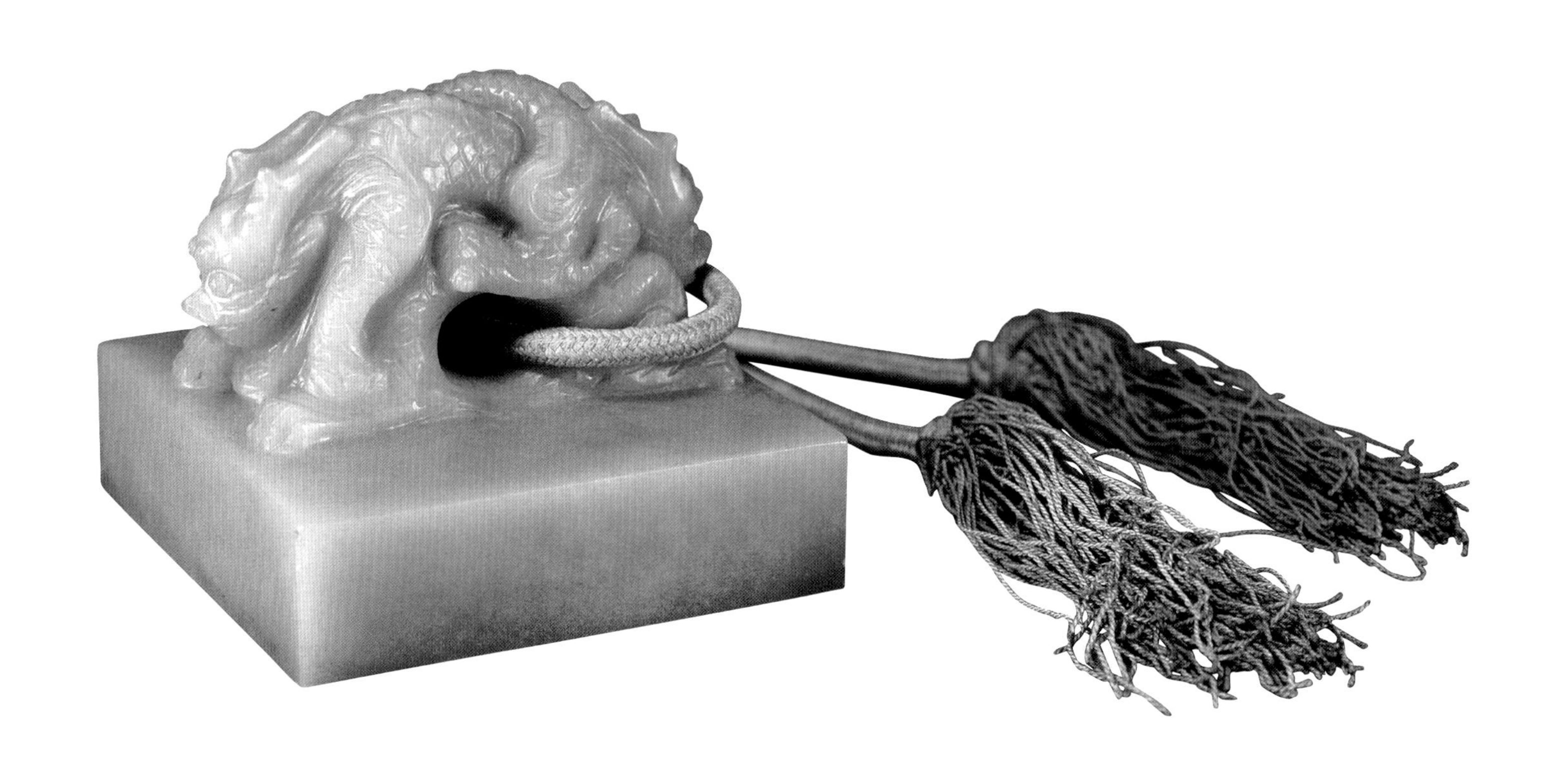

67. 皇帝尊亲之宝

白玉质，盘龙纽方形玺。汉文篆书满文篆书。面 6.8 厘米见方，通高 6.1 厘米，纽高 4.3 厘米。上皇太后徽号及上尊谥、庙号之用。

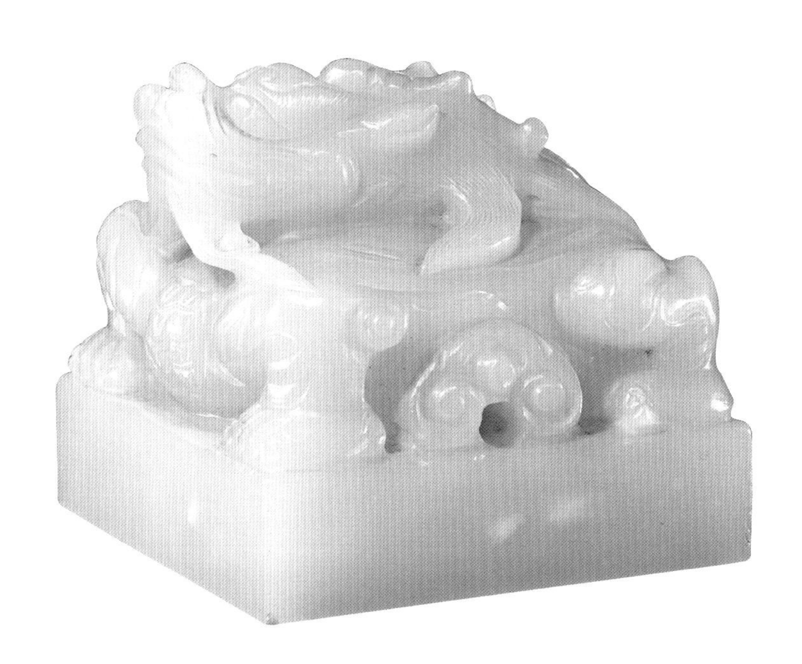

68. 皇帝亲亲之宝

白玉质，交龙纽方形玺。汉文篆书满文篆书。面 7.2 厘米见方，通高 7.7 厘米，纽高 4.2 厘米。附系黄色绶带。“以展宗盟”之用。

69. 皇帝行宝

碧玉质，蹲龙纽方形玺。汉文篆书满文篆书。面15.6厘米见方，通高13厘米，纽高7厘米。附系黄色绶带。“以颁锡赍”之用。

70. **皇帝信宝**

白玉质，交龙纽方形玺。汉文篆书满文篆书。面10.5厘米见方，通高6.5厘米，纽高5厘米。附系黄色绶带。“以征戎伍”之用。

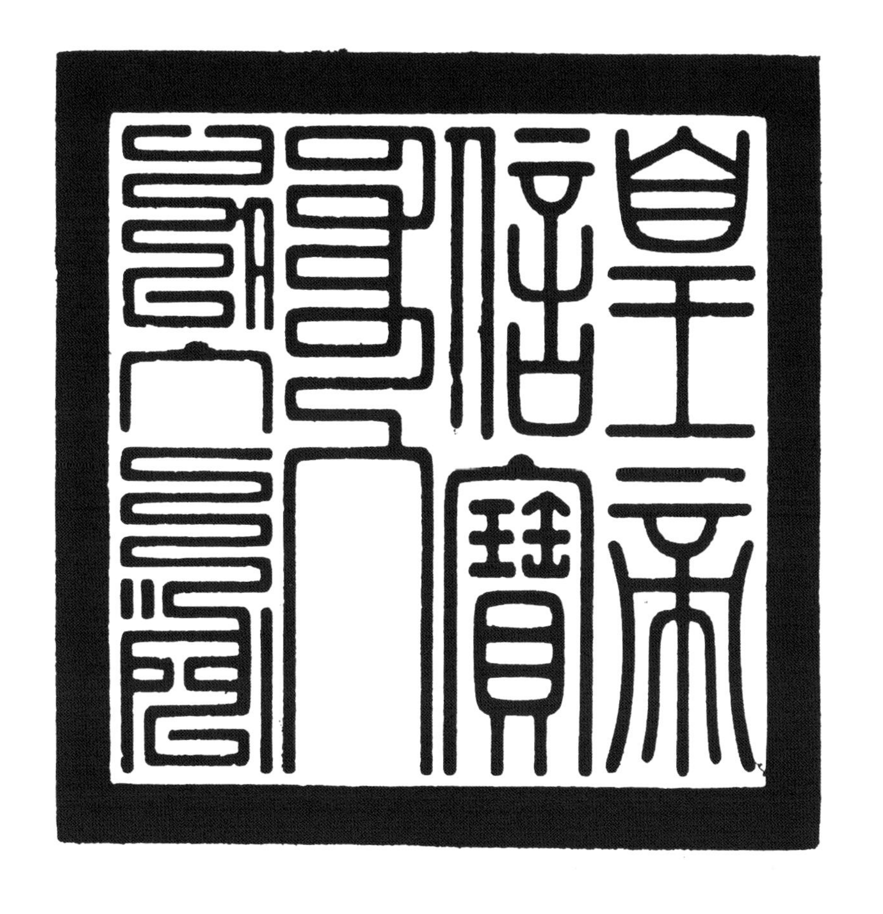

71. 天子行宝

碧玉质，蹲龙纽方形玺。汉文篆书满文篆书。面 15.5 厘米见方，通高 13.8 厘米，纽高 7.8 厘米。附系黄色绶带。“以册外蛮”之用。

72. 天子信宝

青玉质，交龙纽方形玺。汉文篆书满文篆书。面12.1厘米见方，通高8.5厘米，纽高4.5厘米。附系黄色绶带。“以命殊方”之用。

73. 敬天勤民之宝

白玉质，交龙纽方形玺。汉文篆书满文篆书。面10厘米见方，通高9.8厘米，纽高5.3厘米。附系黄色绶带。“以饬覲吏”之用。

74. 制诰之宝

青玉质，交龙纽方形玺。汉文篆书满文篆书。面13厘米见方，通高14.7厘米，纽高8.5厘米。“以谕臣僚之用”。

75. 敕命之宝

碧玉质，交龙纽方形玺。汉文篆书满文篆书。面 11.3 厘米见方，通高 9 厘米，纽高 5.5 厘米。附系黄色绶带。于诰敕谕旨上钤用。

76. 垂训之宝

碧玉质，交龙纽方形玺。汉文篆书满文篆书。面13厘米见方，通高10.5厘米，纽高5.9厘米。附系黄色绶带。“以扬国宪”之用。

77. 命德之宝

青玉质，交龙纽方形玺。汉文篆书满文篆书。面13厘米见方，通高10.4厘米，纽高6.2厘米。附系黄色绶带。奖励忠良之用。

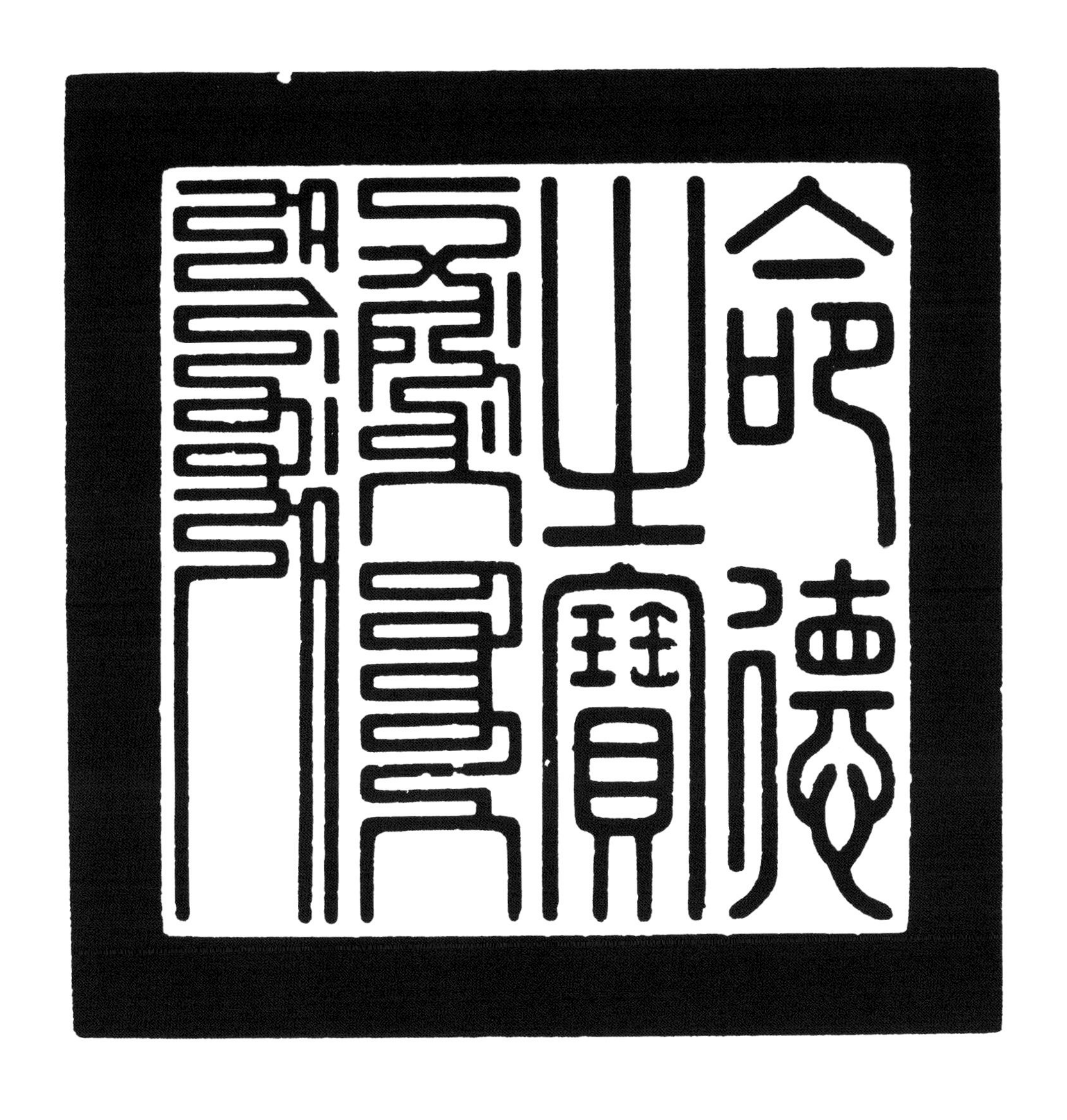

78. 钦文之玺

墨玉质，交龙纽方形玺。汉文篆书满文篆书。面 11.7 厘米见方，通高 9.8 厘米，纽高 5.5 厘米。附系黄色绶带。专钤于有关文教之谕旨。

79. **表章经史之宝**

碧玉质，交龙纽方形玺。汉文篆书满文篆书。面15.3厘米见方，通高13.2厘米，纽高7厘米。附系黄色绶带。“以崇古训”之用。

80. 巡狩天下之宝

青玉质，交龙纽方形玺。汉文篆书满文篆书。面15.3厘米见方，通高13.3厘米，纽高7.3厘米。附系黄色绶带。此宝应用范围为“以从省方”。

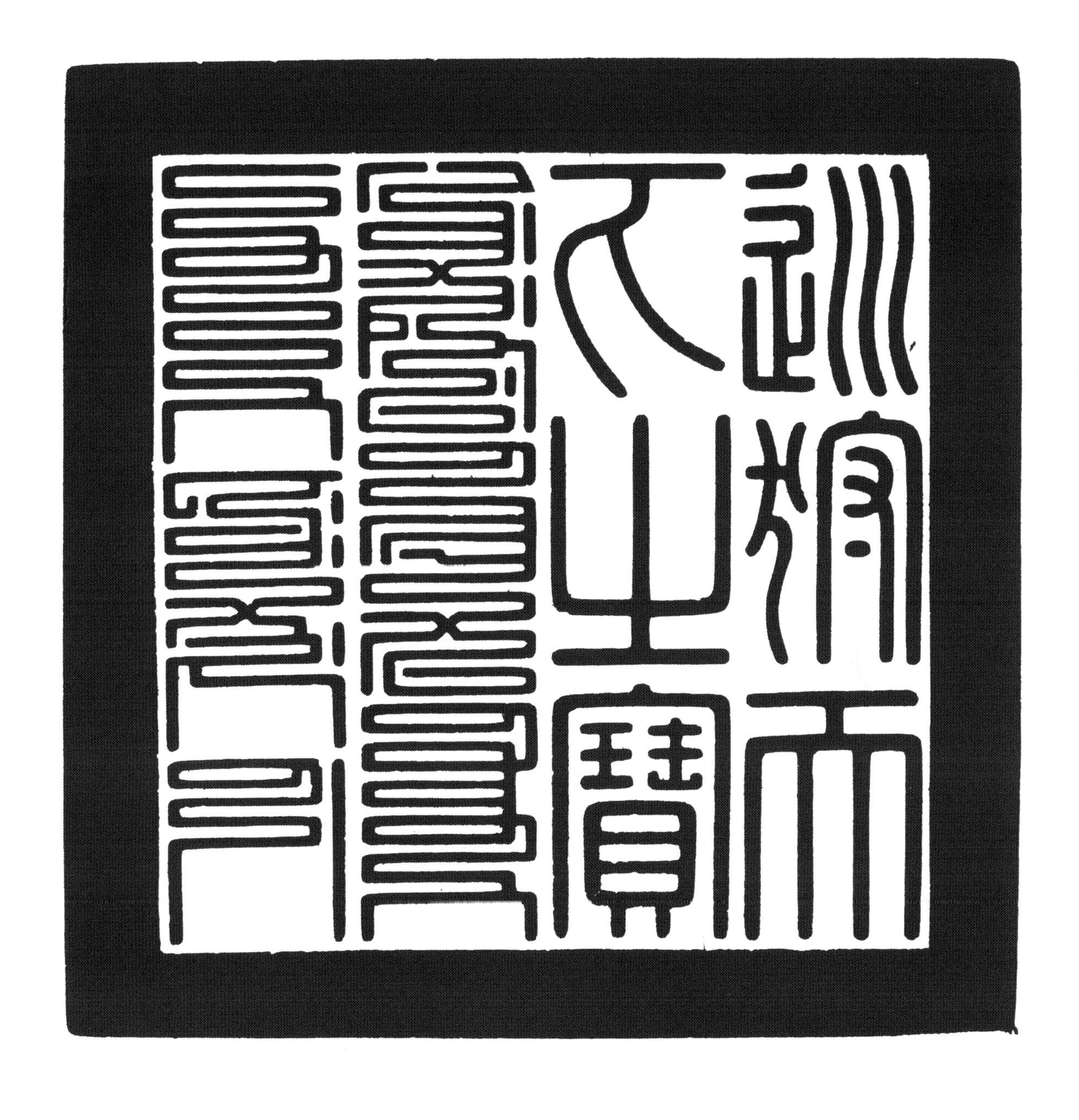

81. 讨罪安民之宝

青玉质，交龙纽方形玺。汉文篆书满文篆书。面 15.3 厘米见方，通高 13.9 厘米，纽高 7.5 厘米。附系黄色绶带。“以张戎伐”讨罪安民之用。

82. 制驭六师之宝

墨玉质，交龙纽方形玺。汉文篆书满文篆书。面 17 厘米见方，通高 10.8 厘米，纽高 6.6 厘米。附系黄色绶带。“以整戎行”之用。

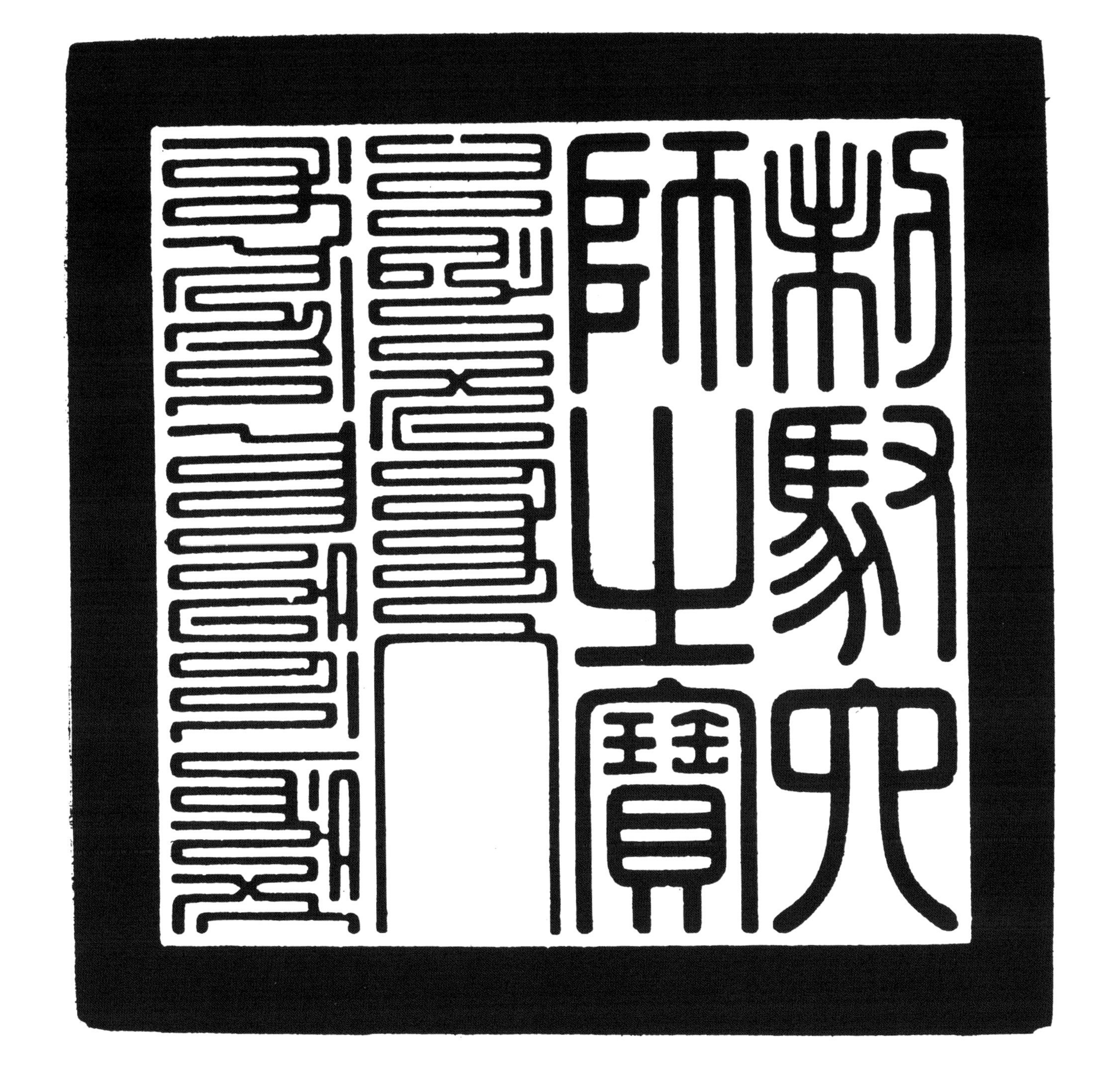
敕命之寶

83. 敕正万邦之宝

青玉质，交龙纽方形玺。满文篆书汉文篆书。面13厘米见方，通高10.7厘米，纽高6.3厘米。附系黄色绶带。“以诰外国”之用。

84. 敕正万民之宝

青玉质，盘龙纽方形玺。满文篆书汉文篆书。面 12.6 厘米见方，通高 10.4 厘米，纽高 6.2 厘米。附系黄色绶带。“以诰四方”之用。

敕正萬民之寶

85．广运之宝

墨玉质，交龙纽方形玺。汉文篆书满文篆书。面19厘米见方，通高15.6厘米，纽高9厘米。附系黄色绶带。“以谨封识”之用。

廣運之寶

86. 皇帝之宝

檀香木质，束腰素纽方形玺。满文篆书。面 12.5 厘米见方，通高 3.5 厘米，纽高 1.7 厘米。附系黄色绶带及牙牌一，牙牌两面分别用满汉文刻："皇帝之宝匮"。

87. 奉天之宝

金质，交龙纽方形玺。满文篆书。面11.8厘米见方，通高9.7厘米，纽高6.7厘米。附丝黄绦绶及牙牌一，两面分书满汉字“奉天之宝匮”。用于祭祀圣灵。崇德八年十一月十二日壬寅：“大清国大臣遣塔瞻等，净身惶悚，谨于圣灵前代奏：今逢冬至，乃阳气恢复之日，谨照惯例，备陈牺牲谨祭。钤‘奉天之宝’。”可知其钤用一斑。（《清初内国史院满文档案译编》上册，54页）

88. 天子之宝

金质，交龙纽方形玺。面11.9厘米见方，通高8.3厘米，纽高5.1厘米。附系黄色绶带及牙牌一。牙牌两面分别用满汉文刻："天子之宝匣"。

89. 奉天法祖亲贤爱民

墨玉质，交龙纽方形玺。汉文篆书满文本字。面 15.6 厘米见方，通高 9.8 厘米，纽高 4.9 厘米。附系黄色绶带及牙牌一。牙牌两面分别用满汉文刻：“奉天法祖亲贤爱民宝匮”。

敬天法祖
親賢愛民

90. 敕命之宝

青玉质，交龙纽方形玺。汉文篆书满文本字。面12厘米见方，通高13厘米，纽高7.3厘米。附系黄色绶带及牙牌一。牙牌两面分别用满汉文刻“勑命之宝匮”。此宝龙背隆起，为清早期形式。穿绶孔磨损较大，知此宝曾经常钤用。

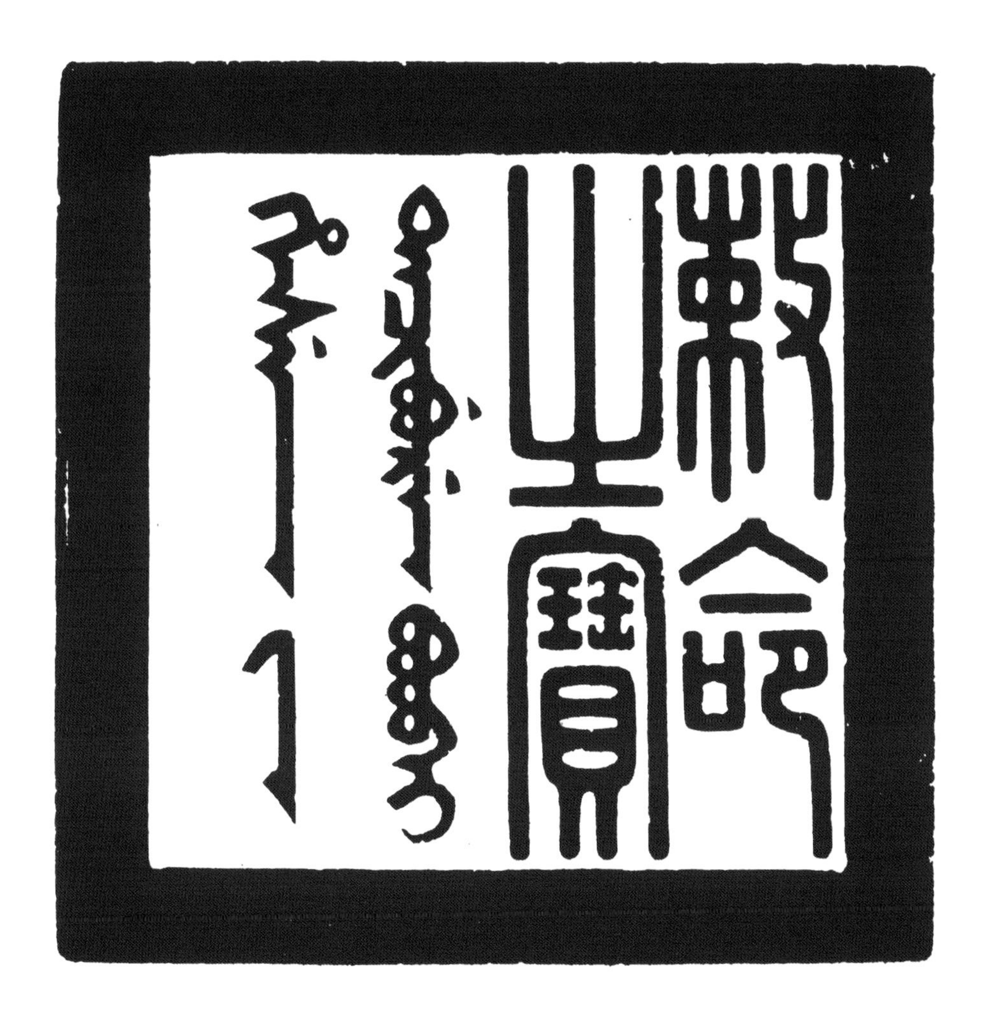
敕命之寶

91. 广运之宝

金质，交龙纽方形玺。篆书。面7.7厘米见方，通高7.4厘米，纽高4.9厘米。附系黄色绶带。

廣運之寶

92. 制诰之宝

青玉质，交龙纽方形玺。篆书。面15.2厘米见方，通高13厘米，纽高6.7厘米。附系黄色绶带及牙牌一，牙牌两面分别用满汉文刻“制诰之宝匣之钥”。此宝为清太宗时所得元玺之仿制品，乾隆时取代“丹符出验四方”，列入“盛京十宝”。

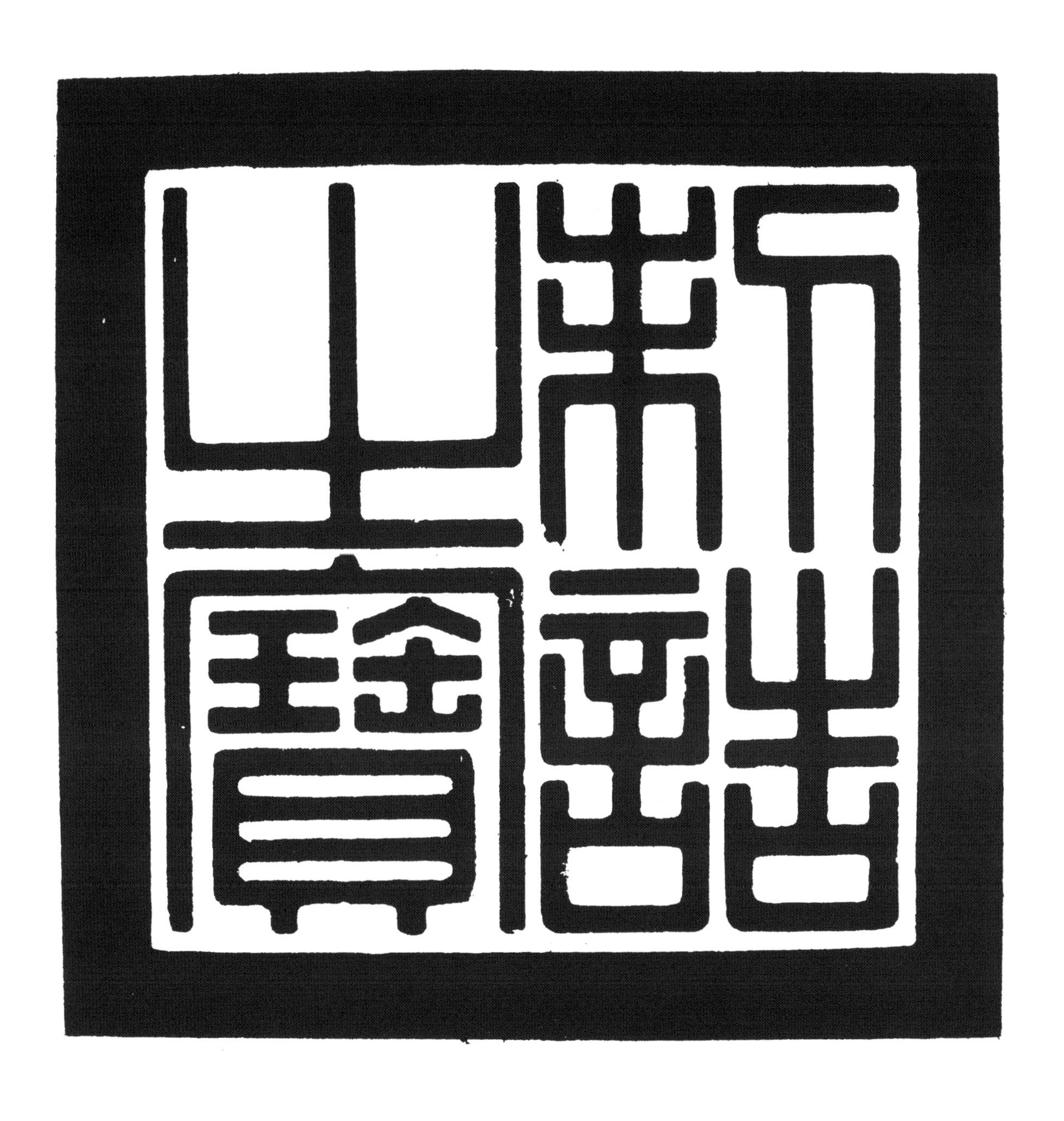

93. 大清国宝

檀香木质，交龙纽方形玺。篆书。面11.6厘米见方，通高9.8厘米，纽高5.2厘米。附系黄色绶带。黑漆木匣盛之。此宝无使用痕迹，刻宝时所着墨迹如初。当是始行新政时备用之宝。

大清國寶

94. 大清皇帝之宝

檀香木质，交龙纽方形玺。篆书。面11.6厘米见方，通高9.6厘米，纽高4.9厘米。附系黄色绶带，黑漆木匣盛之。此宝无使用痕迹。

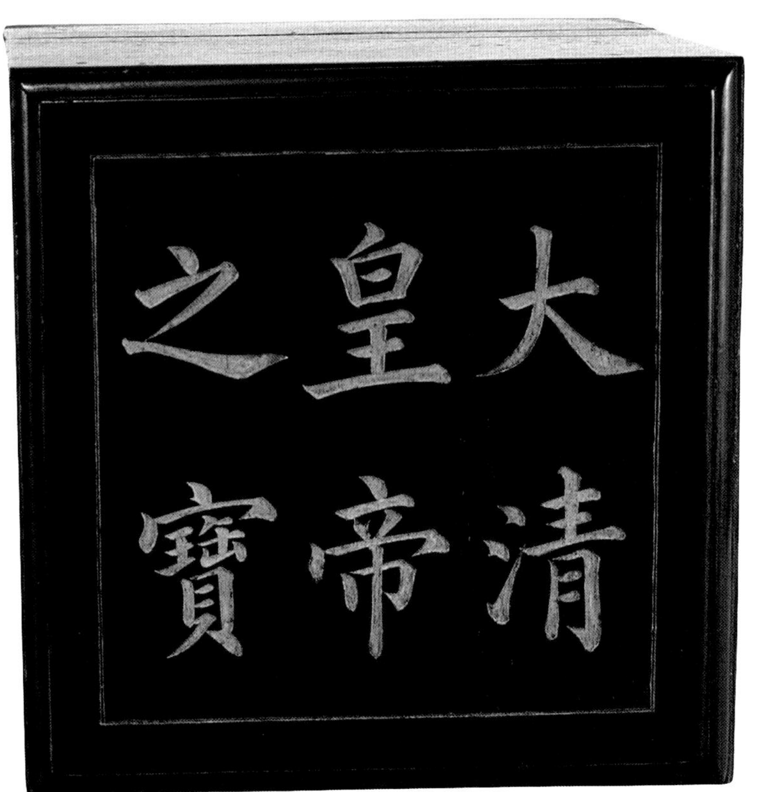

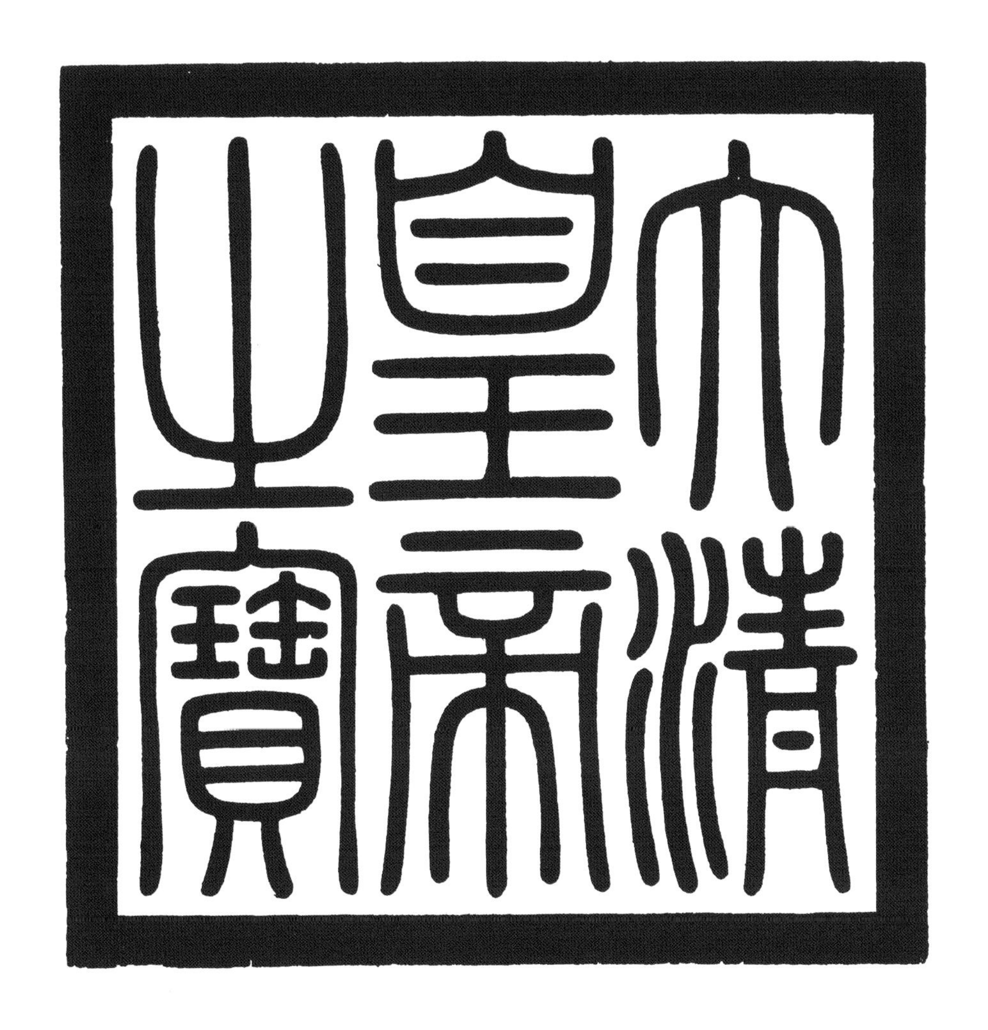
大清皇帝之寶

95. 大清帝国之玺

檀香木质，交龙纽方形玺。篆书。面11.6米见方，通高9.6厘米，纽高5.2厘米。附系黄色绶带。黑漆木匣盛之。此玺无使用痕迹。

大清帝國之璽

96. **大清帝国皇帝之宝**

檀香木质，交龙纽方形玺。汉文篆书。面 11.6 厘米见方，通高 9.7 厘米，纽高 5 厘米。附系黄色绶带，黑漆木匣盛之。此玺无使用痕迹。

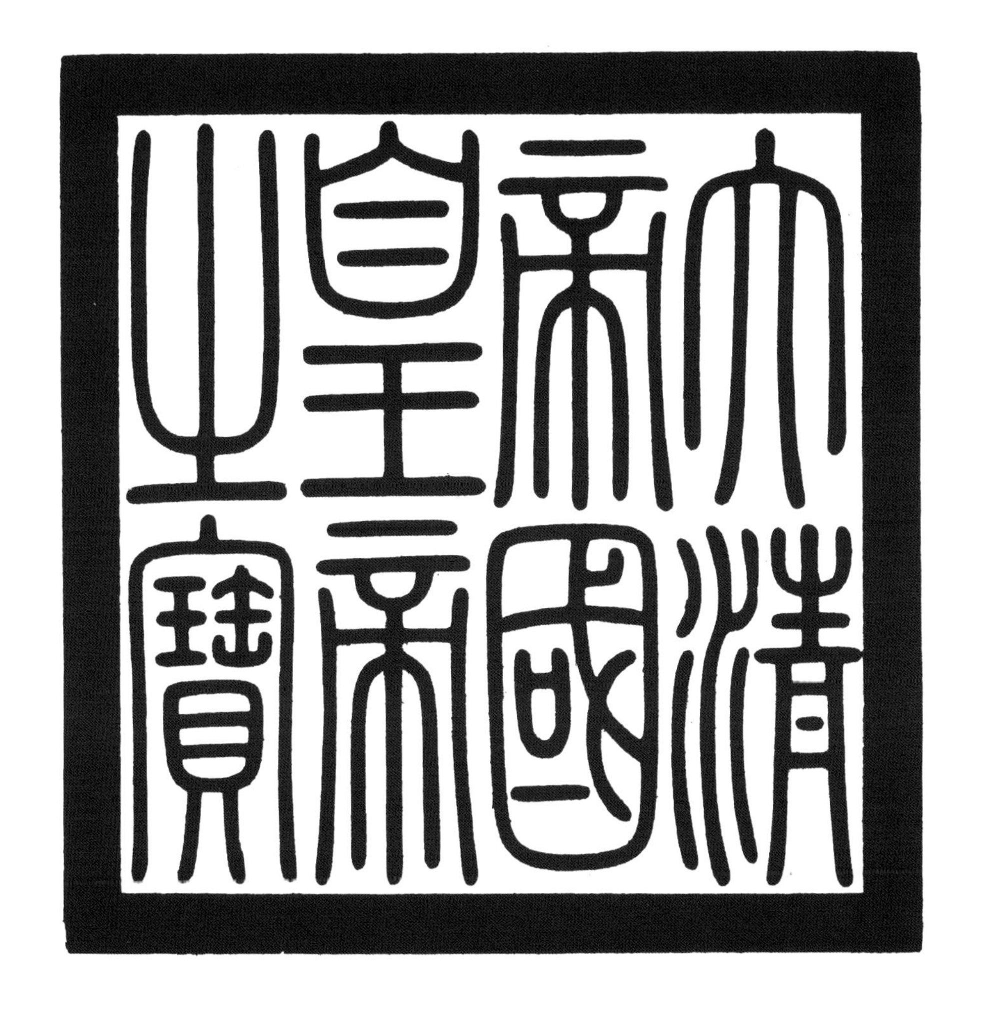
大清帝國皇帝之寶

御书钤用诸玺

YUSHU QIANYONG ZHUXI …… 郭福祥

在清代帝后宝玺中，除国宝以外，所占比重最大者当为皇帝们平日钤诸御笔书画上的各式各样的闲章。其中尤以康熙、雍正、乾隆、嘉庆四朝为盛。这些闲章内涵丰富，从各个侧面反映出清代皇帝们自身的性格特点、生活情趣及文化修养。

国宝以外诸玺种类。清代国宝以外诸玺种类繁多，包罗万象。单就玺文所显示的内容，可分为五类：

（一）年号玺。皇帝在登极以前为皇子时期的印章，印文中有名和爵号，但为数不多，亦附于此类。如收入本书的雍正帝的“皇四子和硕雍亲王章”，乾隆帝的“宝亲王宝”等。皇子即帝位以后，都要刻制一套年号玺，一般包括“某某之宝”、“某某御览之宝”、“某某御笔之宝”、“某某鉴赏”、“某某宸翰”等。如康熙有“康熙御笔之宝”、“康熙宸翰”、“康熙御览”等，雍正有“雍正御览之宝”、“雍正御笔之宝”、“雍正宸翰”等；乾隆则有“乾隆御览之宝”、“乾隆御笔之宝”、“乾隆宸翰”、“乾隆鉴赏”等。当然，每一年号玺都有多方，用不同的质地，刻于不同的时期。皇帝即位以前，可用名字刻印，亦可在名字前冠以爵号，有的只用爵号刻印。如雍正帝的“胤禛之章”、“雍亲王宝”等，乾隆帝的“弘历图书”等。这类玺专为某位皇帝所独有，不能继承钤用。

（二）宫殿玺。刻宫、殿、楼、斋、馆、院等室名于玺上，是为宫殿玺。室名章相传始于唐代宰相李泌“端居室”玉印（沙孟海《印学史》）。后来士人仿效，多有斋、堂、馆、阁之印。但作为印文的室名并非都实有其室，而只是把它刻在印章上赏玩而已。文徵明曾说“我的书屋多于印上起造”，代表了明清文人斋馆印之风尚。清代诸帝宫殿玺即这类性质。举凡宫内外重要场所，如代表一个区域之“避暑山庄宝”、“长春园宝”，指实具体宫殿之“五福五代堂宝”、“圆明园勤政殿之宝”等皆属此类。此类玺有的属某帝专用，有的亦诸帝沿用。本书于宫殿玺一类，根据其宫其殿在禁城内的位置，按照先外朝后内廷，先中路，次东后西的原则排列，以明其地域顺序。

（三）鉴藏玺。钤于善本图书或书画名迹上，以为鉴赏或识别之标志。唐太宗时，曾自书“贞观”二字，刻子母连珠文印，用于御笔书画上，这是鉴藏印之始。清代诸帝鉴藏玺有三种情形：其一，宫中某些殿宇，多存放有古代图书或字画，皇帝亦经常临幸，或读书，或挥毫染翰，或玩赏字画。凡这些殿宇的收藏，都要钤盖各该殿宇的鉴藏玺。如“乾清宫鉴藏玺”、“养心殿鉴藏玺”、“三希堂鉴藏玺”、“乐寿堂鉴藏玺”、“重华宫鉴藏玺”、“御书房鉴藏玺”、“懋勤殿鉴定章”及“淳化轩图书珍秘宝”等。其二，清代诸帝对古代艺术品之整理十分重视，曾钦定、编纂、刊刻了大量有关古代文化艺术品之著录书目，如《石渠宝笈》初、重、三编，《秘殿珠林》初、续编，《西清古鉴》、《宁寿鉴古》、《西清砚谱》等。经著录的作品，如善本书籍、书画碑拓，亦各钤盖相关之玺。如“石渠宝笈”、“宝笈重编”、“石渠宝笈所藏”、“秘殿珠林”、“珠林继鉴”等，作为著录的标志。其三，清帝撷取内府藏书之精华，别贮一地，成为大型丛书，冠以总名。凡收入之书籍，则钤以丛书名玺。如“天禄琳琅”、“天禄继鉴”、“摛藻堂全书粹要宝”、“味腴书室全书粹要宝”等。

（四）嘉言及诗词玺。此类玺文先秦已经有此一格。如取颂祷、辟邪之意的“善寿”、“长生”、“千秋”、“上吉”、“富贵”诸玺，取进德修身永志不忘之意的“正行无私”、“中仁”、“敬上”、“敬事”诸文。这些玺印多随身佩带，取其吉利。后来文人用此类印文则钤于绢纸上，用以点缀字画，凭借诗词文句，表达其个人的胸襟怀抱。优美的诗文，通过篆刻家的巧妙雕琢，在方寸之间，呈现出典雅的意境。恰如高阜在《赖古堂印谱》序中所说：“夫斯邈之书，可以峙山岳者，难充几案之娱。李杜之篇，可以挥烟云者，难舒指掌之细。而约千言于数字，缩寻丈于半圭，不越径寸之中，而尽乎碑版铭勋赋诗乐志之胜，则惟图章为然。”清代诸帝此类玺文多取经史之奥义宏纲，可谓集大成之作。它们有的为警句箴言，以告诫自己努力的方向，似座右铭之功用。如康熙之“戒之在得”、

"惜寸阴"，雍正之"崇实政"、"亲贤爱民"，乾隆之"谨起居慎出令"等；有的玺文选自经史百氏，如康熙之"惟尧则之"，雍正之"为君难"、"兢兢业业"、"建中于民"、"万国咸宁"，乾隆之"自强不息"、"惟精惟一"、"所宝惟贤"，道光之"政贵有恒"、"恭俭惟德"等；有的则摘取诗文佳句，如"掬水月在手"、"心清闻妙香"、"众花胜处松千尺"、"大块假我以文章"等；有的取自皇帝自己的御制诗文中，其中以乾隆为最。凡他平日所得，认为可以传之久远的文句，多拟篆入石。如五言之"水月两澄明"、"吟咏春风里"、"静中观造化"、"几席有余香"等，七言之"入眼秋光尽是诗"、"书史研求遵古训"、"性根理窟资探源"、"敲诗月下周还久"等。这类玺文，皆能表现皇帝的心境与生活情趣，而不仅仅是篆法刀法的欣赏了。

（五）花押玺。即将花押式样刻为玺文，以代押字用，为中国印学的一个分体，始于五代时期。据载："周广顺二年（952年），平章李穀以病臂辞位，诏令刻名印用，据此，则押字用印之始也"（元陶宗仪《南村辍耕录》卷二），把花押印的历史上溯到五代时期。至元代，花押印空前繁盛，"今蒙古色目人之为官，多不能执笔花押，例以象牙或木刻而印之。"（同前）元代的花押印，多用汉文楷书姓氏，其余则用花体书写，多不识其意。至清代，诸帝似乎皆喜花押玺，花押刻制成为风尚。但与元代花押印相比，清代诸帝之花押玺又自成一格，玺文多用皇帝亲自手书之汉文草书吉语，非常容易辨识，如康熙之"光被"、"太平"押，雍正之"无思"押，光绪之"敬天"押皆是。

御书钤用诸玺的质地与纽制。篆刻作品，主要是布局和刀法，此外，选材也是十分重要的。佳文、佳篆与佳石三者相得益彰，是人们共同追求的艺术效果。在清代，正值篆刻艺术的黄金时期，各种印材亦得到充分发掘。清代用于皇帝闲文小玺的材料主要是玉、石、木三种。

自秦始皇以来，"天子独以印称玺，又独以玉，群臣莫敢用。"（《史记》卷六）故而两千多年来，玉成为铜以外使用最广泛的材料。清代诸帝小玺所用玉品有青玉、白玉、碧玉、苍玉等。其中青玉和白玉使用最为普遍，苍玉则多用于康熙时期，而碧玉普遍用于乾隆中期平定回部以后，大致与"回子伯克尽为臣仆，和阗良玉充供内廷"（《清高宗御制文二集》卷九）有关。从新疆所进之玉，多为质地温润、精美的碧玉，因此，乾隆时大型宝玺多用碧玉镌刻。如"太上皇帝之宝"、"古稀天子之宝"、"八徵耄念之宝"等。而岫岩玉在清末才开始大量使用。

石料主要有青田石、寿山石、昌化石。青田石产于浙江省青田县，其中以"微黄纯洁，半透明、坚致细密"（邓散木《篆刻学》）者为最上品，世称"灯光冻"。据《中国实业志·浙江省》载：青田石"宋时即有采掘者，仅供镌刻图章之用，考其开采之历史，始于满清乾隆年间，其时图书石之用途，大部分用于雕刻图章及少数之文具"。青田石于乾隆时由地方官大量采买进献，以后从未间断。寿山石因产于今福建省福州市北郊的寿山乡而得名。南朝刘宋元嘉二十二年（445年）以前已开始采掘雕刻。从宋淳熙九年（1182年）福建晋江人梁克家编纂《三山志》起，历代文人学士多有题诗、著述者。其石品分田坑、水坑、山坑三大类一百多个品种，多为白色，亦有黄色者，质地通灵，呈半透明状，世称"田黄"，最为名贵，备受清代历朝皇帝钟爱。故宫现存的雍正小玺，很大一部分都是寿山石，价值极高，乾隆和嘉庆两朝，用寿山石亦为数不少。昌化石产于浙江省临安县昌化的文玉岩山。其开采亦很早，"清康熙至乾隆时，出产黄、天蓝色杂生印石，道光时出产豆青色印石"（叶伟夫《中国印石》）。昌化石中有红斑，鲜艳如鸡血者称"鸡血石"，为石中名品，出产很少。故宫现存比较精美者当属一对"咸"、"丰"单字鸡血石玺。此外，青金石、玛瑙、珊瑚、水晶等亦间有用于宝玺者。

木材主要是檀香木和竹根。顺治、康熙及同治、光绪、宣统时期间有木质宝玺。除以上几种最主要材质以外，还有极少量的用陶瓷、象牙、犀角、金、银、铜等制作。

皇帝钤用御书诸玺，其形制无严格的规定，玺面正方、长方、圆，椭圆、葫芦状等，形体各异，做纽于是达到“能尽其技”的程度，归纳故宫所藏，其纽饰可以分如下几类：

四灵类：龙（包括交龙、蹲龙、盘龙、云龙、螭龙、夔龙）、螭（包括单螭、双螭、穿环螭、伏螭）、凤、麒麟、龟、豸、蝙蝠等。

鸟兽类：狮（包括伏狮、蹲狮、双狮、滚狮、子母狮）、牛、羊、马、象，鹿、虎、松鼠、鱼、鹰、鹤、鸳鸯、鸬鹚、海马、熊等。

植物花果类：荷花、梅花、水仙花、石榴花、玉兰花、佛手、桃子、野菊花、葡萄、瓜、竹等。

写意图画类：夜游赤壁图、荷塘即景图、松亭图、松石图、捕蝶图、泛舟图、山行图、梅雀图、楼阁图等。

其他：云纹、“黻”形纹、乾卦纹、雷纹、回纹、“卐”形纹等。

以上诸种纽饰中，最具特色者即为玺体雕刻的“薄意”艺术作品。所谓“薄意”，“是施工于印石体表周围的一种浅浮雕艺术。它要求极浅薄的层次和富有画意而得名。”（叶伟夫《中国印石》）康熙年间，福建省寿山石雕刻名家杨玉璇和周尚均在雕刻纽端的圆雕时，掺用了竹刻、玉饰中的阴刻法，在石体侧面雕饰浅而薄的花纹图案，奠定了在寿山石上雕刻“薄意”的基础。后来他们都被召进宫中，因之，“薄意”艺术也就自然被皇帝所御用。而后，“民间的薄意艺术便受到了限制，一个刚刚诞生不久的艺术形式由于皇家的垄断几乎被葬送掉。此后，在历史的记载中，薄意失踪了近二百年。到了同治，光绪年间，福州西门外凤尾乡出了潘氏兄弟，将薄意艺术之雏的羽翼丰满，继承和创造性地发展了薄意艺术，并初步形成了特有的艺术风格。”（同上）另一方面，在清宫内务府造办处，这种技艺也被保存下来。养心殿造办处的牙作、砚作当差的南匠中，有不少江南著名的雕刻家，如果做纽的活计交到他们手，不论是透雕、高浮雕，还是浅浮雕，他们都能得心应手做出富有画意的薄阳纹精品。从故宫现存的薄阳纹作品来看，雍正、乾隆时期多为山水、人物，嘉庆以后则多为松石花鸟。虽然在内容上没有大的发展，但其技法却不断趋于成熟。

御书钤用诸玺的制作、保存和使用。关于宝玺的制作，据光绪朝《大清会典事例》卷三百二十一：“顺治初年定，凡铸造宝印，礼部铸印局职掌。印文清文左，汉文右，字样由内院撰发，金银硼砂于户部移取，物料于工部移取，祭物于光禄寺移取。”但这只是相对于礼制有规定的帝后宝玺而言。至于御书钤用诸玺则无严格的规定，只能从现存文物中寻找其制作的些许线索。首先，由礼部依据成例，奏报所要制作的宝玺，得到皇帝的批示。有时玺文由皇帝亲自撰拟，然后移交造办处，由造办处用纸、木、绢或蜡制成玺样，呈皇帝御览。皇帝钦定后，再由主办者发玺样于制作机关。故宫现存一组光绪玺样，计28方，檀香木质，这组玺样纽式形制不同，有蹲龙纽、交龙纽；玺形不一，有长方形、正方形；大小有序，从14厘米见方到3.5厘米见方不等。每一方玺样都挂有黄条，上墨书：“照此样刻光绪御笔之宝一方，阴文或白玉或青玉”；“照此样刻御押一方，阳文，或白玉或青玉”，“照此样刻光绪宸翰一方，阴文，或白玉或青玉”。如此形式还有“光绪尊亲之宝”、“光绪御览之宝”、“光绪”、“敬书”、“天元”，“爱民如子”等，几乎包括了光绪皇帝在位期间常用诸玺。由此可见，皇帝即位后的此类玺大都是成批制作的。这组玺样，说明玺的形制、大小已获批准，只要按黄纸条上的要求制作即可。造办处有关匠作根据发来的玺样，领取所需物料，依样镌刻玺体，包括纽制、整形，磨光，兑验。玺体镌制完成后，连同玺文一起发交御书处，御书处写字人依据钦定玺文，先在纸上篆写玺文正字，再反写到玺体上，择吉期由如意馆玉工或镌字匠共同刻字，核对准确无误后交付使用。

另外，此类宝玺有一部分是臣工的进献。如现存故宫的“元音寿牒”、“宝典福书”各六十方玺，就是1785

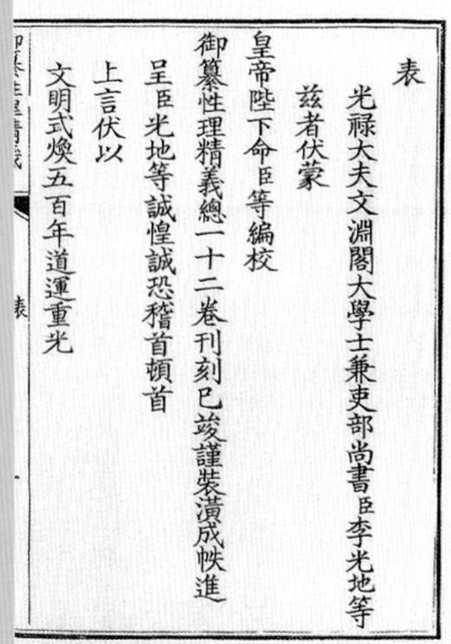

表

光禄大夫文淵閣大學士兼吏部尚書臣李光地等

玆者伏蒙

皇帝陛下命臣等編校

御纂性理精義總一十二卷刊刻已竣謹裝潢成帙進

呈臣光地等誠惶誠恐稽首頓首

上言伏以

文明式煥五百年道運重光

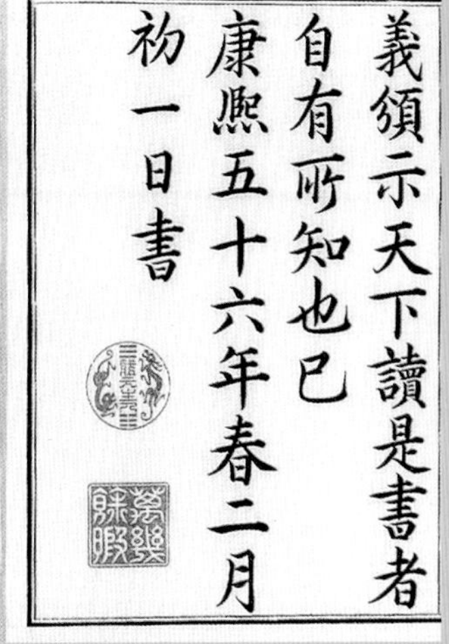

義須示天下讀是書者

自有所知也已

康熙五十六年春二月

初一日書

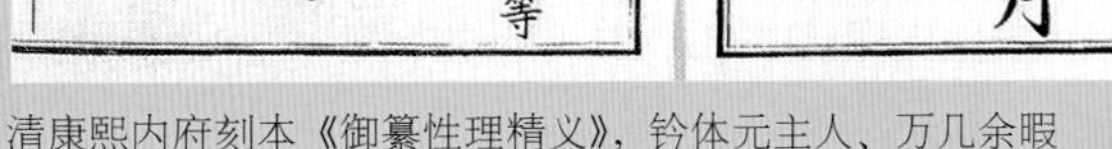

清康熙内府刻本《御纂性理精义》，钤体元主人、万几余暇

志不在虛詞而在至

理不在責人而在責

已求之天道而盡人

事存吾之順末吾之

寧未知何如也

康熙五十二年歲在

癸巳夏六月敬書

清康熙内府刻本《渊鉴斋御纂朱子全书》，钤体元主人、稽古右文之章

年乾隆八旬万寿时由大臣金简、和珅集乾隆御制诗文中有“福”、“寿”字样的句子，由苏州织造采石、刻制后献上的。另外，有些近臣平时亦有进呈玺印者。如乾隆三十年（1765年），致仕在籍的钱陈群将其祖父钱瑞征篆刻的“瑞日祥云”、“和风甘雨”章作为贡品进呈，乾隆还因此作诗纪其事曰：“迎春帖子进南方，先以家藏古篆章。瑞日祥云兆岁美，和风甘雨卜农庆。休征敢谓时斯应，善颂还嘉规不忘。愿共吾民淋新祉，春祺噧噧萃方昌。”（《清高宗御制诗三集》卷四十三）这种进献，在清后期更多。梁鼎芬、金绍城等都如此做过。这些印章作为皇帝诸闲玺中的一部分，现仍存于故宫博物院。

诸玺之保存亦有固定地点。乾隆在《匣衍记》中讲：“匣衍记有三……一以志寿皇殿所藏御用诸玺”。又讲：“复于乾隆四十六年冬，敬将圣祖、世宗常用诸玺及朕自青宫至御极以来数十年中所用诸玺制为宝薮匣，并豫装宝册，亦定为二十五层，贮于寿皇殿，以备将来依次存贮鉴用，世为法守。”（《清高宗御制文余集》卷二）据此则知，寿皇殿为皇帝诸玺之重要保存场所。直到清室善后委员会点查清理此殿文物时，还存有康熙至同治各朝宝玺计四百余方，皆贮于寿皇殿正殿的描金漆木箱中。另据清室善后委员会的《故宫文物点查报告》，宫中贮存宝玺较多的宫殿有乾清宫、懋勤殿、养心殿、宁寿宫、古董房等地。此外，凡以宫殿命名诸玺则存贮各该宫殿，并配以其他玺，以备皇帝挥毫染翰之用。有些宝玺的存贮地则经过皇帝特指，如“乾隆四十五年八月，高宗七旬圣寿，用杜甫句刻‘古稀天子之宝’，并御制《古稀说》，兼系以诗。四十六年正月，用乾清宫西暖阁贮‘敬天勤民宝’之例，贮‘古稀天子之宝’于东暖阁。”（《清史稿》卷一百四）又如：“太上皇帝授玺后，爰将旧存和阗贡玉喜字第一号玉宝镌‘太上皇帝之宝’，并镌圣制《十全老人之宝说》作为玉册，于皇极殿御案陈设。”（《清高宗御制诗余集》卷一）其他如“五福五代堂古稀天子宝”贮于景福宫、圆明园诸玺贮于圆明园诸殿等。

考诸典籍文物，诸玺之钤用有如下几端：

其一，御笔书画上钤用。沈初《西清笔记》载：“每遇御笔书画发下用宝，诸臣择印章字句合用者，位置左右，以令工人。”一般用引首一，如“渊鉴斋”、“为君难”、“兢兢业业”、“奉三无私”等。压角二，一方为“某某宸翰”或“某某惟贤”、“惟精惟一”等，也有压角用三方的。如果为宫室书写牌匾，题额，则横向用玺，多为“某某御笔之宝”，偶或加钤其他闲玺。宫室楹联用玺大致如上。

其二，钤盖于宫中收藏、经过皇帝御览欣赏过的书画作品上。这是皇帝闲玺最重要的用途。其有明确规定者如："乾隆甲子，诏编《石渠宝笈》四十四卷，内府所藏书画及款识题跋，与曾邀奎章宝玺者，一一胪载。辛亥，谕撰续编。前后品题甲乙，悉本睿裁，凡九年，入宝笈者皆用五玺。其上方之左曰‘乾隆鉴赏’正圆白文，左曰‘乾隆御览之宝’，椭圆朱文。左下曰‘石渠宝笈’，长方朱文。右下曰‘三希堂精鉴玺’，长方朱文。曰‘宜子孙’，方白文。惟藏乾清宫者，则加‘乾清宫精鉴玺’。养心殿、宁寿宫、御书房皆如之。其藏圆明园者，五玺而已。迨续编宝笈，乃加‘石渠定鉴’、‘宝笈重编’二玺，间有用‘石渠继鉴’者，则已入前书而复加题正者也”（徐珂《清稗类钞·石渠宝笈所钤之玺》）。以上各件书画“统纪八玺全，五处别贮者，则曰七玺全。”（《钦定秘殿珠林石渠宝笈续编》凡例）又嘉庆时续编《秘殿珠林》、《石渠宝笈》三编，其凡例又定："古今臣工书画则用‘嘉庆御览之宝’、‘嘉庆鉴赏’、‘三希堂精鉴玺’、‘宜子孙’。或曰‘秘殿珠林’，或‘石渠宝笈’，凡五玺。又加‘珠林二编’或曰‘宝笈三编’一玺，以示别于续编。”其他无明确规定者，则随时钤用，多为诗文词句玺和年号玺。有的内府书画上钤用诸玺多达几十方，为前代所未见。

其三，钤于内府收藏之善本图书。多在每册首尾页。如："乾隆壬寅，谕文渊阁新藏《四库全书》，自四月四日始，每册用御宝二，前曰‘文渊阁宝’，后曰‘乾隆御览之宝’”。又“大内（指圆明园——引者）文源阁藏书六万卷，装潢经、史、子、集，以异色别之，仿隋唐旧制也。每卷首各钤‘文源阁宝’，上加‘古稀天子’圆玺”。（徐珂《清稗类钞·鉴赏类》）。宫中图书用玺最典型者当属“天禄琳琅”藏书。其初编乃清圣祖撷取内府部分藏书，特储诸昭仁殿，高宗敕臣重编。续编为高宗逊位以后敕编。初编藏书每册首尾皆钤以“天禄琳琅”、“乾隆御览之宝”，续编每册首页钤宝玺同前。末页钤“乾隆御览之宝”、“天禄继鉴”。若干帙每册前后空白垫纸又各依次钤用“五福五代堂宝”、“八徵耄念之宝”、“太上皇帝之宝”，或稍大的“五福五代堂古稀天子宝”、“八徵耄念之宝”、“太上皇帝之宝”，均一式三玺，上下排列，多有文相同而玺不同者。其有皇帝御题者，则钤玺同御笔书画部分。其中以“天禄琳琅”玺贯穿全书，即钤有此玺之内府图书始能称为天禄琳琅藏书，反之，即使是内府旧藏亦不可以天禄琳琅藏书称之。此乃鉴定之标志。

另有一种情况，如："文宗临崩，以印章二赐孝贞及帝。后曰‘御赏’，帝曰‘同道堂’，凡发谕旨，分钤起讫处。”（《列朝后妃传稿》下）规定“御赏”和“同道堂”二玺为辅政期间下达圣谕之信符。使用方法为："本王、大臣拟旨缮递后，请皇太后、皇上钤用图章发下。上系‘御赏’二字，下系‘同道堂’三字，以为符信。”（故宫博物院明清档案：军机处上谕档）可知咸丰遗留“御赏”、“同道堂”二玺，其使用与朱批有同样之效用，是临时特殊性的情况。

御书钤用诸玺玺文表现的思想与情趣。皇帝御书钤用诸玺犹如阳春白雪，虽为消闲自娱之物，但其所蕴含的文化意义却相当广泛而深刻，从而成为后人观察和研究清代诸帝思想及生活的一个窗口。

（一）为君治世之道。清帝十分重视祖制，标榜“敬天法祖”，以保持其统治政策的连续性和民族性。雍正即位伊始，便宣布："孔子曰：‘三年无改于父之道’。我皇考临御以来，良法美政，万世昭垂，朕当永遵成宪，不敢少有更张，何止三年无改？”（《世宗宪皇帝御制文集》卷四）又说："朕御极以来，用人行政，事事效法皇考。凡朕所行政务，皆皇考已行之旧章。所颁谕者，皆皇考所颁之宝训，初未尝少有所增损更张也。”乾隆也说："朕幼诵简编，必仪先圣，一言一动，无不奉圣训为法程。”（《清高宗实录》卷二百九十二）“朕凡用人行政，皆以皇考为法，间有二一事酌量从宽之处，亦系遵奉皇考遗诏，并非故示优容。”（《清高宗实录》卷六十二）“今朕所用之人，皆皇考所用之人。”（《清高宗实录》卷十六）他们以“法祖”为名，推行自己的政策，减少了用人行政方面的诸多阻力。这些思想也无不在此类玺文中反映出来，如“敬天法祖之宝”、“敬天尊祖”等即是。另一方面，为保持其统治的长治久安，他们又必须调和随时有可能激化的满汉民族矛盾，把握好政策的适度和力度，自觉运用能为汉民族普通接受的理论学说作为统治依据。其中儒家之中庸学说为清代统治者广泛采用，提出“天下之理，惟有一中，中者，过无不及，宽严并济之道也。”（《清高宗实录》卷十四）推及到为政方面，则为“治天下之道，贵乎得中。故宽则纠之以猛，猛则济之以宽”（同上）的“中道政治”。有关这一学说的玺文则有“和顺积中”、“执两用中”、“用厥中”、“致中含和”、“致中和”等。这类玺之所以很多，与清代诸帝对“中道政治”思想的一贯重视并极力推崇不无关系。同时，清帝对自己亦提出了相当严格的要求。他们常常告诫自己，为人君者当以德服民，以勤政为要，爱民为本。正如乾隆帝所说：“夫天子宸章，择言镌玺，以示自警，正也。”（《清高宗御制文三集》卷八）因此，有关清帝自我警戒的玺文也就比比皆是。如康熙之“戒之在得”、“耄期不倦”；雍正的“崇实政”、“朝乾夕惕”；乾隆的“自强不息”、“犹日孜孜”；道光的“政贵有恒”、“恭俭惟德”；咸丰的“克敬居”、“慎厥修”等都反映了这种思想。

（二）文化活动及修养。清代诸帝常于万几之暇，读书研史，鉴赏吟咏，以琴棋书画自娱，继承了中国传统知识分子的那种超脱、宁静、恬然、淡泊。这在他们的玺文中表现得很明显。如吟诗读书的有：“吟咏春风里”、“几席有余香”、“敲诗月下周还久”、“诗书悦性存”、“读书依竹静”、“一年无日不看书”、“书史研求遵古训”等；写字作画的有：“偶然欲书”、“飞翰”、“渊鉴挥毫”、“泼墨”、“写生”、“几暇临池”、“恭临皇父御笔”等；调琴鼓瑟的有：“琴书道趣生”、“一瓯香乳听调琴”、“宫商之外太古心”、“琴德”、“半榻琴书”等。对于这些活动，清帝自有一套评判的标准。他们把“情赏”看作是艺术鉴赏的最高境界，提出“情赏为美”之说，希望从静止的表层挖掘出蕴含于作品深层的艺术感染力。以求“绘有月色水有声”，在欣赏过程中陶冶自己的情操。他们读书，讲求“怡情”，把读书作为一种感情寄托，一旦随书入境，便会超然一切。同时也讲“有获”，力求从书本中求得人生的道理，治世的方略。从先贤圣哲的言辞中获得智慧，有所借鉴。他们写字作画，深知“写心”的道理，强调“用笔在心”以达“笔化春雨”的境界。另外，有许多玺文着意描绘大自然中花卉草木、山石流水、天地气运的多姿多彩，藉以抒发他们对大自然的热爱与向往。如“众花胜处松千尺”、“新藻发春研”、“映水兰香”、“月明满地相思”、“烟云无尽藏”、“落花自有文章趣”等。通过这些富有诗情画意的玺文，使人们感受到他们那丰富的内心世界。

（三）性格特点及心境。由于皇帝诸玺多是根据他们的旨意而作，可以随时把自己的心情和感受落入玺文，借以抒发一己之心性。即使是内外臣工的进献，也都揣摩上意，因之，综合考察，便不难发现玺文中所反映出的皇帝们鲜明的个性特点。透过“坦坦荡荡”的玺文，康熙那宽厚仁慈的性格清晰可见，而“为君难”的玺文则反映出雍正初年的处境艰难。玺文反映皇帝性格最充分者莫过于乾隆。他一生所刻玺在千方以上，其中诸如：“十全老人之宝”、“古稀天子”、“八徵耄念”、“五福四得十全之宝”等，多记述他一生的功业，进而不难看出他好大喜功的性格特点。其他如反映他青年时代虚心进取的“耽书是宿缘”、“爱竹学心虚”、“居敬存诚”等，反映他晚年志得意满，自我陶醉的“即事多所欣”、“得遂初心”、“心愿符初”等。

总之，清帝国宝以外诸玺曾大量使用于各种场合，许多传世宝玺现仍存于故宫博物院，为历史研究和文物研究提供依据。

97. 文华殿宝

青玉质，交龙纽方形玺。篆书。面 12.8 厘米见方，通高 10.6 厘米，纽高 5 厘米。附系黄色绶带。康熙二十二年（1683 年）重建文华殿，东西后殿各五楹。为举行经筵之地。经筵之礼，以大学士、尚书、左都御史、侍郎，学士、詹事皆由翰林出身者，充经筵讲官，满汉各八人。乾隆甲寅五十九年（1794 年）《春仲经筵》诗注：每遇经筵，先期简派满汉讲官二员，是日以次进讲。朕亦将四书题御论用汉文读之，继将经题御论用清文读之。盖满洲读书人久习汉文，于清文转多生疏，渐致忘本，是深可虑。讲筵并用清汉文，职是之由。又乙卯六十年（1795 年）《春仲经筵》诗附识：综计六十年中，御讲筵者四十九次，得谕凡九十八篇，向无手录之本。乙巳五十年（1785 年）秋，山庄几暇，因将戊午三年（1738 年）至癸卯四十八年（1783 年）以前之论汇书一通，厘为五册。其丙午五十一年（1786 年）近十年以来之论，则每岁经筵后于养心殿续书之，自为一册。因命将此六册陈之文华殿。自光绪二十年（1894 年）迄二十四年（1898 年）接见各国使臣俱在文华殿。

98. 文渊阁宝

青玉质，交龙纽方形玺。篆书。面12.7厘米见方，通高9.5厘米，纽高4.9厘米。明文渊阁在午门内文华殿南，用作贮藏宋元旧籍，后毁于火。乾隆三十九年(1774年)，敕建文渊阁于文华殿后，阁制仿浙江鄞县范氏天一阁。乾隆时，遍访群书，辑为《四库全书》，于大内建文渊阁，复于圆明园建文源阁，热河建文津阁，盛京建文溯阁，各贮全书一部。又以江浙人文渊薮，缮写三份，在江浙分建三阁而贮。镇江金山曰文宗阁，扬州曰文汇阁，杭州曰文澜阁。文渊阁所藏为首。乾隆四十七年（1782年）《四库全书》第一部告成。乾隆谕：自四月四日始，每册用御宝二。前曰“文渊阁宝”，后曰“乾隆御览之宝”。

文淵閣寶

99. 文渊阁册

青玉质，长24厘米，宽10.5厘米，厚0.7厘米。计10页。乾隆御笔。附木匣。册文如下：

文渊阁记

国家荷天庥承佑命，重熙累洽，同轨同文。所谓礼乐，百年而后兴，此其时也。而礼乐之兴，必藉崇儒重道，以会其条贯。儒与道，匪文莫阐。故予蒐四库之书，非徒博右文之名，盖如张子所云：为天地立心，为生民立道，为往圣继绝学，为万世开太平。胥于是乎，系故，乃下明诏，敕岳牧，访名山，搜秘简，并出“天禄”之旧藏，以及世家之独弆。于是，浩如渊海，委若邱山，而总名之曰《四库全书》。盖以古今数千年，宇宙数万里，其间所有之书虽夥，都不出四库之目也。乃抡大臣俾总司，命翰林使分校，虽督继晷之勤，仍予十年之暇。夫不勤则玩日愒时，有所不免；而不予之暇，则又恐欲速而或失之疏略。鲁鱼亥豕，因是而生。语有之：凡事豫则立。书之成，虽尚需时日，而贮书之所，则不可不宿构。宫禁之中，不得其地，爰于文华殿后，建文渊阁以待之。文渊阁之名，始于胜朝。今则无其处。而内阁大学士之兼殿阁衔者，尚存其名。兹以贮书所为，名实适相副。而文华殿居其前，乃岁时经筵讲学所必临。於！以枕经葄史，镜已牖民，后世子孙奉以为家法，则予所以继绳祖考觉世之殷心，化育民物返古之深意，庶在是乎。庶在是乎。阁之制，一如范氏天一阁，而其详则见于御园文源阁之记。

御筆文淵閣記

100. 武英殿宝

檀香木质，异兽纽方形玺。篆书。面15.7厘米见方，通高15.5厘米，纽高9.3厘米。附系黄色绶带。清前期宝玺。武英殿位于西华门内，规制如东华门内的文华殿。顺治元年（1644年）五月，多尔衮进朝阳门，乘辇入武英殿升座。李自成称帝，亦曾坐武英殿门槛受贺。康熙十九年（1680年），设立武英殿修书处于浴德堂。武英殿修书处成为清内府刊刻书籍时专门机构。乾隆在位六十年，各种书籍的纂修从未停止。

101. 乾清宫宝

青玉质，交龙纽方形玺。篆书。11.6厘米见方，通高8.5厘米，纽高4.4厘米。附系黄色绶带。乾清宫是皇帝读书、批阅奏章，召见大臣、引见官员、接见外国使节以及举行内廷典礼和家宴之地。顺治、康熙时曾为寝宫。殿中“正大光明”匾，是顺治皇帝御笔。自雍正年始，定秘密建储制，建储匣即高置于此匾后。其制，由皇帝一式二份写定皇位继承人名，一份放在身边，一份封在“建储匣”内，密置于此匾后。皇帝大行由指定大臣取下“建储匣”，和皇帝身边一份密谕一同启封验看，宣布皇位继承者姓名。

乾清宮寶

102. 懋勤殿宝

青玉质，交龙纽方形玺。篆书。面11.3厘米见方，通高9.5厘米，纽高5.3厘米。懋勤殿位于乾清宫西庑，明代取懋学勤政之义，藏贮书史。清代为翰林侍值处，凡图书笔墨之具都储藏在此。凡文房四宝，由各处呈进赏收者，预备上用颁赐各件，皆收贮懋勤殿库，本殿监典守之，以备应用。康熙十九年(1680年)十月，御懋勤殿亲讲《易经》，噬嗑卦辞。雍正时，殿试后三日，曾御懋勤殿阅卷。乾隆时查阅懋勤殿旧物，见宋文天祥所藏端砚“玉带生”，如获至宝。嘉庆时，内府书画鉴定之后，皆交到懋勤殿钤宝。《秘殿珠林》、《石渠宝笈》三编均在懋勤殿完成。

103. 五经萃室

玉质，蟠龙纽长方形玺。篆书。面宽 3.4 厘米，长 5.2 厘米，通高 7 厘米，纽残。已经火，失色。五经萃室位于乾清宫东即昭仁殿后楹。乾隆四十八年（1783 年）《四库全书》修成。新收书中有南宋岳珂校刻的《易》、《书》、《诗》、《礼记》四经。于是从昭仁殿《天禄琳琅》藏书中拨出岳刻《春秋》，与前四经同贮于昭仁殿后楹，赐名“五经萃室”，并御题匾额悬室内宝座后，屏风上刻《五经萃室记》。嘉庆二年（1797 年）乾清宫失火，昭仁殿、五经萃室同烬。一年后，重建昭仁殿和五经萃室，重新拨集善本图书，室中陈设匾额及屏风均重制。嘉庆帝有《五经萃室观书》诗。这方玺即是嘉庆二年经火文物，上面遗留下经火烧过的痕迹。

104. 毓庆宫

青玉质，龙纽长方形玺。篆书。面 2.8 厘米宽，4.6 厘米长，通高 7 厘米，纽高 3.2 厘米。毓庆宫在乾清宫东南，康熙年建造，为皇太子所居之宫。雍正年间，弘历十二岁奉命入居此宫，十七岁迁乾西五所之二所成婚。乾隆年间，仍定皇子居毓庆宫。《嘉庆述事》中载“予五岁即蒙赐居此宫，至十五岁始移居东二所。”《钦定总管内务府现行则例》载：毓庆宫每年七月初七日派太监喇嘛唪经。光绪以毓庆宫书房东室为寝宫。光绪十二年（1886 年）病，慈禧视疾，并唤医官请脉即在此宫。宣统曾在此读书。

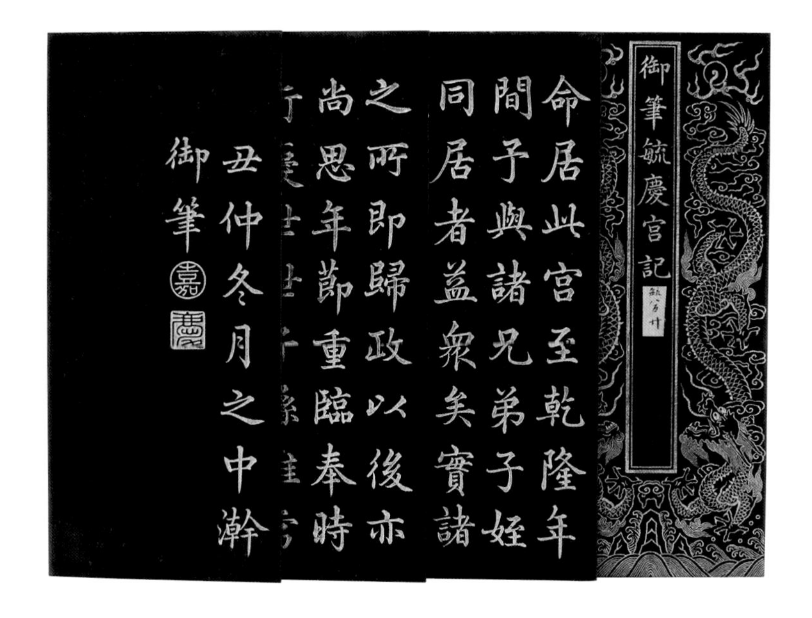

105. 毓庆宫册

碧玉质，长 29 厘米，宽 12.8 厘米，厚 0.6 厘米。计 10 页。嘉庆御笔。册文如下：

毓庆宫记

紫禁东偏地当左个为毓庆宫，雍正年间皇考同和恭亲王奉命居此宫。至乾隆年间，予与诸兄弟子侄同居者益众矣。实诸皇子皇孙养正毓德之所居，非予一人武功庆善之潜邸也。敬溯庚戌正月三日，谕以重华宫为兴祥之所，即归政以后，亦尚思年节重临，奉时行庆。世世子孙惟当永远奉守，毋事更张。至东五所内为年少皇子皇孙公共所居，若照重华宫之例，另行兴建，不特宫墙四围，别无隙地可以廓展，且亦非朕垂示后昆之意。仰见我皇考垂裕贻谋，昭兹奕禩，世世所当敬守。然今之不令诸皇子居此之故，则不可不明示予意也。予在潜邸时，宫中曾居毓庆宫及千婴门内之头二所，后移居撷芳殿之中所，今皆仍循其旧，遵训曷敢少易哉。岁乙卯九月三日宣谕立储，于十一月十八日命自撷芳殿移居毓庆宫，复赐额“继德堂”。丙辰元旦，寅承大宝，日侍寝门之膳，敬申定省之忱，胥自此宫趋诣。诚古今未有之盛事也。我皇考曾著《储贰金鉴》一书，立万世之大防，为熙朝之良法。予之不令诸皇子居此宫者，亦敬法皇考，慎简元良，维持久远，非敢别有创造为几暇游观之地。敬申此义，书于宫庭。观斯记者，亦可知予承先垂后之深意矣。系以铭曰：寅荷天眷，渥承考慈。继德爰处，受福无涯。书成《金鉴》，念兹在兹。既屏窥测，庶杜猜疑，岂图逸乐，匪事游嬉。竹苞松茂，桂栋云楣。国祯家庆，巩我邦基。子孙永保，敬守良规。

106. 继德堂宝

青玉质，双螭纽圆形玺。篆书。面径 6.8 厘米，通高 5.5 厘米，纽高 2.1 厘米。檀香木八方匣承之，匣面镶嵌宝石，贴雕御题七言诗一首。继德堂位于毓庆宫后，为乾隆所赐匾额。宫中未有继德堂之前，避暑山庄早已有继德堂。据嘉庆丙辰元年（1796 年）《赐居继德堂恭纪》诗注：壬子（乾隆五十七年 1792 年）岁，皇父预于避暑山庄葺继德堂，以为传位者清夏承欢之所，并洒宸翰，悬额堂楣。今子臣蒙付大宝，遂得赐居此地。

107. 味余书室

白玉质，螭覆斗纽方形玺。篆书。面4.3厘米见方，通高3厘米，纽高2厘米。继德堂东次间曰味余书室，是嘉庆昔日书室旧额。嘉庆为皇子时著有《味余书室记略》：“予居禁中，有室五楹，不雕不绘。公余绎昼所习书史，游艺于诗文，或临法帖一幅，怡然自得其趣也。欲题其楣端，请于石君先生，先生曰：‘勤学者有余，怠者不足。’有余可味也，名之味余书屋。”嘉庆即位后，即在此室斋宿，赋有《丙辰味余书斋宿》诗。

108. 味余书室册

碧玉质，长25厘米，宽12.7厘米，厚0.8厘米。计10页，嘉庆御笔。册文如下：

味余书室记

予居禁中有室五楹，不雕不绘。公余绎昼所习书史，游艺于诗文，或临法帖一幅，怡然自得其趣也。欲题其楣端，请于石君先生。先生曰：“勤学有余，怠者不足。”有余可味也。名之曰：“味余书室”，承先生嘉惠之意而为之。记曰：夫余之义亦大矣，民生在勤，勤则不匮，盖闻禹惜寸阴。晋陶侃言，众人当惜分阴，为学者可不勉哉。味之者，体玩其余中之趣而自得之也。三余之义起于董遇，其言夜者日之余，冬者岁之余，阴雨者时之余，以此勤学，非好者鲜知其味也。苏子瞻诗云：“先生有味在之余”，其意深矣。卿大夫夕序其业，夜尤其家事，士则习复计遇，庶人以下明动晦休，皆勉其余，不敢怠惰也。《书》曰：“吉人为善，惟曰不足。”《易》曰：“积善之家，必有余庆。惟其善否，是以有余也。”予质鲁，恒以不学为戒，故三冬甲夜孜孜于退食之时，游情于圣贤之籍，是予之策其余力也，善之知味则未之逮。是为记。

109. 知不足斋

青玉质，蹲龙纽圆形玺。篆书。面径3.9厘米，通高6.4厘米，纽高3厘米。知不足斋位于东六宫继德堂东次二间。嘉庆帝《知不足斋》诗注："知不足斋额，沿杭城鲍氏藏书室名。"鲍廷博校刻《知不足斋丛书》二十四集，嘉庆二十年（1815年）流传禁中，仁宗见之，传谕抚臣曰："朕近日读鲍氏丛书，亦名知不足斋，为语鲍氏勿议。朕帝王家之知不足，鲍氏乃读书人知不足也。"

110. 学诗堂

白玉质，螭纽长方形玺。篆书。面宽2厘米，长3.2厘米，通高6.7厘米，纽高2.6厘米。学诗堂即景阳宫后殿，为乾隆御题书房额。《日下旧闻考》载："因鉴定内府现藏之宋高宗所书毛诗及马和之所绘图卷合箧弆藏，御题额曰'学诗堂'。"马和之《诗经图》、宋高宗书内府所收《风》、《雅》、《颂》，共八十五篇，十二卷，共为一笥。乾隆帝为之作记。乾隆时以古后妃有嘉德懿行者，命作宫训图十二帧以形其像，遇年节张挂各处，年事毕，收贮于学诗堂。

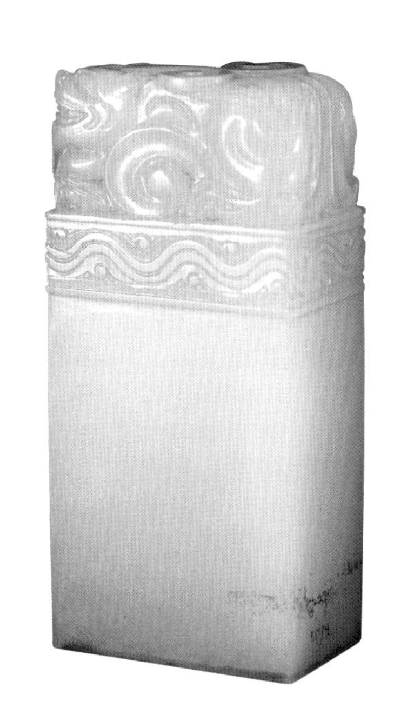

111. 五福五代堂宝

青玉质，交龙纽方形玺。篆书。面 13 厘米见方，通高 9.8 厘米，纽高 4.9 厘米。附系黄色绶带。乾隆四十九年（1784 年）得玄孙，一堂五世。到乾隆五十二年（1787 年）时，乾隆写道：“古稀有七，曾元绕膝，是宜题堂，以芗其事。”在景福宫增书五福五代堂，为文以记，并镌是宝。在避暑山庄东宫“卷阿胜境”殿悬“五福五代堂”匾。

112. 皇极殿宝

碧玉质，交龙纽方形玺。篆书。面12.7厘米见方，通高9.5厘米，纽高4.7厘米。附系黄色丝绶。皇极殿，为宁寿宫区主殿。前有甬道。殿中设宝座。东设铜壶滴漏，西设大自鸣钟。嘉庆元年(1796年）正月初四，太上皇时年八十六岁，在此举行第二次千叟宴，命一百零六岁熊国沛和一百岁邱成龙老人入见，并赏予六品顶戴；赏九十岁以上老人以七品顶戴，还赏赐老人如意、寿杖等。入宴人数三千零五十六人，得诗六千四百九十七首。慈禧七十岁生日，曾在此接见外国使臣。

113. 宁寿宫宝

碧玉质，交龙纽方形玺。篆书。面12.9厘米见方，通高9厘米，纽高5厘米。附系黄色绶带，承之以海水云龙纹描金漆木匣。宁寿宫位于皇极殿后，宫制如坤宁宫，西楹为祭神之所，设煮肉大锅、木炕，东楹为东暖阁。康熙二十八年（1689年）初建时，为宁寿宫后殿。乾隆三十七年（1772年）改建时，始名之曰宁寿宫，预为颐养之所。乾隆禅位后“归政仍训政”，仍居住在养心殿。

114. 宁寿宫册

碧玉质，长 14.3 厘米，宽 9.7 厘米，厚 0.5 厘米。计 4 页。乾隆御笔，附金漆匣。乾隆时镌刻事寿官铭有七册。此册文如下：

宁寿宫铭

事咸万国，寿先五福。宫用题额，文叶义淑。於赫皇祖，奉养慈闱。孝惠爰居，爱日、延晖。小子践阼，兹历卌年。设复廿岁，八旬五臻。敬思仁皇，卜号康熙。六十一载，今古诚稀。同以为艰，敢期遇益，况值耄耋，归政理得，遹新是宫，以待天庥。企予望之，愿可如不，授终奉懿，其礼自殊。斟酌损益，匪曰侈图。殿称皇极，重檐建前，宫仍其旧，为后室焉。执豕敬神，我朝旧制。异日迁居，礼弗敢废。清宁、坤宁，祖宗所奉，朔吉修祀。宁寿斯踵，虽谢万几，宁期九畿。始予一人，寿同黔黎。告我子孙，毋逾敬胜。是继是绳，永膺福庆。

御製寧壽宮銘
御製寧壽宮銘
寧咸萬國壽先五福宮用
題額文叶義淑於赫
皇祖奉養
慈闈

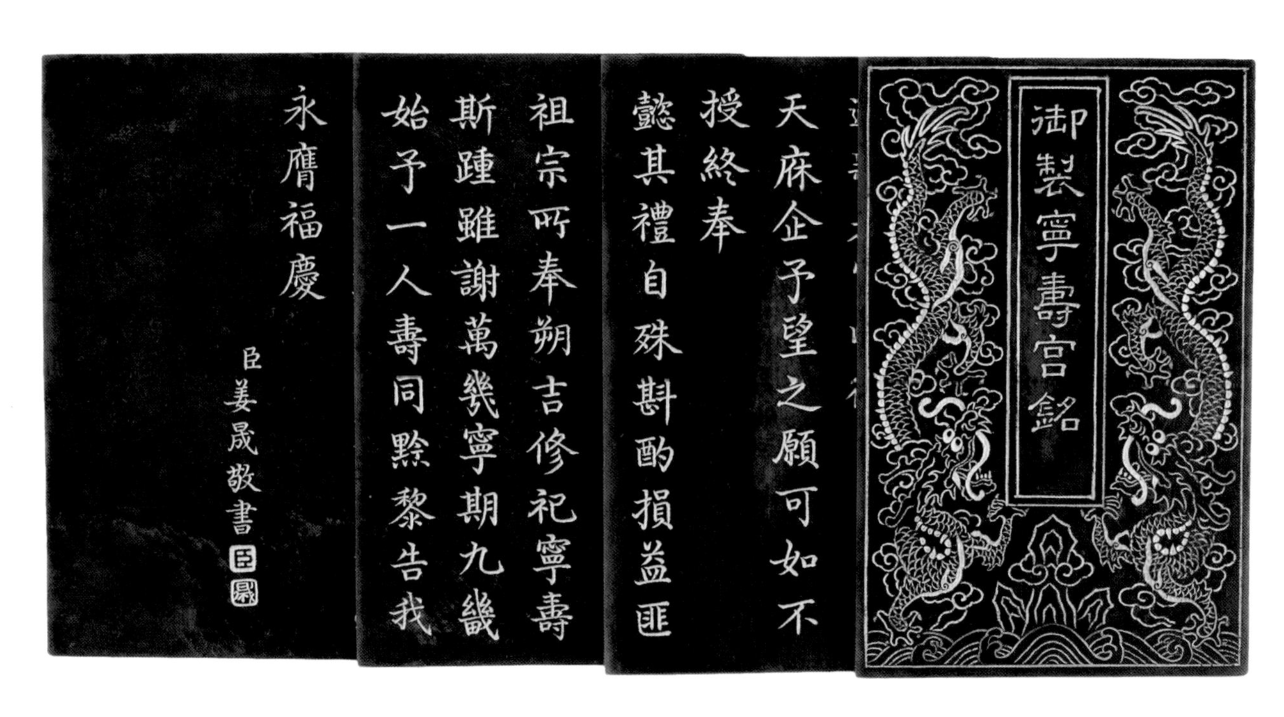
御製寧壽宮銘
天庥企予望之願可如不
授終奉
懿其禮自殊斟酌損益匪
祖宗所奉朔吉修祀寧壽
斯踵雖謝萬幾寧期九畿
始予一人壽同黔黎告我
永膺福慶
臣姜晟敬書

115. 养性殿宝

碧玉质，交龙纽方形玺。篆书。面 12.6 厘米见方，通高 9 厘米，纽高 5 厘米。附系黄色绶带，承之以须弥座海水云龙纹描金漆木匣。养性殿仿养心殿而建。在宁寿宫后，正中设宝座，东暖阁匾为“明窗”，阁后为随安室，西暖阁西宇为墨云室，室后为长春书屋，为香雪堂，北为佛堂。《清高宗实录》载：乾隆四十六年（1781 年）十二月，上幸宁寿宫。御养性殿。赐王公大臣、蒙古王公，贝勒、额驸、台吉等宴。光绪二十八年（1901 年）十二月，丙辰酉刻，诣养性殿慈禧皇太后前行除夕岁礼。光绪帝居养性殿，并于殿中同慈禧太后接见各国公使暨其夫人。

116. 乐寿堂宝

寿山石质，双螭纽方形玺。篆书。面9.4厘米见方，通高17厘米，纽高0.6厘米。乐寿堂位于养性殿后。乾隆丙申（1776年）《题乐寿堂》诗注："向以万寿山背山临水，因名其堂曰乐寿，屡有诗，后得董其昌《论古帖》，知宋高宗内禅后，有乐寿老人之称；喜其不约而同，因此名宁寿宫书堂，以待倦勤居之。"万寿山乐寿堂在宣芸馆后。宁寿宫乐寿堂为乾隆三十七年（1772年）建，乾隆本拟归政后，在此居住，但禅位后仍住养心殿。光绪二十年（1894年），慈禧六十岁生日后，乐寿堂为慈禧太后起居之所。

117. 寻沿书屋

青玉质，异兽纽长方形玺。篆书。面 2.6 厘米宽，3.8 厘米长，通高 6.5 厘米，纽高 2.9 厘米。阅是楼后垂花门内为寻沿书屋。乾隆四十二年（1777 年）有《御制寻沿书屋诗》：“待绎黄家语，沿回学海澜。用行说云敩，有术孟言观。讵在工章句？要于审委端。待当谢机政，枕祚瀌心安。”慈禧太后居乐寿堂时，光绪帝每日晨由养心殿前来请安侍膳，先至寻沿书屋坐候。当时，寻沿书屋后为庆寿堂，常为醇王福晋，恭王、庆王女等进宫者侍奉太后时居住。

118. 三友轩

碧玉质，螭纽长方形玺。篆书。面宽 2.5 厘米，长 4.1 厘米，通高 8 厘米，纽高 1.8 厘米。三友轩位于宁寿宫花园遂初堂后，建于乾隆三十七年（1772 年），乾隆四十一年（1776 年）竣工。松竹梅为历代文人称作“岁寒三友”。轩三楹，西间西窗以紫檀镂雕苍松修竹梅树嵌玻璃夹扇，院中亦有松，竹、腊梅。三友轩室内所用家具，亦均以松竹梅为纹饰。嘉庆皇帝在三友轩内题有“霜凝粉箨千竿直，雪点琼蕤万朵芳”，“一枝冷艳报生春，蕊绽瑶台糁玉尘”。

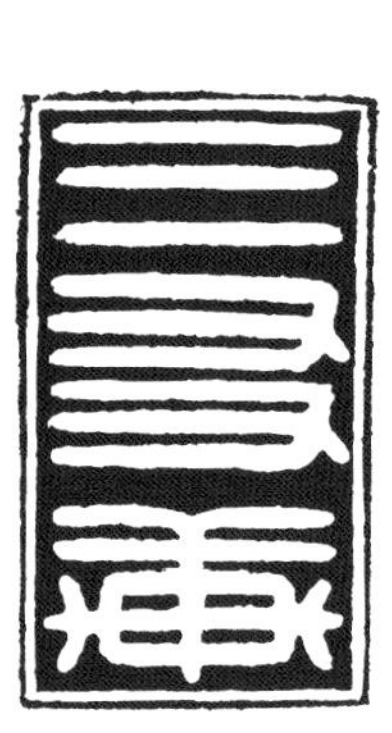

119. 符望阁宝

碧玉质，交龙纽方形玺。篆书。面10.8厘米见方，通高8.5厘米，纽高5.5厘米。附系黄色绶带。符望阁位于宁寿宫西路花园内，四面进深均为五间，四周廊檐。楼三层，是此园最高的亭式建筑，符望者符合最初愿望，即在位六十年之愿。乾隆时每逢年节，符望阁安设大灯六座。乾隆间，每岁腊月二十一日，符望阁下赏饭，入座者：御前大臣、御前行走，蒙古王公、贝勒等。嘉庆年间，无御前大臣兼军机大臣者，军机大臣皆不与。但每年有特恩蒙派者。嘉庆帝亦尝莅斯阁，并写有《咏符望阁》诗。

120. 养心殿宝

青玉质，交龙纽方形玺。篆书。面 10.7 厘米见方，通高 9.5 厘米，纽高 4.6 厘米。附系黄色绶带，上系黄签，上写："同治五年七月二十日常禄交。养心殿宝一方。青玉。"边有浅刻《养心殿铭》。明代和清初皇帝的寝宫在乾清宫，雍正在养心殿守孝二十七个月，未迁居乾清宫，于是以养心殿为皇帝寝宫。清代从雍正到宣统，共有八个皇帝居住养心殿，并有顺治、乾隆、同治三帝死于养心殿。养心殿为"工"字形殿，前殿是皇帝处理政务，召见臣工之所，后殿是寝宫。清代皇帝经常在这里召见大臣、引见官员，有时也接见外国使臣。养心殿东暖阁曾是慈安和慈禧垂帘听政的地方。宣统三年（1911 年），宣统皇帝在隆裕皇后的旨意下于十二月二十五日（1912 年 2 月 12 日），在养心殿"御前会议"上，作出退位决定。

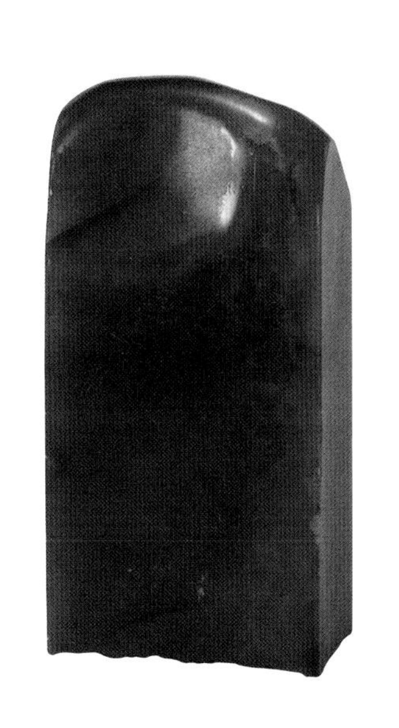

121. 三希堂

田黄石质，随形玺。篆书。面宽2.3厘米，长4.2厘米，通高8.5厘米。三希堂在养心殿西暖阁西部两小间，每间面积有四平方米。迎门西墙贴着通景画，雍正和乾隆父子的古装像是意大利画家郎世宁等人手笔。画面中景物和室内实景相连，当时称为线法画。晋代大书家王羲之的《快雪时晴帖》、王献之的《中秋帖》和王珣的《伯远帖》三件稀世之珍，贮于此屋，故题名为“三希堂”。

122. 三希堂册

青玉质，长22.6厘米，宽10.4厘米，厚0.6厘米。计10页。乾隆御笔。册文如下：

三希堂记

内府秘笈：王羲之《快雪帖》，王献之《中秋帖》，近又得王珣《伯远帖》，皆希世之珍也。因就养心殿温室，易其名曰“三希堂”以藏之。夫人生千载之下，而考古论世于千载之上，嘉言善行之触于目而会于心者，未尝不慨然增慕，思与其人揖让进退于其间。羲之清风峻节，固足尚；即献之亦右军之令子也。而王珣史称其整颓振靡，以廉耻自许。彼三人者，同族同时，为江左风流冠冕。今其墨迹，经数千百年治乱兴衰存亡离合之余，适然荟萃于一堂；虽丰城之剑，合浦之珠，无以逾此。子墨有灵，能不畅然蹈抃而愉快也耶。然吾之以三希名堂者，亦非尽为藏帖也。昔闻之：蔡先生名其堂曰‘二希’。其言曰：士希贤，贤希圣，圣希天。或者谓余不敢希天，余之意非若是也。常慕希文、希元之为人，故曰‘二希’。余尝为之记矣。但先生所云，非不敢希天之意，则引而未发。予惟周子所云：固一贯之道，夫人之所当勉者也。若必士且希贤，既贤而后希圣，已圣而后希天，则是教人自画，终无可至圣贤之时也。孟子曰：尽其心者，知其性也。知其性，则知天矣。人人有尽心知性之责，则人人有希圣希天之道。此或先生所云，非不敢希天之意乎希，希文，希元，而命之曰“二希”，古人托兴名物以识弗忘之意也。则吾今日之名此堂，谓之为希贤、希圣、希天之意可，慕闻之先生之“二希”，而欲希闻之之“希”亦可，即谓之王氏之帖诚‘三希’也亦可。若夫王氏之书法，吾又何能赞一辞哉。

123. 体和殿

岫岩玉质，狮纽方模圆玺。篆书。面径3.2厘米，通高5.7厘米，纽高3.1厘米。附系黄色绶带，承之以楠木匣。储秀宫前曰体和殿，后为丽景轩。体和殿是光绪九年(1883年)在储秀门和翊坤宫后殿拆除后旧址上建造的。于是储秀宫、体和殿、翊坤宫联成一体。慈禧太后住储秀宫时，在此传膳。光绪十三年(1887年)，光绪皇帝十七岁时，慈禧太后在体和殿主持为其选皇后和选妃之仪式。当时慈禧太后坐在上座，光绪侍立，公主、福晋等站在后面。前面长桌上放玉如意一柄，红绣花荷包两对，为中选物。皇帝选中的皇后赏如意，选中的妃子赏荷包。

124. 储秀宫之宝

寿山石质，狮纽方形玺。篆书。面3.2厘米见方，通高9厘米，纽高4厘米。储秀宫是明清两代后妃居住的西六宫之一，乾隆时孝贤皇后曾居此。叶赫那拉氏初进宫封为兰贵人时，在此居住，咸丰六年(1856)二月，晋为懿嫔，在这里生同治皇帝。同治大婚皇后居储秀宫。光绪十年(1884年)，慈禧在庆贺她50岁生日时，又从长春宫移到储秀宫居住，连住10年。在此以前后殿为寝宫，前殿为升座受贺之所，现状为光绪十年改建。

125. 太极殿宝

象牙质，随形纽长方形玺。篆书。面宽1厘米，长2.1厘米，通高2.8厘米。承之以皮面铜镀银边带按把盒，内衬花绸。太极殿明代名未央宫。因嘉靖之父（兴献王）生于此宫，故嘉靖帝将未央宫改名启祥宫。清代又改名太极殿，同治皇帝之瑜妃曾在此宫居住。《赐砚斋日记》载：清室未迁出宫时，瑜皇贵妃（同治妃）居长春宫，瑨皇贵妃（同治妃）居重华宫，珣皇贵妃（同治妃）居储秀宫，瑾皇贵妃（光绪妃）居永和宫。四宫主位，有时同在太极殿召见臣工。

126. 体元殿宝

象牙质，光素长方形玺。篆书。面宽1.1厘米，长2.1厘米，通高3.8厘米。承之以皮面铜镀银边带按把盒，内衬花绸。体元殿为晚清拆长春门和太极殿后殿后，在旧址新建的，与长春宫戏台相连。慈禧经常在长春宫看戏。

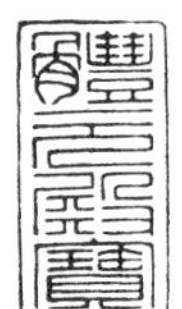

127. 长春宫之宝

象牙质，覆瓦纽长方形玺。篆书。面宽1.6厘米，长2.6厘米，通高2.5厘米，纽高0.8厘米。长春宫是明清两代后妃居住的西六宫之一，同治时慈安、慈禧均住长春宫。迨光绪入承大统，慈安移居钟粹宫，慈禧独居长春宫。光绪的妃子和宣统的淑妃文绣也曾在此宫居住。《翁文恭公日记》载："光绪十年（1884年）十月，自初五日起，长春宫每日演戏，近支王公，内外诸公皆与。"另《清圣祖实录》载：世祖章皇帝时，选大臣之子博尔察等十四人，在长春宫读书。

128. 同道堂

青田石质，光素方形玺。篆书。面2厘米见方，通高8厘米。

129. 抑斋

碧玉质，辟邪纽长方形玺。篆书。面宽1.9厘米，长3.2厘米，通高6.7厘米，纽高1.5厘米。抑斋有多处。故宫重华宫西庑浴德殿内匾曰“抑斋”，是乾隆为皇子居重华宫时，浩治西厢为书室而名。又乾隆《圆明园长春仙馆抑斋》诗注：长春仙馆，予为皇子时居也，颜书曰抑斋，与重华宫西厢同。圆明园有二抑斋，一在含碧堂东楹，一在翠微堂之东。宁寿宫西路古华轩前东南隅亦有抑斋。

130. 四知书屋

碧玉质，交龙纽长方形玺。篆书。面宽3.5厘米，长6.5厘米，通高7厘米，纽高三点四厘米。四知书屋位于避暑山庄澹泊敬诚殿之后，是召见王公大臣之所。康熙题额“依清旷”匾，悬于内檐。乾隆五十三年(1788年)，据《易经》“君子知微，知彰，知柔，知刚，万物之望”，题“四知书屋”匾悬于外檐。

131. 重华宫

青金石质，龙纽长方形玺。篆书。面 2 厘米宽，3.4 厘米长，通高 5.8 厘米，纽高 2.6 厘米。重华宫旧为明代西二所。清乾隆帝登极后，升为宫。弘历幼年时得祖父康熙钟爱，九岁入宫读书。康熙六十一年(1722 年)十二岁时进宫居于毓庆宫。雍正五年（1727 年），弘历十七岁成婚，移居于乾西五所中第二所。雍正十一年（1733 年）二月弘历封为和硕宝亲王，住地赐名乐善堂。雍正十三年（1735 年）八月，弘历登极，次年改元乾隆。以乐善堂为肇祥之地，升为宫，名重华宫。《书·舜典》载，重华为虞舜名。唐尧、虞舜均是上古贤明帝王。乾隆初年重华宫修葺。每年除夕、元旦，乾隆帝都要到这里侍奉皇太后进膳或与后妃聚坐进膳。每岁重华宫茶宴联句，以松实、梅花，佛手为三清茶，近臣得拜茗碗之赐，目为殊荣。

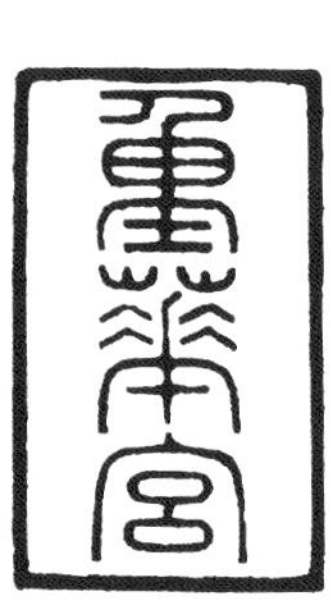

132. 抑斋册

碧玉质，长 19.5 厘米，宽 10 厘米，厚 5.7 厘米。计 8 页。与碧玉“九有一心”玺同放一木匣。嘉庆御笔。册文如下：

抑斋记

予向居重华宫，洁治西厢为书室，而名之曰“抑斋”。践阼之后，于凡御园、行馆，据山水之佳，适性情之雅，可以凭棐几，展芸编者，无不以是为名，示不忘旧也。而向未有记。夫记之意，识也。左史记言，右史记事，是也。又记之言志也，公府奏记，进己志是也。深居九重，暇余万几，宵衣旰食之际，左右史之职，废已久矣。夫谁与记之，而公府奏进己志，其能陈天命之艰觫，屋漏之隐者亦鲜焉。是在自谨其起居，自任其出令，以代左右史之识。凛顾諟，钦几微以通公府之志。则“抑斋”之记，尤不可不作于今日者也。夫予向之所云：“抑者，不过欲退损以去骄吝，慎密以审威仪，所为敬业乐群之事耳。若夫今之所云抑，则岂数语所能尽者。命不易哉，无曰高高在上，抑也；日盈则昃，月盈则蚀，抑也。予临万民，凛乎若朽索之驭六马，抑也；无平不陂，无往不复，艰贞无咎，抑也；斯其大者。至于一言之不谨，一事之不慎，其害将贻天下后世。呜呼！今日之抑之艰，岂昔日之抑之易，所可相提并论者哉！卫武公作抑之诗，使人日诵于侧以自警。彼诸侯也，尚知以是为棘。则予之不忘旧日之命，而益励日新之德，于以代左右史之识，通公府之志，不亦宜乎！重华宫之“抑斋”，其权舆也，故书记于室。

133. 避暑山庄

碧玉质，交龙纽方形玺。篆书。面10.7厘米见方，通高13厘米，纽高4.7厘米。印台四周浅刻描金乾隆诗。附系黄色绶带，承之以紫檀木宝匣，匣壁处阴刻填金《避暑山庄百韵诗并序》。避暑山庄是康熙时建造的最大行宫。清代前期，曾是清廷重要政治活动场所。康熙五十年（1711年）题名。此宝为乾隆年制。

134. 避暑山庄册

碧玉质，长29厘米，宽12.9厘米，厚0.5厘米。计10页。乾隆御笔。附紫檀匣。册文如下：

避暑山庄后序

我皇祖于辛卯年成此避暑山庄三十六景，绘图赋诗，为序以行之。而予适生于是年，此中因缘不可思议。即位后于辛酉年始为巡狩之举，至山庄，徘徊思慕，因敬依元韵，以志景仰。甲戌年又增赋三十六景。盖以皇祖昔曾题额而未经入图，及余游览所至，随时题额补定者，总弗出皇祖旧定之范围。故永恬居之诗曰：已是洞天传玉简，得教福地续琅书。永恬居，即皇祖御书也。御序至矣，尽矣。兹后序何为而作？盖予之生年既同山庄，而予之侍皇祖适以壬寅，而今岁又恰当壬寅。六十余年，蕴于深衷者，不以不明白宣示，以自戒己者，戒我后人耳。夫居此山庄，日凛敬天法祖，勤政惠民，柔远宁迩，诸大端见之诗文者不知凡几，何尚有未宣之深衷乎。无而谓有，是欺己；有而弗宣，是欺人。我皇祖建此山庄，所以诘戎绥遐，崇朴爱物之义见于御制序中，意深远也。是以皇考十三年之间，虽未举行此典，常面谕曰：予之不往避暑山庄及木兰行围者，盖因日不暇给，而性好逸，恶杀生，是予之过，后世子孙当遵皇考所行，习武木兰，毋忘家法。煌煌圣训，予与和亲王及尔时军机大臣实共闻之。而今皆无其人矣。予如不言，后更无知

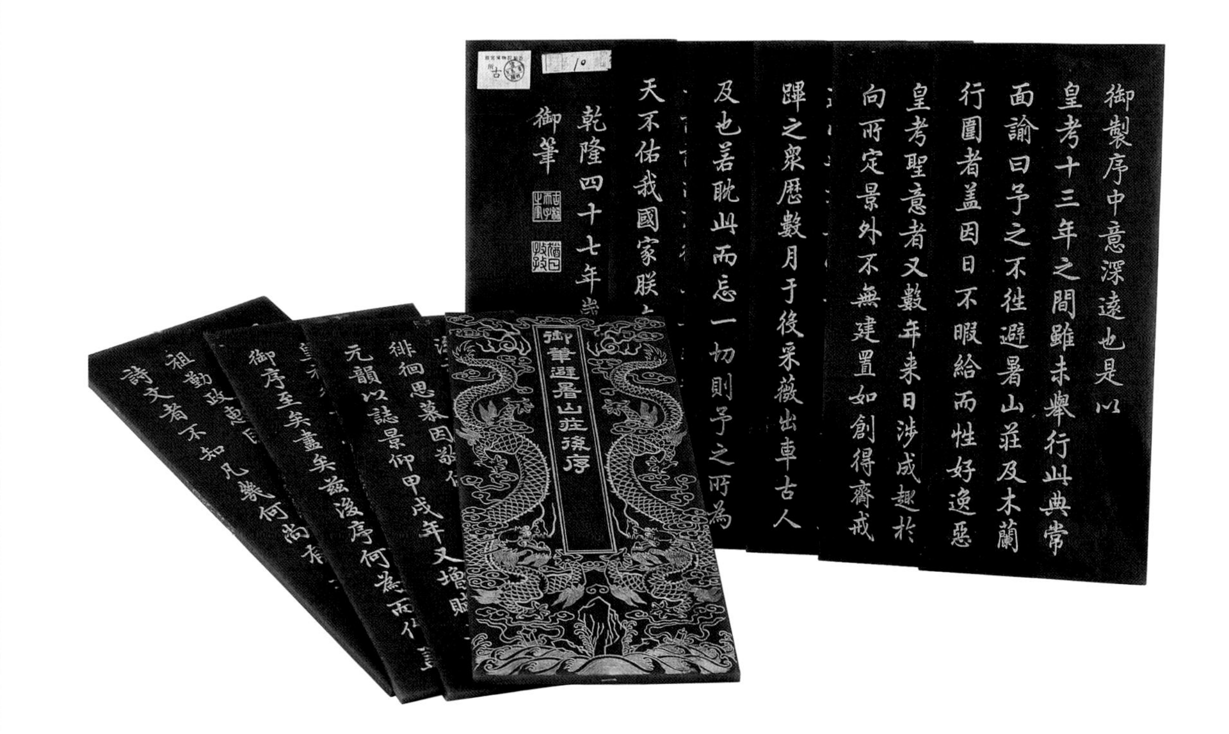

皇考圣意者。又数年来，日涉成趣于向所定景外，不无建置，如创得斋、戒得堂之类不下二十处，既见之昨岁知过之论矣。而予之意犹有未尽者，亦不可不宣示后人也。盖汉唐以来，离宫别苑，何代无之。然不过费人财，逞己欲，其甚者乃至破国亡家，是可戒，无足法也。若今之山庄，乃在关塞之外，义重习武，不重崇文，而今则升府立学，骎乎崇文矣。然杜甫所云："将军不好武，稚子总能文"之句，余常驳之，以为各有其地、其职也。设众人遂以此为美，亦美中之不足矣。又扈跸之众，历数月于后，采薇出车，古人所以恤下，此亦不可不念。俾人知其所系者大，且时加惠赐焉，则劳而不怨。图己乐而忘人苦，亦非仁人之所为也。若夫崇山峻岭，水态林姿，鹤鹿之游，鸢鱼之乐，加之岩斋溪阁，芳草古木，物有天然之趣，人忘尘世之怀；较之汉唐离宫别苑，有过之无不及也。若耽此而忘一切，则予之所为擅芗山庄者是陷阱，而予为得罪祖宗之人矣。此意蓄之久而不忍言，今老矣，终不可不言。故书之，既以自戒，仍敬告我后人。若后人而忘予此言，则与国休戚相关之大臣以及骨鲠忠直之言官，执予此言以谏之可也。设谏而不从，或且罪之者，则是天不佑我国家，朕亦无知之何也。已矣。

乾隆四十七年岁次壬寅孟秋月御笔

135. 戒得堂宝

碧玉质，交龙纽方形玺。篆书。面 11.5 厘米见方，通高 8.6 厘米，纽高 4.1 厘米。附系黄色绶带。承之以紫檀木浮雕海水云龙纹宝匣。戒得堂位于避暑山庄清舒山馆之左。建于乾隆四十五年（1780 年）。乾隆仰体康熙的“戒之在得”之训，故题名“戒得堂”，并写记“以阐皇祖之义”。堂周围环列有来薰书屋、佳荫室、含古轩、群玉亭、问月楼、镜香亭等。堂现已毁。

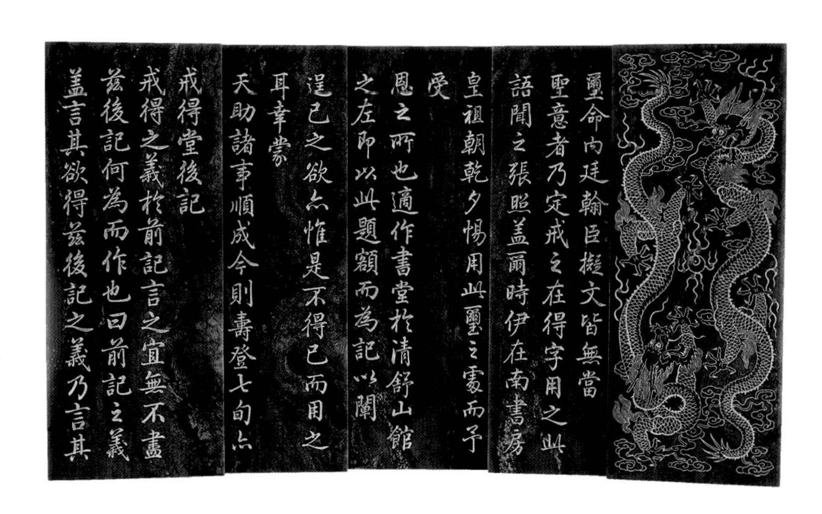
璽命內廷翰臣擬文皆無當
聖意者乃定戒之在得字用之此
語聞之張照蓋爾時伊在南書房
皇祖朝乾夕惕用此璽之處而予
受
恩之所也適作書堂於清舒山館
之左即以此題額而為記以闡
逞己之欲亦惟是不得已而用之
耳幸蒙
天助諸事順成今則壽登七旬亦
戒得堂後記
戒得之義於前記言之宜無不盡
茲後記何為而作也曰前記之義
蓋言其欲得茲後記之義乃言其

136. 戒得堂册

碧玉质，长27.5厘米，宽11.5厘米，厚0.8厘米。计10页。乾隆御笔，附紫檀匣。册文如下：

戒得堂记

孔子三戒之论，朱子注谓以理胜之，则不为血气所使。又引范氏之言，以为养其志气，故不为血气所动。《蒙引》又引新安陈栎之语，以为志亦定，向于理。志有善恶，理无不善。诸说绎圣析理，各抒所见，亦既择之精而语之详矣。我皇祖圣寿望七时，尝欲镌通用小玺，命内廷翰臣拟文，皆无当圣意者，乃定“戒之在得”字用之。此语闻之张照，盖尔时伊在南书房里行也。然当时圣意引而未发。予今亦届七袠，于元旦试笔，即隐括此语为什。兹驻跸避暑山庄，乃皇祖“朝乾夕惕”用此玺之处，而予受恩之所也，适作书堂于清舒山馆之左，即以此题额而为记。以阐皇祖之义曰：帝王之学，与占毕书生有不同，则所戒亦当各异。未定方刚之戒，兹不复论。兹所戒者，当在得矣。而得岂与庶人同乎？欲得贤才而用之，此可戒乎？欲得亿万年永承天眷，此可戒乎？欲得寰宇安宁，万姓乐业，此可戒乎？欲得五风十雨，屡绥普遍，此可戒乎？若夫欲得货财为琼林，大盈金花内帑之私，则是剜肉补创，自速其亡之举。古有明戒，而戒及此，其亦小矣。因敬思皇祖所云：戒得者，其在扩土兼远之为乎？扩土兼远之不已，必有穷兵黩武之事。我皇祖虽征朔汉，复卫藏，非穷兵也，不得已也。予小子，钦承先志，亦既平伊犁，定回部，靖金川，扩土不为不遐，兼远不为不备。然非敢恃兵之强，将之略，而穷黩以逞己之欲，亦惟是不得已而用之耳。幸蒙天助，诸事顺成。今则寿登七旬，亦既老矣，尚何所不足，敢弗以皇祖之戒为戒乎？如是则先儒所谓志气血气，胥不外一理，然此理实非占毕儒生所得，同而或有合于我仁祖垂示万禩之义乎。

137. 纪恩堂

青玉质，交龙纽方形玺。篆书。面11.9厘米见方，通高9.4厘米，纽高4.5厘米。承之以紫檀木雕龙宝匣，匣外壁阴刻填金《避暑山庄纪恩堂记》。避暑山庄和圆明园各有一处纪恩堂。万壑松风是避暑山庄七十二景之一，康熙常在此读书，批览奏章，召见王公大臣。乾隆十二岁时，蒙赐在此处读书，陪侍皇祖。乾隆即位后，书“纪恩堂”额悬于万壑松风，并撰《纪恩堂记》，纪皇祖之恩。

138. 景福阁

碧玉质，方形玺。篆书。面2.4厘米见方，通高6.2厘米。景福阁位于颐和园万寿山东部的山脊上，与西部山脊上“湖山真意”遥相呼应。光绪十八年（1892年）建，是颇为宽敞的三卷式前后连接的敞厅，赏雨或赏月胜地。“景福”即洪福齐天之意。三国时，魏有“景福殿”，《昭明文选》有《景福殿赋》。

139. 圆明园

白寿山石质，双螭纽方形玺。篆书。面3.6厘米见方，通高7厘米，纽高2.5厘米。圆明园位于北京西郊海淀东北，与长春、绮春（万春）合称为“圆明三园”。康熙四十八年（1709年），以海淀挂甲屯之北，明朝皇戚之废墅赐给雍正，作为府邸私园赐名为圆明园。经过雍正、乾隆、嘉庆三朝近一百年的经营，成为世界著名的皇宫园林建筑之一。咸丰十年（1860年），毁于英法联军兵燹。

140. 四宜堂

黄寿山石质，夔纹纽长方形玺。篆书。面宽1.6厘米，长2.8厘米，通高6厘米。四宜堂位于圆明圆内，雍正三年（1725年）十一月初五日内务府造办处承做匾额。雍正有《四宜堂集》。《暮春四宜堂咏怀》：“花繁如锦草如茵，雨细风轻物候新。朱邸舞筵成往事，斑衣戏彩久凝尘。万几宵旰忙中趣，百岁光阴梦里真。不问春归何处去，惟听燕语报芳辰。”

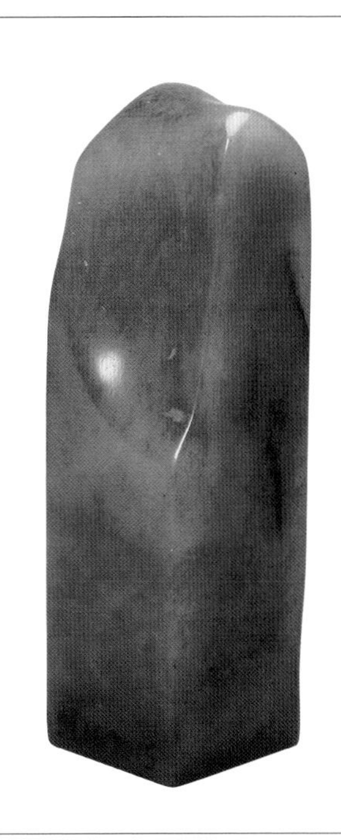

141. 长春书屋

田黄石质，随形方形玺。篆书。面2.5厘米见方。通高8.3厘米。长春书屋位于圆明园内。《养吉斋丛录》载：长春书屋为九洲清宴别室。雍正间，尝赐弘历长春仙馆，并赐号长春居士，所御书屋，多以长春命名。如御园之东，名长春园，欲归政养息之所。

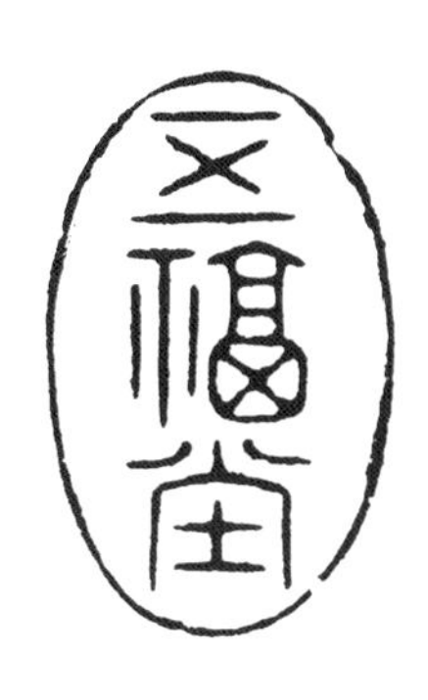

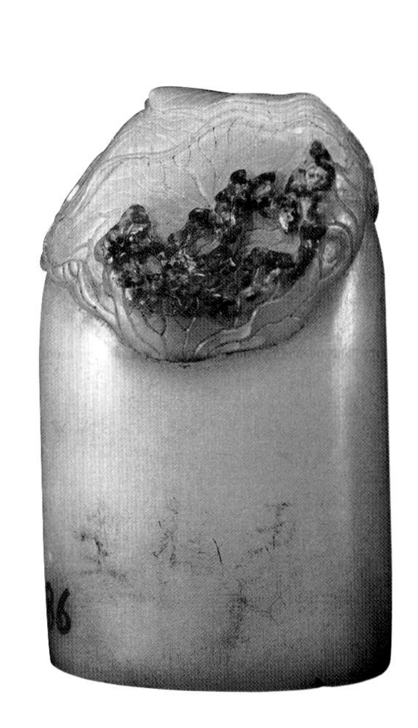

142. 五福堂

黄寿山石质，随形雕荷叶长方形玺。面椭圆，宽2.5厘米，长3.9厘米，通高6.1厘米。五福堂位于圆明园之“天然图画”，一层楼东峙临碧汀，与朗吟阁有廊相通。康熙题“五福堂”匾赐给雍正，雍正又敬摹而悬于雍和宫、圆明园两处。颙琰（嘉庆）五岁以后受赐居此堂。五福语出《尚书·洪范篇》，一曰寿，二曰富，三曰康宁，四曰攸好德，五曰考终命。

143. 快雪堂

碧玉质，交龙纽方形玺。篆书。面 13 厘米见方，通高 10 厘米，纽高 5.2 厘米。附系黄签，上书："光绪二十七年十二月初二日储秀宫总管喜寿交快雪堂宝一方。阳文。"快雪堂位于西苑北岸浴兰轩后。乾隆四十四年(1779 年)，杨景素献《快雪帖》石刻。于此增建一进院落，名为"快雪堂"，并将石刻嵌于快雪堂前东西两侧廊内壁上。快雪堂石刻共四十八方，高宗《快雪堂记》石刻一块在内。堂前院中有自开封艮岳移来的名石，上刻乾隆御制诗。

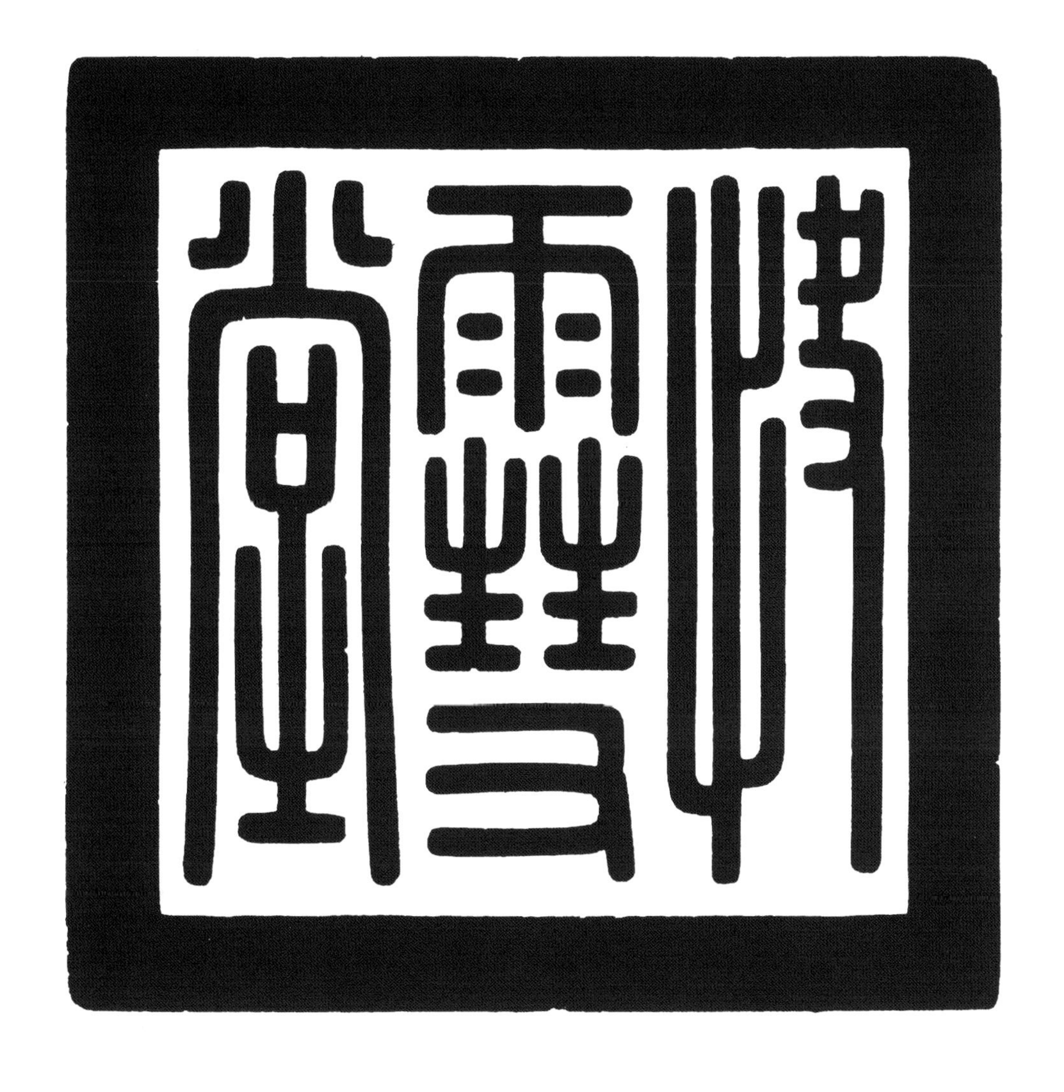

144. 康熙御笔之宝

方形玺。篆书。面9.5厘米见方。质纽均不详。《康熙宝薮》著录。原物不存。《宝薮》云：凡旧人画幅手卷于空处写“御览”二字，上用“康熙御笔之宝”。画幅在正居中用。手卷或前或后看空阔处写“御览”二字，加宝。此宝用途很广，凡康熙御笔，俱曾用之。如承德“避暑山庄”匾、《溥仁寺碑记》、《穹览寺碑记》上皆曾用此宝。

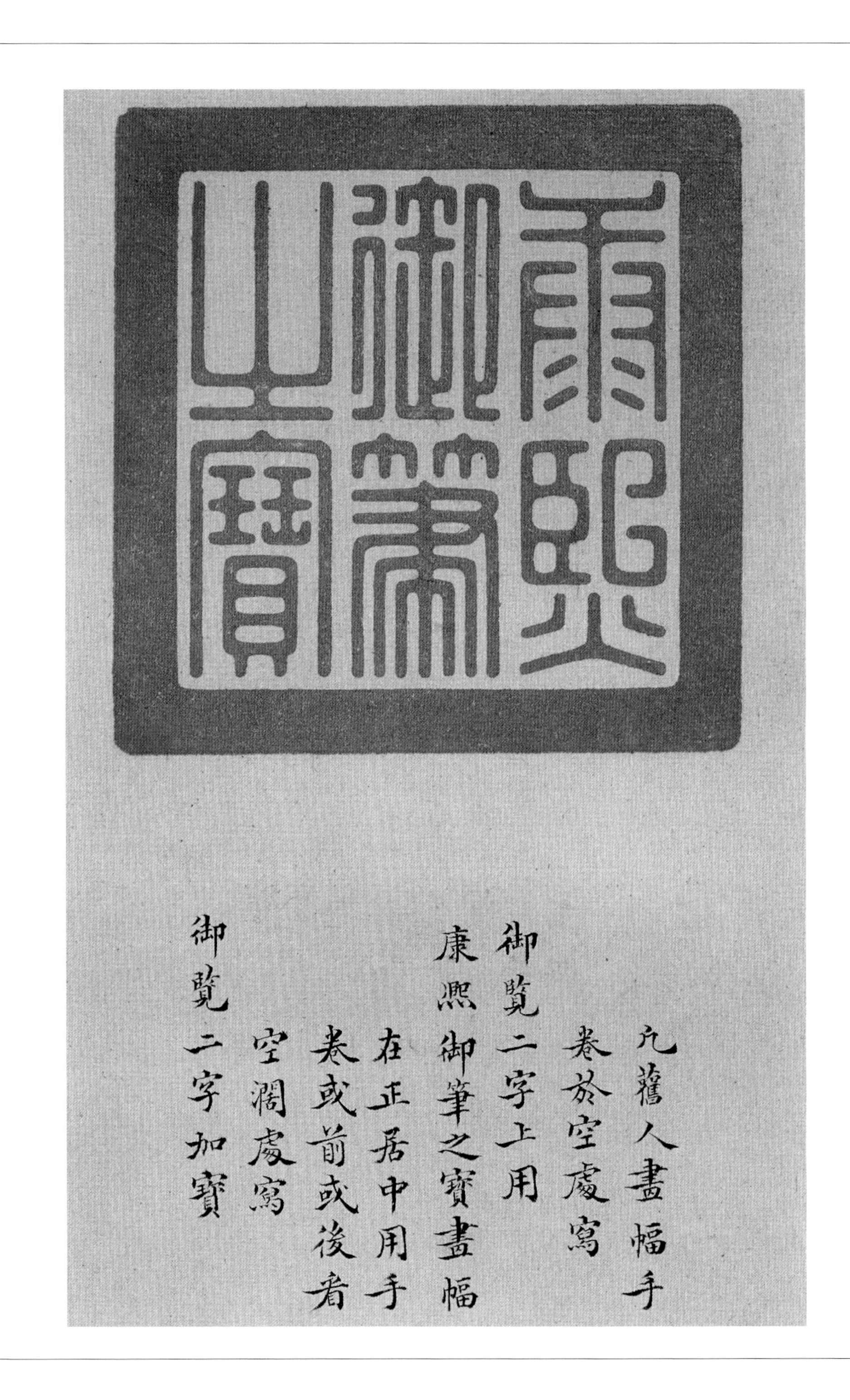

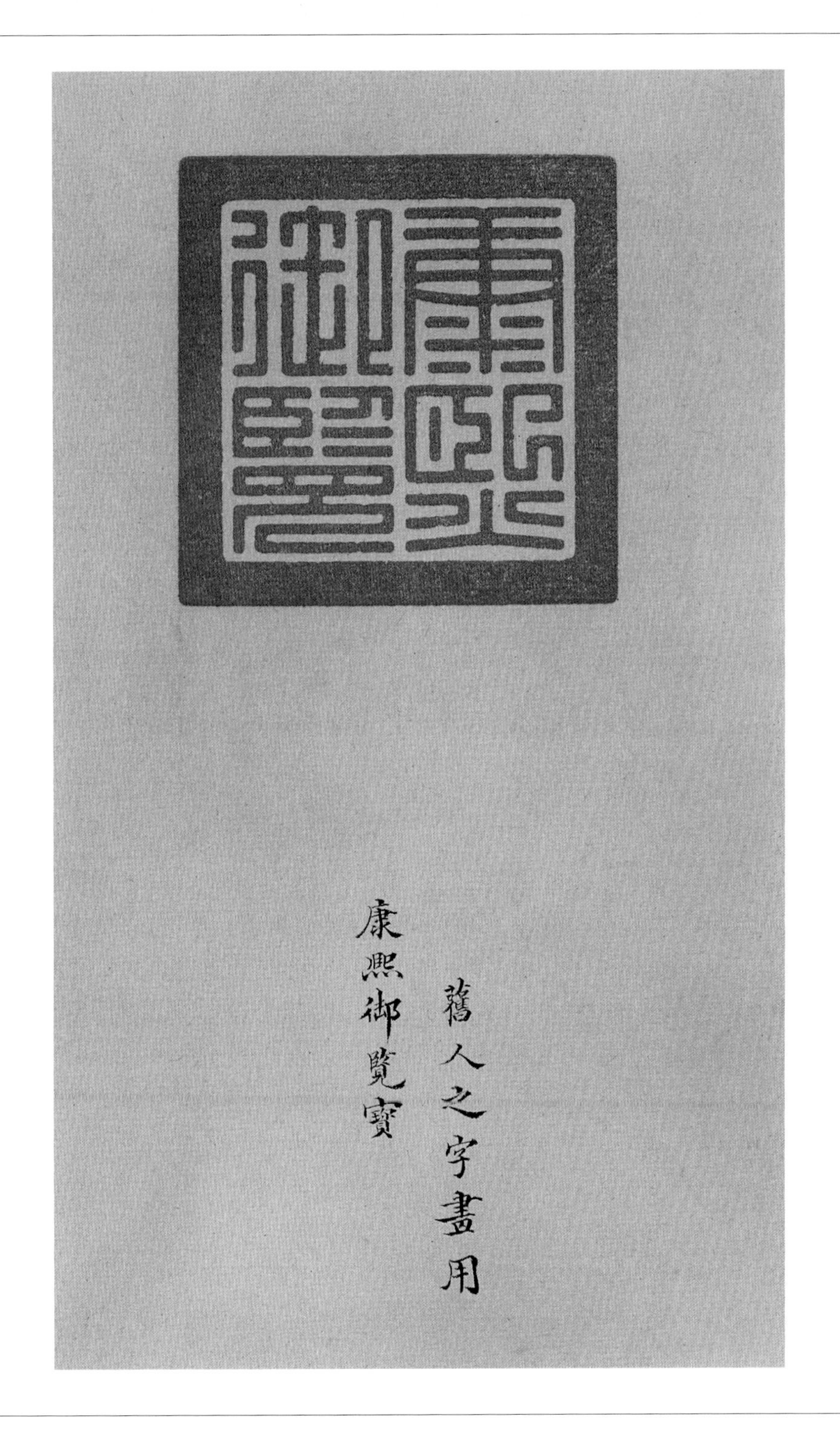

145. 康熙御览

方形玺。篆书。面6.3厘米见方。质纽均不详。《康熙宝薮》著录。原物不存。《宝薮》云："旧人之字画用'康熙御览'宝。"则知此玺钤用于内府收藏之古书画上。

146. 康熙宸翰

方形玺。篆书。面 4.3 厘米见方。质纽均不详。《康熙宝薮》著录。原物不存。此玺常与“敕几清晏”玺共钤于康熙御笔书画上。在清宫所藏康熙帝御笔作品中，钤此二玺者甚多。如“御临苏轼《前赤壁赋》一卷，素绢本。草书款识云：临苏轼书。下有‘康熙宸翰’,‘敕几清晏’二玺。卷前有‘渊鉴斋玺’一”（《石渠宝笈》卷一）。又如“临董其昌行书王维诗轴”“行书五古诗轴”等皆钤此玺。

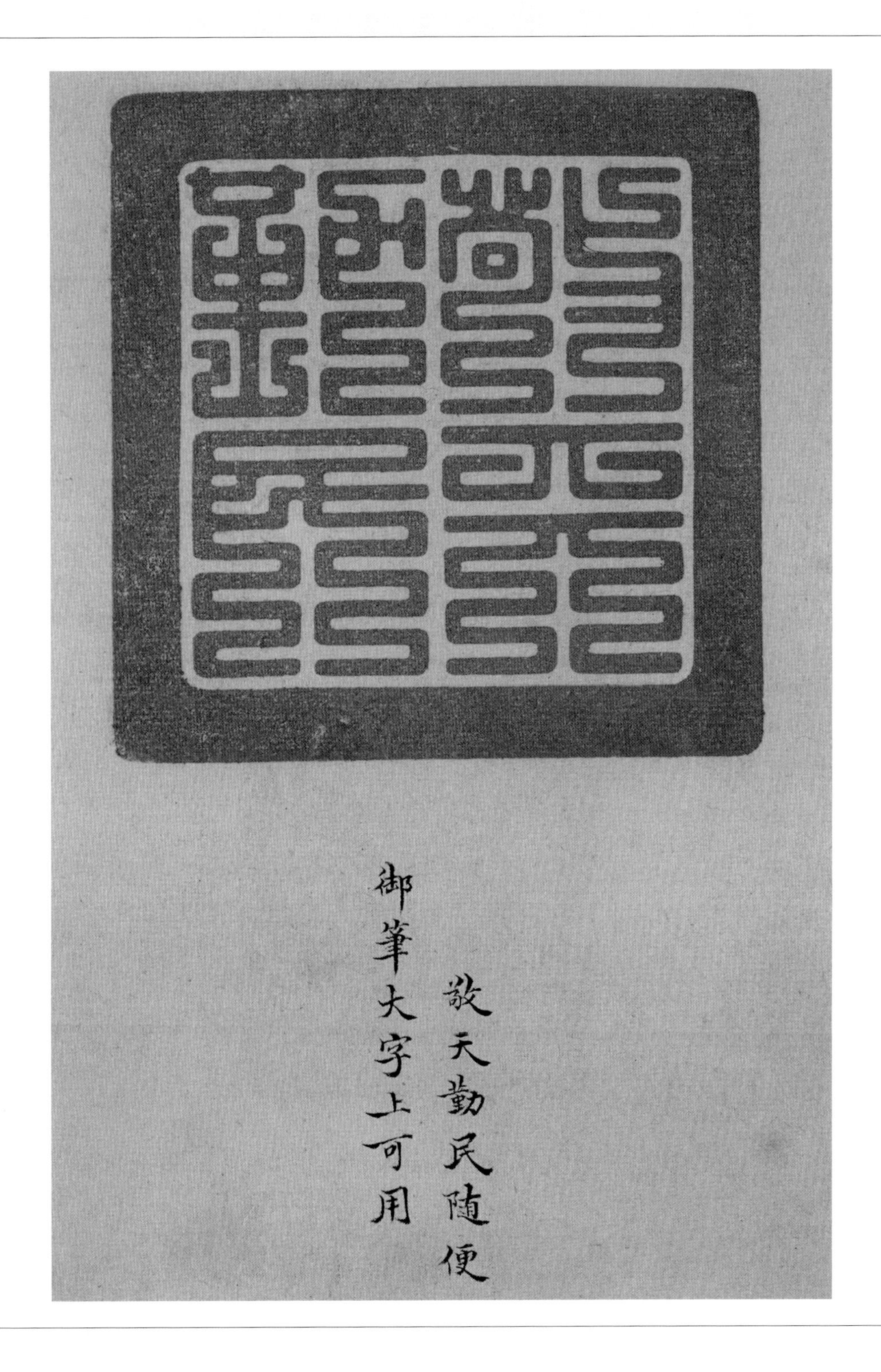

147. 敬天勤民

檀香木质，方形玺。篆书。面10厘米见方。纽不详。《康熙宝薮》、《乾隆宝薮》著录。原物不存。《康熙宝薮》云："敬天勤民，随便御笔大字上可用。"此玺自康熙以降，历代皇帝皆宝用之。乾隆十三年（1748年）御制《敬天勤民宝四言诗》云："皇祖御书钤用诸玺，皇考制箱以藏之。惟留是宝于外以钤用御书。予小子敬遵成典，收藏皇考御宝时亦留是宝于外，常钤用焉。是宝也，经三世而一例宝用，且将垂之奕禩而无穷，岂以追琢其章哉？盖取义有足重耳。故记其梗概而系以诗：交泰御玺，定数遵天。掌之黄阁，传以亿年。粤是诸玺，缀文寓意。玉案挥毫，以资抑埴。栝卷弗用，箧衍尊藏。绣缫金镝，永闷虹光。惟此截肪，用以三世。匪贵其材，实珍其义。其义云何？敬天勤民。祖考是勖，逮于藐身。天视民视，天听民听。一二二一，作狂作圣。挈纲提要，四字心传。于千万民，永矢乾乾。"据此知是宝实为康雍乾三朝钤用之重要宝玺。

148. **育德勤民**

檀香木质，异兽纽方形玺。篆书。面 11 厘米见方，通高 10.8 厘米，纽高 6.2 厘米。附系黄色绶带。《易经》："山下有风，蛊君子以振民育德。"

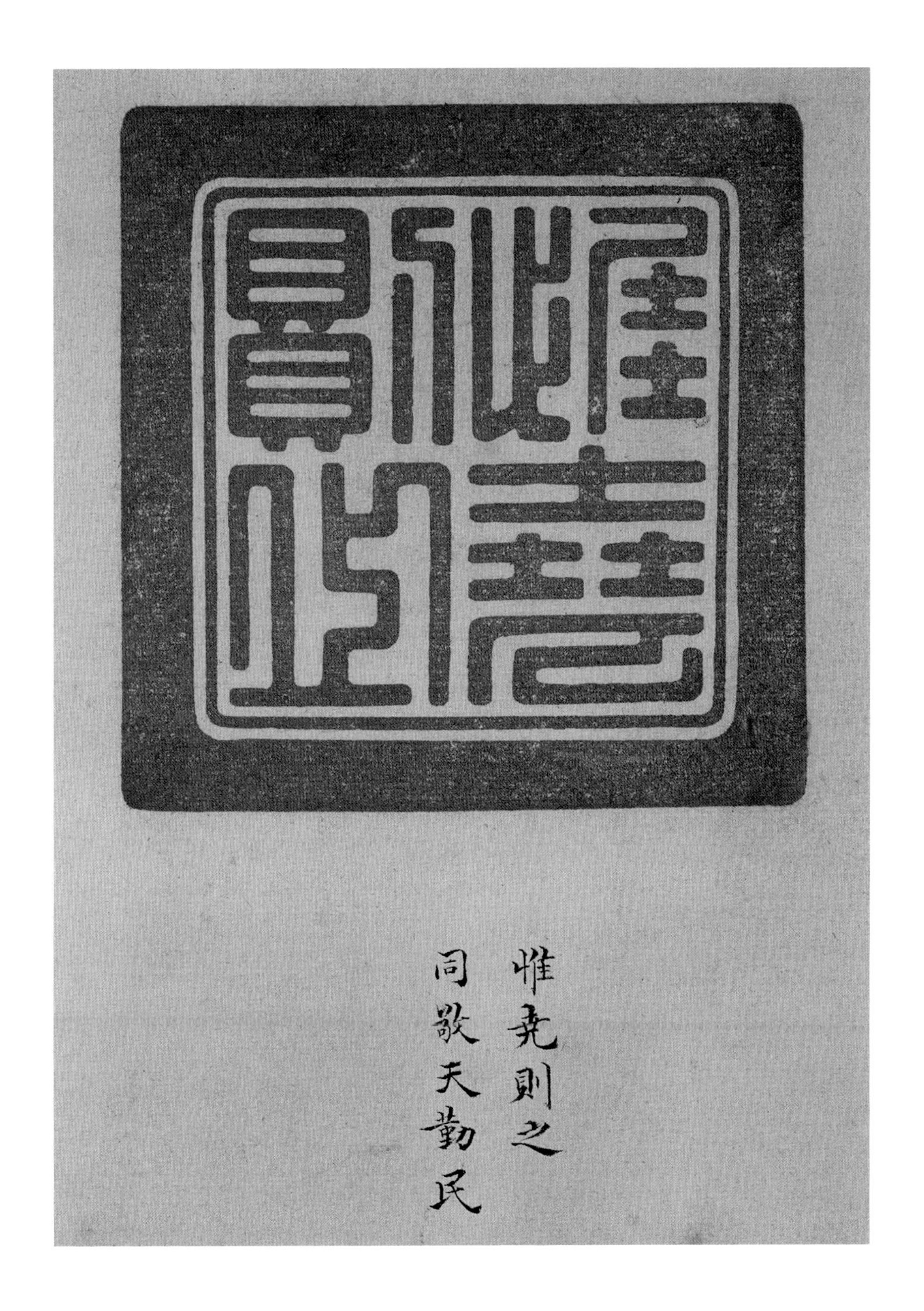

149. 惟尧则之

方形玺。篆书。面10厘米见方。质纽均不详。《康熙宝薮》著录。原物不存。此玺用同“敬天勤民”宝。语出《孟子·滕文公章句上》：“是故以天下与人易，为天下得人难。孔子曰：大哉，尧之为君。惟天为大，惟尧则之，荡荡乎民无能名焉。君哉舜也，巍巍乎天下而不与焉。尧舜之治天下，岂无所用其心哉？”盖言天道荡荡乎大无私生，尧法天，故民无能名尧德者也。康熙此玺乃自我鞭策之意。

150. 稽古右文之章

方形玺。篆书。面 4.8 厘米见方。质纽均不详。《康熙宝薮》著录。原物不存。《宝薮》云："'稽古右文之章'随便可用"。知此玺钤用无特殊规定。但现存康熙帝印迹中，此玺多同"体元主人"圆形玺或"康熙宸翰"玺相配，在内府图书或御笔书画上钤用。与"体元主人"圆形玺相配者如"《御书朱子全书序》一册，素笺本，楷书，末幅款识云：康熙五十二年（1713 年）岁在癸巳夏六月敬书。后有'体元主人'，'稽古右文之章'二玺。"（《石渠宝笈》卷一）。与"康熙宸翰"玺相配者如"《御临米芾诗帖》一卷，素绢本。行楷书五言排律一首，末署款。后有'康熙宸翰'，'稽古右文之章'二玺。卷前有'渊鉴斋'玺一。"（《石渠宝笈》卷一）

151. 万几余暇

方形玺。篆书。面 3.1 厘米见方。质纽均不详。《康熙宝薮》著录。原物不存。此玺常与"体元主人"圆形玺共钤于御笔书画之上。《宝薮》云："此二方，御笔大幅上可用，引首不拘用哪一方，俱可与引首相配。"天子治理万事曰万几，此盖言康熙处理政事之余所为之事也。其几暇之余，所为者何？"朕自冲龄，性耽问学，践祚讫今，罔自暇逸。未明求衣，待旦视事，讲臣执经，臣工入奏，未尝一日不与相接。既退裁决庶务，披览章疏有间，则书册翰墨之外，无他嗜好，端居乾清宫，取六经之事，发而读之，以求契夫古圣人之心，将以致其用而未能也。"（《清圣祖御制文一集》卷二十）又言："既事竟罢朝，宫中图籍盈几案。朕性好读书，丹黄评阅辄径寸，辨别古今治乱得失。暇或赋诗或作古文或临池洒瀚，以写其自得之趣。"（《清圣祖御制文一集》卷二十）是玺即"临池洒瀚"之所常用者。

152. 体元主人

圆形玺。篆书。面径 7.6 厘米。质纽均不详。《康熙宝薮》著录，原物不存。康熙帝曾命刻此玺多方，大小不同，与其他玺相配而用。如与“万几余暇”玺相配用者有《临董其昌兰亭帖》，为“素笺本，行书。款识云：癸酉三十二年(1693 年)春，临华亭董其昌书。下有‘体元主人’，‘万几余暇’二玺。前有‘三无九有’玺一，上方有‘康熙御笔之宝’玺一”。又与“稽古右文之章”玺相配用者有《御书行殿读书赋》轴，为“素笺本。行书。款识云：康熙甲子二十三年(1684 年)冬至前书。后有‘体元主人’，‘稽古右文之章’二玺”(《石渠宝笈》卷一)。体元，语出《左传·隐公元年》：“凡人君即位，欲体元居正”，又班固《两都赋》：“体元立制，继天而作”。盖取为人君者，要顺应天意，现仁道、施德政之意。

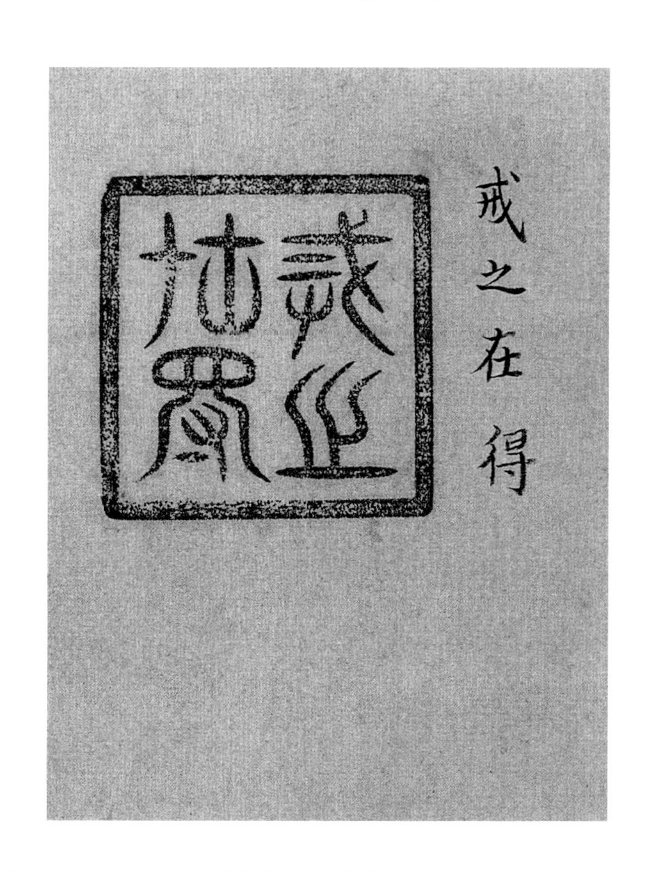

153. 戒之在得

方形玺。篆书。面 4.7 厘米见方。质纽均不详。《康熙宝薮》著录。原物不存。此玺制作于康熙晚年。乾隆于此述之甚详：“我皇祖圣寿望七时，尝欲镌通用小玺，命内廷翰臣拟文，皆无当圣意者。乃定‘戒之在得’字用之。此语闻之张照，盖尔时伊在南书房行走也。”此玺成，圣祖随身携带，常钤用之。“兹驻跸避暑山庄，乃皇祖朝乾夕惕用此玺之处，而予受恩之所也。”(《清高宗御制文二集》卷十三)“戒得堂”之名盖由此而来。《宝薮》中此玺与“七旬清健”玺同钤一处，亦可为乾隆此说之一证。“戒之在得”玺计有三方，另两方其一为面 1.5 厘米见方，其二为 2.6 厘米见方。

154. 九有一心

檀香木质，立柱纽方形玺。篆书。面 9.7 厘米见方，高 2.3 厘米。言上下同德，万众一心之意。

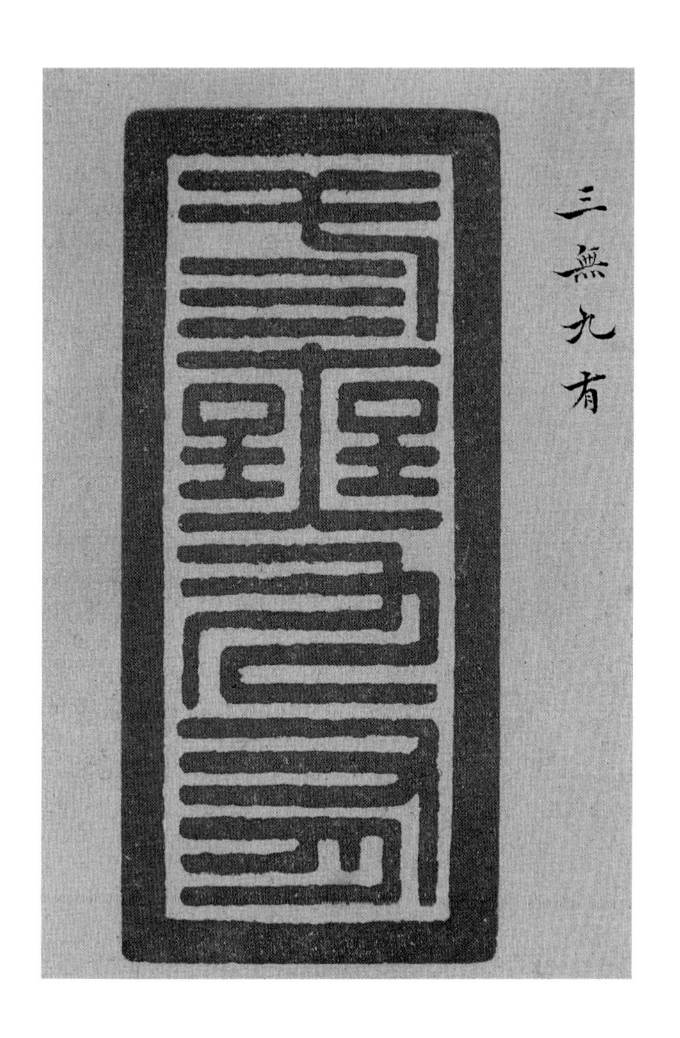

155. 三无九有

长方形玺。篆书。面宽5.2厘米，长11.4厘米。质纽均不详。《康熙宝薮》著录。原物不存。“三无”出于《礼记·孔子闲居》：“孔子曰，无声之乐，无体之礼，无服之丧，此之谓三无。子夏曰，三无既得略而闻之矣。敢问何诗近之？孔子曰，夙夜其命宥密，无声之乐也，威仪逮逮不可选也，无体之礼也，凡有有丧，匍匐救之，无服之丧也。”“九有”，《尚书·商书》孔疏云：“九有，九州也”。此玺取以三无之盛德尽有天下之意。

156. 怡情（组玺）

共五方。储于相互迎接的铜套管中。套管共四节。分装组合钢笔、玺、朱红印泥及墨水。节间用螺旋形接口旋接后入于镶铜黑漆外套，外贴标签，书“墨图书二件”。诸玺装于第二节中，分为内外三层，里层为一双面玺，外两层玺亦用螺旋形接口旋接。

怡情

铜质，光圆台方形玺。篆书。面1.5厘米见方。

太平

铜质，光素圆形御押，面径1.6厘米。

几暇

铜质，光索圆形玺。篆书。面径1.4厘米。

五云

铜质，光素椭圆形玺。篆书。面宽0.7厘米，长1.2厘米。

体元主人　封（双面玺）

铜质，光素圆形玺。篆书。面径1厘米。另一面为“封”字，楷书，面0.7厘米见方。

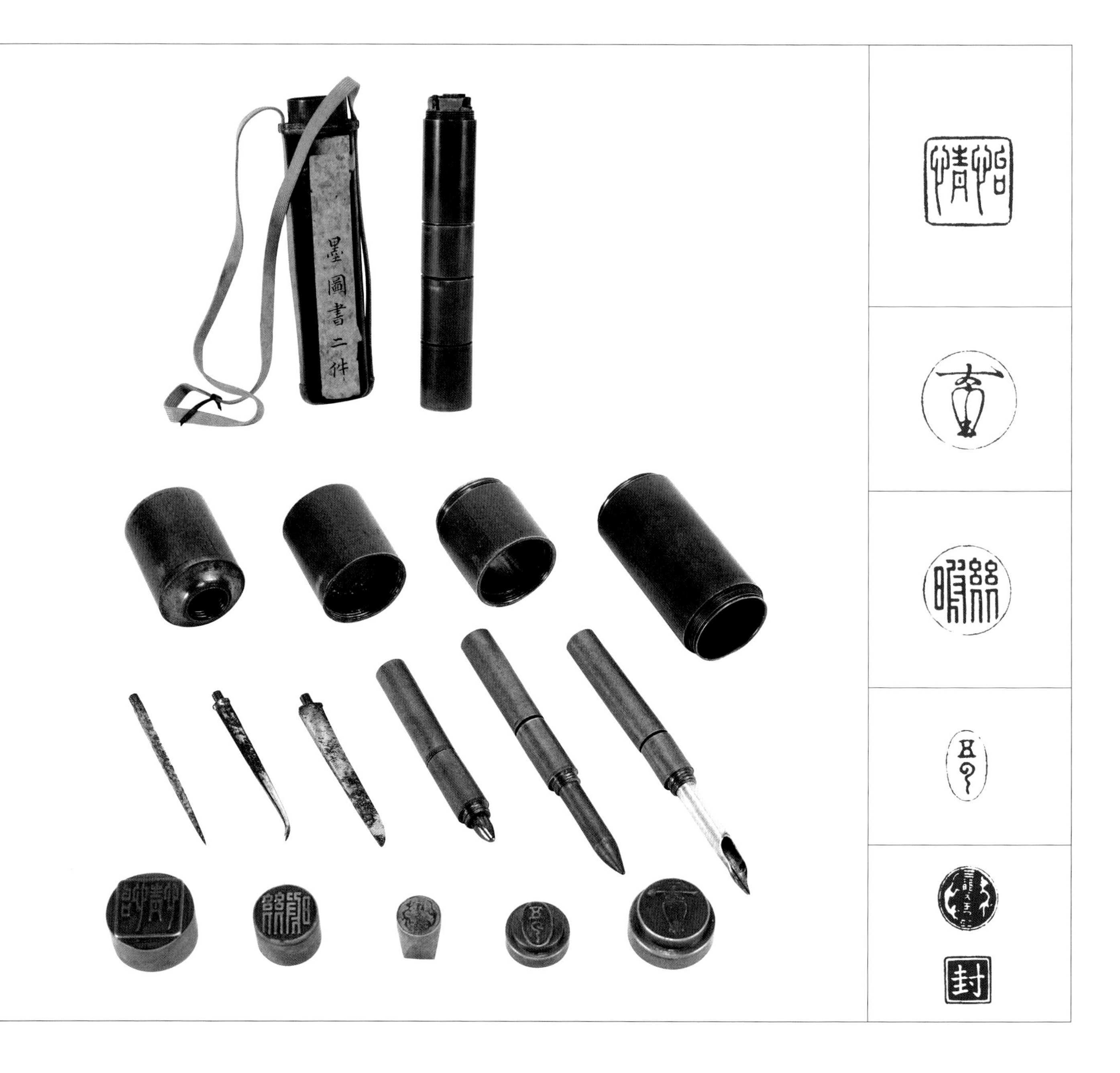

157. 稽古右文（组玺）

骨质，共七方，储于相互连接的铜套管中。套管共四节，分装玺、朱红印泥及墨水。套管用螺旋形接口旋接后人于镶铜黑漆套内。诸玺装于第一和第二节中。其中第一节内诸玺分内外三层。内层为一双面玺，无法取出，只见最外层二玺，分别为“归一”、“致化”。

稽古右文

骨质、光素方形玺。篆书。面1.4厘米见方。

康熙

骨质，光素圆形玺。篆书。面径1.4厘米。

归一

骨质，光素圆台方面玺。面1.4厘米见方，残损无钤本。

致化

骨质、光素圆形玺。篆书。面径2厘米。

体元主人　封（双面玺）

骨质、光素圆形玺。面径1厘米。另一面为银质“封”字，楷书，面0.75厘米见方。

万几余暇

骨质、光素方形玺。篆书。面0.9厘米见方。

太平

骨质、光素圆形御押。面径1.6厘米。

158. 广被御押

长方形玺。草书。面宽3厘米，长4厘米。质纽均不详。《康熙宝薮》著录。原物不存。

159. 御押

檀香木质，异兽纽方形玺。手写花体。面5.9厘米见方，通高4.5厘米，纽高1.7厘米。附系黄色绶带。

160. 和硕雍亲王宝

寿山石质，随形雕云龙方形玺。篆书。面 10 厘米见方，通高 16.3 厘米。

161. 皇四子和硕雍亲王章（组玺）

计六方，皆青花瓷质。上半部皆为镂雕云龙。玺文四周高，中间低，文字为烧制以前篆写。边款刻有“胡邦翰”之名，无考，当为御书处的写字人。从印文看，此六方印为雍正帝为皇子时制。时间大致在康熙四十八年至六十一年之间。瓷质印章由于烧造的难度较大，因之很少使用。据史料记载，康熙时曾烧制过一组瓷印，现已佚失。这组雍正瓷印得以保存，弥足珍贵。

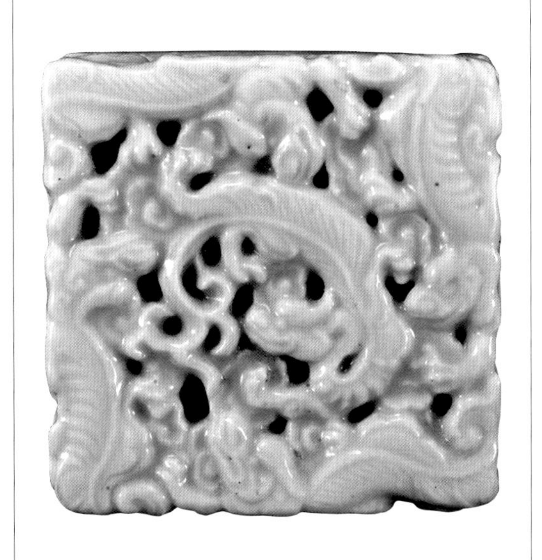

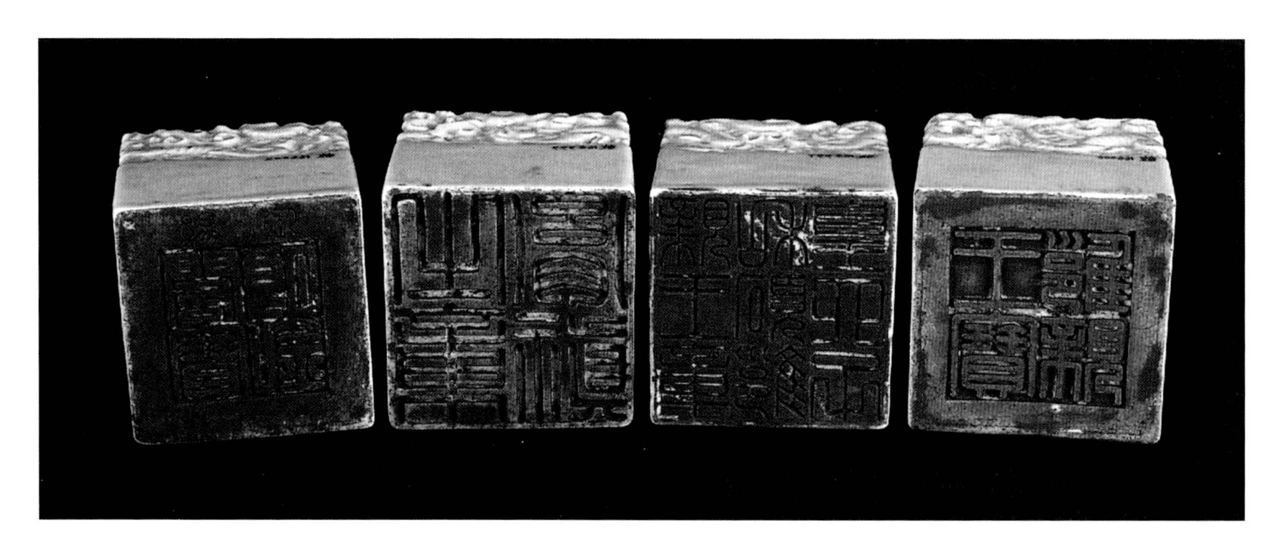

皇四子和硕雍亲王章

瓷质，方形玺。篆书。面 7.8 厘米见方，通高 9.5 厘米。上半部为云龙，分三层排列。顶部一龙，中间四龙向左，最下面四龙向右。青花边款：“臣胡邦翰敬篆”。

雍亲王宝

瓷质，方形玺。篆书。面 8 厘米见方，通高 9.5 厘米。上中部云龙，分布同前玺。

胤禛之章

瓷质，方形玺。篆书。面8厘米见方，通高9.2厘米。上半部为云龙，顶部一龙，中间一层四龙向右，下面一层四龙向左。

御赐朗吟阁宝

瓷质，方形玺。篆书。面7.8厘米见方，通高9.2厘米。上半部内为云龙，分布同前玺。朗吟阁位于圆明园“天然图画”建筑群内。“镂月开云后有池一区，池西北方楼为天然图画，楼北为朗吟阁。”（《钦定日下旧闻考》卷八十“国朝苑囿”）从印文“御赐”二字知此阁为康熙帝所赐名。因之雍正于潜邸时居处于此，并镌制多方“御赐朗吟阁宝”玺，钤于御笔书画。乾隆亦曾有《朗吟阁诗》云：“画图云榻圣藻书，题名犹在我生初（注：阁名犹皇考潜邸时所题也）。尔时海阔天空意，厥后朝乾夕惕居。空色佛诠付茫若，治安道要正惭如。孩提常此闻诗礼，石火流阴越感予。”生动记述了此阁之由来及他与此阁之关系。

御赐龢斋

瓷质，椭圆形玺。篆书。面宽6厘米，长8.8厘米，通高10厘米。上半部内为云龙，云填青花，龙为白色。玺文“和斋”左右龙纹。从印文“御赐”二字，知此斋名亦为康熙帝所赐。

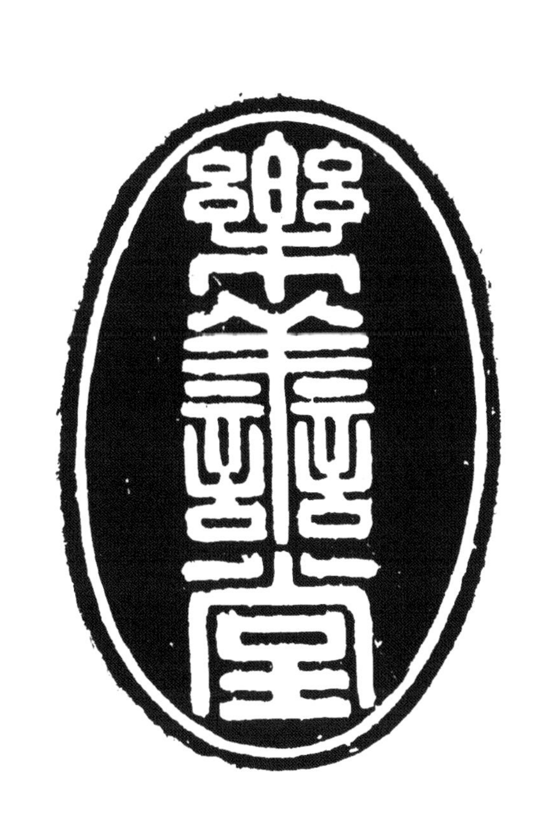

乐善堂

瓷质，椭圆形玺。篆书。面宽6厘米，长9厘米，通高10厘米。上半部内为云龙纹，龙身填青花，云为白色。

162. 御赐朗吟阁宝

白寿山石质，随形纽方形玺。篆书。面9.9厘米见方，通高16.4厘米。朗吟阁位于圆明园中路“天然图画”，是康熙赐予胤禛的书屋。《乾隆御制诗》卷四十四敬题朗吟阁：“此阁名为皇考潜邸时所题，其时予尚在幼龄，每于此仰承圣训。”

163. 雍正敕命之宝

寿山石质，海水行龙纽方形玺。篆书。面 12.4 厘米见方，通高 11.5 厘米，纽高 6 厘米。四周仿刻商周青铜器纹饰，海水行龙藉天然石色，雕刻精细。

164. 雍正尊亲之宝

白寿山质，卧象纽方形玺。篆书。面9.8厘米见方，通高9.7厘米，纽高6.2厘米。卧象雕刻细腻，身体各部位比例恰到好处，体态生动，象侧置宝瓶一，取太平有象之意。

165. 雍正御览之宝

寿山石质，雕螭桥纽方形玺。篆书。面10.8厘米见方,通高9.2厘米,纽高2.8厘米。上部呈覆斗形，周边及纽上刻云纹地螭龙。

166．雍正御笔之宝

寿山石质，瓦纽方形玺。篆书。面13.2厘米见方，通高15厘米，纽高6.5厘米。瓦纽上雕螭虎，台周仿刻商周青铜器之纹饰，古朴典雅，制作精致。

167. 雍正宸翰

寿山石质，云龙纽方形玺。篆书。面6.2厘米见方，通高7厘米，纽高4.5厘米。纽雕行云如流水，行龙出没云端，飘逸生动。

168. 敬天尊祖

寿山石质，瑞兽纽方形玺。篆书。面6.6厘米见方，通高9.5厘米，纽高4.5厘米。乾隆帝上雍正尊谥册文曰："钦惟皇考大行皇帝道协清宁，功隆位育，敬天而虔昭事，孚精意于郊坛，法祖而笃显承，致孝忱于庙祏。"比照雍正帝一生之言行，则知此评之不谬。雍正曾言："自古帝王统御天下，必以敬天法祖为首务。"（《清世宗实录》十三年八月己丑）何以敬天，则曰："人君出治，仰承天命，俯临百官，必也上之明于天戒。而省愆修德，而选才任能，以收赞襄之益，故曰厥后惟明明也。苟不能明于天戒，是不知敬天，固无足论矣。"（《清世宗御制文集》卷九）所谓法祖，则为"祗遵成宪"，"一切遵循成法"（同上卷一）。具体而言之，则"用人行政，事事效法皇考。凡朕所行政务，皆皇考已行之旧章。所颁谕者，皆皇考所颁之宝训，初未尝少有所增损更张也。"

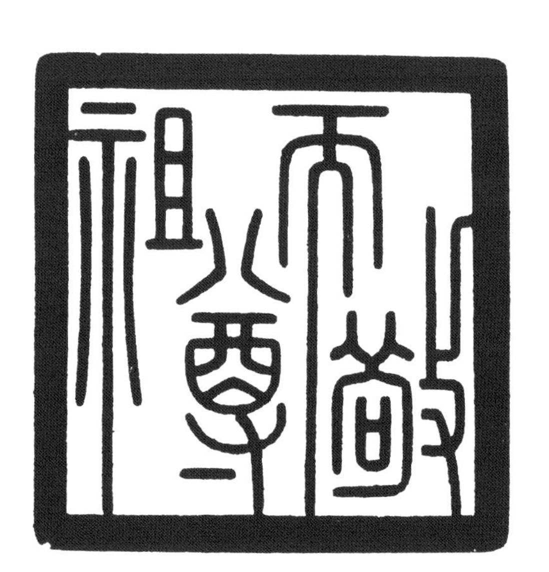

169. 朝乾夕惕

寿山石质，瑞兽纽方形玺。篆书。面6厘米见方，通高7厘米，纽高4厘米。瑞兽狮头凤尾鹰爪，雕刻精细，为雍正时印纽雕刻之代表作品。雍正之勤政，前人著述多有论及。即如其批阅谕旨事："上于几暇，亲加批览，或秉烛至丙夜未罢。"（昭梿《啸亭杂录》卷一）如此春夏秋冬无分，十几年如一日，坚持不懈。雍正对自己之勤政行为颇为自豪。朝乾夕惕之意时露笔端。"听政每忘花月好，对时惟望雨旸匀。宵衣旰食非干誉，夕惕朝乾自体仁。"（《清世宗诗文集》卷二十九）"'朝乾夕惕'，《易经》传注，皆以为人君之事。"（《大义觉迷录》卷四）只有人主才配得上"朝乾夕惕"四字，故而极重视之。雍正三年（1725年）二月庚午，有所谓"日月合璧，五星联珠"嘉瑞，内外臣工均上贺表，川陕总督年羹尧亦具本奏贺，颂扬皇帝朝乾夕惕，励精图治。但把"朝乾夕惕"误书为"夕惕朝乾"。雍正看后怒甚，降旨诘责之曰："年羹尧平日非粗心办事之人。直不欲以朝乾夕惕四字归之于朕耳。……今年羹尧既不以朝乾夕惕许朕，则年羹尧青海之功，亦在朕许与不许之间而未定也。"（《清世宗实录》卷三十）雍正以此四字自勉之意，凿凿可言。

170. 兢兢业业

寿山石质，螭纽长方形玺。篆书。面宽4.3厘米，长9.4厘米，通高4.5厘米，纽高1.8厘米。语出《尚书·皋陶谟》："无教逸欲有邦，兢兢业业，一日二日万几。无旷庶官，天工人其代之？"。盖言"为人君当兢兢然戒慎，业业然危惧。言当戒慎一日二日之间而有万种几微之事，皆须亲自知之，不得自为逸豫也。"雍正时自谓："宵旰焦劳，无日不兢兢业业也。"（《清世宗御制文》卷一）又言"圣祖仁皇帝所以乾健日新为万世立极也。朕兢兢业业永怀绍庭陟降之义尔。"（同上卷八）世宗颇引以为自豪者惟此耳。"自古帝王治天下之道，以励精为先，以怠荒为戒。朕非敢以功德企及古先哲王，而惟此勤勉之心，自信可无忝于古训，实未负我皇考付托之深恩也。"（同上卷八）是玺刻于即位后，既是自励，又是勤政之自诩。

171. 亲贤爱民

寿山石质，瑞兽纽方形玺。篆书。面6.6厘米见方，通高9.2厘米，纽高4.5厘米。雍正御极后自箴之作。其一向以为君者当以亲贤为治国之本，以爱民为立政之基。尤其甫承大统之际，更时刻不忘，以之作为律己待人之警言。“凡尔亲贤文武，其共矢荩诚。各输心膂，用绍无疆之业，永垂有道之体。”(《清世宗御制文集》卷四)“朕惟自古帝王皆以兴贤育才为务……朕缵承大统，遵守旧章，寤寐求贤，惟恐或失……。”又如：“兹任者当体朝廷惠养元元之意，以爱民为先务，周察蔀屋，绥辑乡里，治行果有其实，循卓自有其名。”“尔督抚等官各体朕倦倦爱民之意，实心奉行。倘视为具文，苟且涂饰或反以扰民，则尤其不可也……”(同上)。

172．建中于民

寿山石质，随形雕山水人物方形玺。篆书。面3.7厘米见方，通高8.4厘米。《尚书·仲虺之诰》："王懋昭大德，建中于民。以义制事，以礼制心，垂裕后昆。"此乃言为王为君之敬天安民之道。盖与清代诸帝提倡之"中和"思想互为表里。"中和"乃修己身之方，"建中"乃驭民之术。

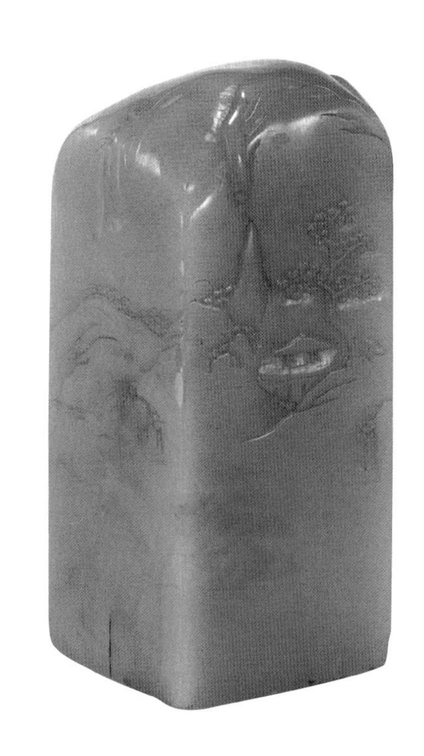

173. 万国咸宁

黄寿山石质，随形雕山水人物方形玺。篆书。面3.3厘米见方，通高7厘米。《周易·乾卦》："首出庶物，万国咸宁"。又《尚书·周官》："唐虞稽古，建官惟百，内有百揆四岳，外有州牧侯伯。庶政惟和，万国咸宁。"盖言万民当有君主，立百官，以明统绪，以分尊卑，则天下安宁，万民安生。康熙时将"首出庶物,万国咸宁"镌于乾清宫御座后屏风上，雍正则更将"万国咸宁"入玺，皆有"综括治道无遗，而为君者必如是，然后可谓尽君道"之意。乾隆申论："人莫不衣食也，足之则宁。民犹水也，澄之则清。使菽粟布帛如水火，亦其难矣。岂可虚诩升平？"（乾隆《乾清宫五屏风铭·右万国咸宁》）则"万国咸宁"并非虚诩升平，而有为君自警深意于其中。

174. 为君难

寿山石质，螭纽长方形玺。篆书。面椭圆形，宽5厘米，长8.5厘米，体宽5.2厘米，长8.6厘米，通高4.5厘米，纽高0.2厘米。《论语·子路》“定公问，一言而可以兴邦，有诸？孔子对曰：言不可以若是其几也。人之言曰，为君难，为臣不易。如知为君之难也，不几乎一言而兴邦乎？”雍正在位十三年中，屡言为君之难曰：“科道所奏，朕若不加采纳，则以朕为不能受谏。若所言谬妄而稍为惩戒，则谓苛待言官，以杜忠谏之路。此为君之所以难也。”（《清世宗实录》五年十月乙酉）故而继统之后，御书“为君难”匾额悬于勤政殿之后楣上，并命人刻治多方“为君难”小玺，钤于御笔书迹，古书画上，以激励自己时刻莫忘国君之职责。乾隆对此曾申而论之曰：“夫为君难之言，孔子道人之言耳。而吾直以为皇考之言者何？”“且孔子非为君者，其云难，亦不过思其理而度其势，究未身历其境，而心亲其劳也。皇考禀内圣之姿，行外王之道，质诸心得，验以躬行，故取孔子之言而铭之楣端。所以自警尹所以训予小子也，所以诏世世孙曾常凛此志以迓天庥，而基命宥密，永永无极也。”（《清高宗御制文初集》卷十三）

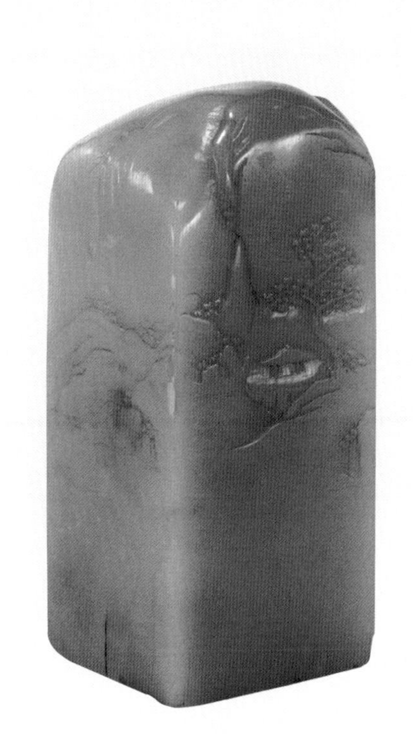

175．和四时

寿山石质,随形雕山水人物方形玺。面3.6厘米见方，通高8.5厘米。《礼记·乐记》:“夫歌者，直己而陈德也。动己而天地应焉，四时和焉,星辰理焉,万物育焉。”又《尔雅·释天》:“春为青阳，夏为朱明，秋为白藏，冬为玄英。四时和谓之玉烛。春为发生，夏为长赢，秋为妆成，冬为安宁，四时和为通正。”盖言四时和气，温润朗照，阴阳顺也。多用于显扬为君者德高道隆，感天地降祥瑞以应之。

176. 诚求

青田石质，随形雕山水长方形玺。篆书。面宽 2.1 厘米，长 4.2 厘米，通高 6.2 厘米。

177. 墨池清兴

青田石质，光素方形玺。篆书。面 2.6 厘米见方，通高 4.7 厘米。此玺与“雍正宸翰”相配，作为御笔所临古碑帖之押角章，使用较多。

178. 圆明主人

寿山石质，狮纽方形玺。篆书。面 3.8 厘米见方，通高 7.7 厘米，纽高 3 厘米。是玺大致刻于康熙四十八年（1709 年）以后。因是年康熙帝把畅春园北赐给皇四子胤禛，并“赐以园额曰‘圆明’”，此后雍正便以“圆明主人”自居。“至若嘉名之赐以圆明，意旨深远，殊未易窥。尝稽古籍之言，体认圆明之德。夫圆而入神，君子之时中也。明而普照，达人之睿知也。若举斯义以铭户牖以勖身心，虔体天意，永怀圣诲。含煦品汇，长养元和，不求自安，而期万方之宁谧；不图自逸，而冀百族之恬熙……”（《清世宗御制文集》卷五）。则“圆明主人”之蕴义可知矣。此玺曾钤于《御选语录》之《御制总序》及《御制序》后。

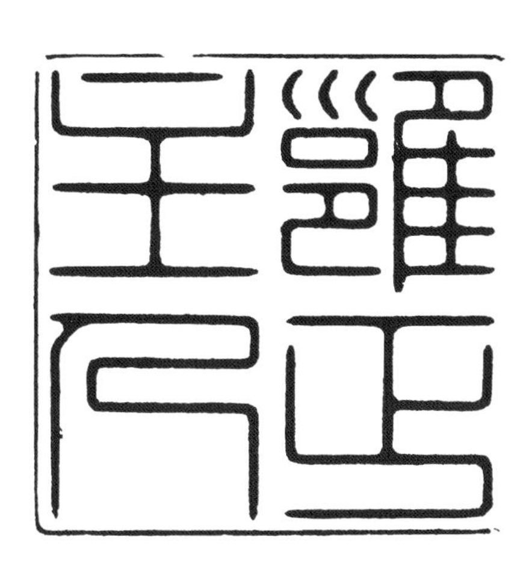

179. 雍正主人

寿山石质，螭纹方形玺。篆书。面 5.4 厘米见方，通高 6.8 厘米，纽高 0.6 厘米。

180. 破尘居士

寿山石质，光素方形玺。篆书。面 1.7 厘米见方，通高 2.7 厘米。此玺与“雍亲王宝”相配使用，钤于御笔书法之上。胤禛自云少年时代既喜读佛家典籍，成年后更事研讨，与僧侣往来甚密。他自号“破尘居士”，表明其身不出家，却于家修行之行为。“破尘居士”之号至少在康熙五十五年（1716 年）即已使用之。因其时书赠友人马都统中即有言“雍王破尘居士”可为一证。此玺于雍正即位后便不再使用。

181. 无思御押

石质，光素长方形玺。面宽 1.8 厘米，长 3.9 厘米，通高 3.3 厘米。玺文为雍正御笔草书“无思”二字。

182. 宝亲王宝（组玺）

计十六方。黄绫须弥式玺座。檀香木匣，匣面刻写玺文。为乾隆御极之前所制作。《乾隆宝薮》云："右宝皇上青宫时所制……其语句可通为标识者，今宸翰仍一例钤用云。"又雍正十一年（1733年）二月，封弘历为宝亲王。则知这些宝玺作于雍正十一年二月之后。除斋堂名号玺之外，其余各方皆言其读书之生活，自然之情趣，为人之准则，可谓乾隆为皇子时生活的真实写照。据载：乾隆"生九年始读书，十有四岁学属文。"（《乐善堂全集》"庚戌年原序"）故其宝玺之文，多出于经史诗辞。加之玛瑙、青金、碧玉等珍贵的印料，精致的雕刻，文优而质美，可谓乾隆早年制印之代表。

宝亲王宝　长春居士（连珠玺）

碧玉质，虎纽连珠玺。篆书。面宽1.1厘米，全长2.7厘米，通高1.5厘米，纽高0.9厘米。乾隆封宝亲王之经过，详于《清世宗实录》。雍正十一年正月辛卯，"谕宗人府……皇四子弘历，皇五子弘昼，年岁俱已二十外，亦着封为亲王。所有一切典礼，著照例举行。"又二月己未："封皇四子弘历为和硕宝亲王，皇五子弘昼为和硕和亲王"，乾隆从此开始参与机务。二月壬申，"上命皇四子宝亲王弘历祭景陵。""宝亲王宝"则镌于此时或以后。"长春居士"，乾隆名号。雍正时亲研佛学，于雍正十一年在宫中举行法会，所收弟子十四人，乾隆即其一。赐号"长春居士"。"曩时蒙恩，尝读书于此，即长春之号亦系赐予者，故各处书屋率以此名之。"（《重华宫内长春书屋》诗注）

乐善堂

紫晶质，螭纽椭圆形玺。篆书。面宽1.6厘米，长2.3厘米，通高1.5厘米，纽高0.8厘米。乾隆为皇子时，曾书"乐善堂"匾，悬于重华宫前崇敬殿内，此即"乐善堂"之由来。其有《乐善堂记》述"乐善"之意曰："昔《乐善堂集》中有所谓《乐善堂记》者，盖用此堂之名以名圆明园赐居桃花坞之堂，而《记》亦记彼处之胜，与宫中此堂无涉也。然彼时之乐善，祇数典汉东平王以为亟，今斯堂则为重华宫之前殿，不可以桃花坞堂之记概之。因思东平王之乐善，原数典于大舜，所为乐取于人以为善也。兹适为重华宫之前殿，则今之乐善祇宜景仰大舜之为，而不必再囿于东平之迹矣。"又有乐善堂者，一在圆明圆桃花坞，一在畅春园。

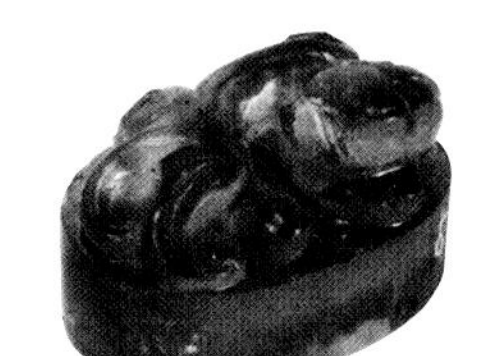

抑斋

玛瑙质，龟纽长方形玺。篆书。面宽1.3厘米、长1.6厘米、通高1.6厘米、纽高0.9厘米。抑斋位于重华宫西庑浴德殿内。"予向居重华宫，洁治西厢为书室，而名之曰抑斋。"（《清高宗御制文二集》卷十一）另圆明园亦有抑斋多处："长春仙馆，予为皇子时居也。颜书室曰抑斋，与重华宫西厢同。即位后，凡园亭行馆有可静憩观书者，率以抑斋为名额。"（《圆明园长春仙馆抑斋》诗注）又有二抑斋，一在含碧堂东楹，一在翠微堂之东，皆在圆明园。

随安室

玛瑙质，螭纽长方形玺。篆书。面宽1.3厘米，长2厘米，通高1.6厘米，纽高0.6厘米。"随安室在养心殿东暖阁内。此予在青宫时即以名室。盖取随所遇而安之义。"乾隆曾有《随安室诗》云："随遇得居安，养心左序端。检身若不及，容膝已为宽。志与青年异，题斯触处观。敢求一己逸？实觉万民难。为是勤宵旰，因之叶燠寒。"另，"御园及行宫书室率题此额，犹弗忘昔之意也。"据《日下旧闻考》：西苑随安室在藻韵楼东。《圆明园》册载：圆明园随安室在墨池云后。清漪园随安室在花承阁东。

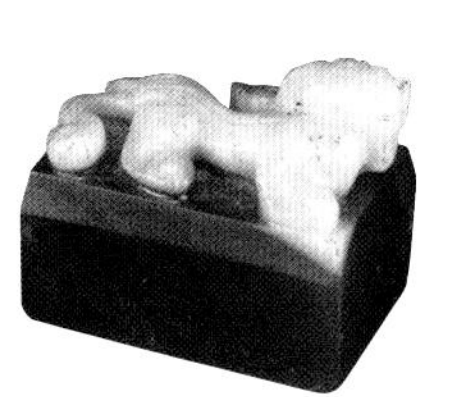

大块假我以文章

青金石质，螭纽长方形重。篆书。面宽1.5厘米，长1.8厘米，通高1.3厘米，纽高0.7厘米。语出唐李白《春夜宴从弟桃花园序》。原文为："夫天地者，万物之逆旅也；光阴者，百代之过客也。而浮生若梦，为欢几何？古人秉烛夜游，良有以也。况阳春召我以烟景，大块假我以文章。会桃花之芳园，序天伦之乐事"。大块，自然，大地。

众花胜处松千尺

白玉质，螭纽长方形玺。篆书。面宽1.7厘米，长1.9厘米，通高1.4厘米，纽高0.8厘米。语出唐许浑《送卢先辈自衡岳赴复州嘉礼二首》。原诗云："名振金闺步玉京，暂留沧海见高情。众花盛处松千尺，群鸟喧时鹤一声。朱阁簟凉疏雨过，碧溪船动早潮生。离心不异西江水，直送征帆万里行。"

掬水月在手

白玉质，螭纽长方形玺。篆书。面宽1.4厘米，长1.6厘米，通高1.3厘米，纽高0.6厘米。语出唐于良史《春山夜月》诗。诗云："春山多胜事，赏玩忘夜归。掬水月在手，弄花香满衣。兴来无远近，欲去惜芳菲。南望鸣钟处，楼台深翠微。"

菑畬经训

玛瑙质，螭纽方形玺。篆书。面1.8厘米见方，通高1.6厘米，纽高0.9厘米。此言经训乃文章之根本也。唐韩愈《符读书城南》诗："文章岂不贵？经训乃菑畬。"亦有遵经守道，求民生根本之意，乾隆有诗云："惟此恭默思，菑畬守经训"（《清高宗御制诗初集》卷四十四），即取此意。

追琢其章

白玉质，螭纽长方形玺。篆书。面宽1.4厘米，长1.8厘米，通高1.3厘米，纽高0.7厘米。典出《诗经·文王之什》："追琢其章，金玉其相。"盖言文王为政，先以心研精合于礼义，然后施之。万民视而观之，其好而乐之，如睹金玉然。乾隆取此语入玺，以表明其为政思想。

齐物

玛瑙质，异默纽长方形玺。篆书。面宽1.4厘米，长1.7厘米，通高2厘米，纽高1.2厘米。典出《庄子·齐物论》，其文以齐是非，齐彼此，齐物我，齐寿天为主。意在反对认识之片面性。古来治者多以"齐物"为行为准则。乾隆亦然。

如如

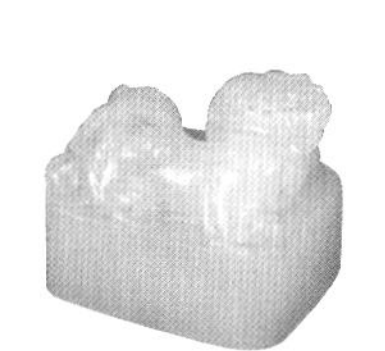

白玉质，螭纽长方形玺。篆书。面宽1.3厘米，长1.9厘米，通高1.2厘米，纽高0.5厘米。如如，佛语，指真如常住，圆满而不凝滞之境界。《金刚经》："不取于相，如如不动。"《传灯录》："体用如如，五阴本空，六尘非有。"唐白居易《读禅经》诗云："摄动是禅禅是动，不禅不动即如如。"乾隆此玺多用于御书佛经。如乾隆三十三年（1768年）御书《般若波罗密多心经》即钤此玺。

千潭月印

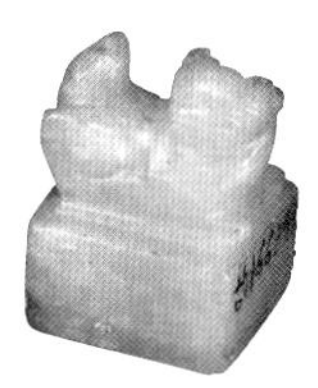

青玉质，兽纽长方形玺。篆书。面宽1.4厘米，长1.6厘米，通高1.3厘米，纽高0.6厘米。欧阳修诗："月从海底来，行上天东南，正当天中时，下照千丈潭。"古人诗中的"月"和"潭"联系的词藻可以表现许多不同的思想境界。欧阳修的诗不过举例说明这个词藻而已。至于"月印"、"印月"、"指月"等等都是佛教参禅的比喻，月只有一个，潭却是很多的。"千潭"都有月印。千潭相当于佛经中的恒河沙数。

爱竹学心虚

碧玉质，螭纽长方形玺。篆书。面宽1.4厘米，长1.9厘米，通高1.4厘米，纽高0.7厘米。咏竹，皆赞其心虚节贞，刘兼《咏新竹》诗："偏爱尔虚心，高节雪霜中。"白居易《养竹记》云："竹似贤何哉？……竹心空，空以体道，君子见其心则思应，用虚受者。"

半榻琴书

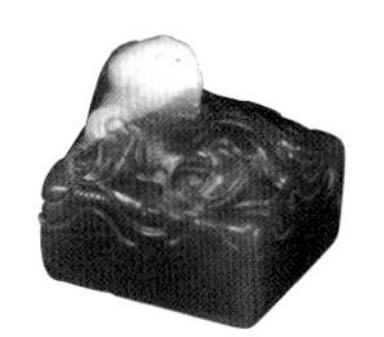

玛瑙质，螭纽方形玺。篆书。面1.7厘米见方，通高1.7厘米，纽高1.2厘米。古人琴与书皆日常不可须臾离者。榻为坐卧之具，故皆置榻上。李濂诗有："秋榻共琴书"之句。

落花满地皆文章

白玉质，螭纽长方形玺。篆书。面宽1.7厘米，长1.9厘米，通高1.4厘米，纽高0.8厘米。

月明满地相思

青金石质，螭纽方形玺。篆书。面1.6厘米见方。通高1.2厘米，纽高0.6厘米。

183. 乾隆敕命之宝

寿山石质，螭纽方形玺。篆书。面 13.3 厘米见方，通高 13.4 厘米，纽高 5 厘米。四周仿刻商周青铜器纹饰。专钤于军国大事敕书上。其地位与“二十五宝”之“敕命之宝”同。为乾隆诸宝玺中规格较高者。

184. 乾隆宸翰

昌化石质，随形雕鸳鸯荷花方形玺。篆书。面 8.4 厘米见方，通高 15.2 厘米。周边阴刻诗文。钤诸御笔书画。

185. ☰

青玉质，三螭纽圆形玺。面径5.6厘米，通高2.2厘米，纽高1.1厘米。☰，卦名，音乾。《周易·乾传》："乾，元亨利贞。"唐孔颖达疏云："乾，健也。言天之体以健为用。圣人作《易》，本以教人，欲使人法天之用，不法天之体，故名乾不名天也。天以健为用者，运行不息，应化无穷，此天之自然之理。故圣人当法此自然之象，而施人事亦当应物成务，云为不已，终日乾乾，无时懈倦，所以因天象以教人事。"此说正与乾隆之"自强不息"说相合。孔疏又云："元亨利贞者是乾之四德也。……言圣人亦当法此卦而行善道以长万物，物得生存而为元也，又当以嘉美之事会和万物，令使开通而为亨也。又当以义协和万物，使物各得其理而为利也。又当以贞固干事使物各得其正而为贞也，是以圣人法乾，而行此四德。"此玺在乾隆早期与"隆"字方玺组成"乾隆"连珠年号玺，乾隆四十六年(1781年)以后则与"古稀天子之宝"一起使用，以表明其于乾之四德有所结果。

186. 所宝惟贤

寿山石质，卧兽纽方形玺。篆书。面4.1厘米见方，通高4.5厘米，纽高1.9厘米。此玺常与"乾隆宸翰"、"乾隆御笔"等玺相配，钤诸御笔书画。"所宝惟贤"语出《尚书·旅獒》："不宝远物，则远人格；所宝惟贤，则迩人安。"其注云："宝贤生能，则近人安，近人安则远人安矣。"知古贤者对"所宝惟贤"亦极推重，视其为定国安民之根本。乾隆亦深知于此。"圣人养万民而不能不赖贤之时亮天工。是以周公躬吐握之劳，故有圄空之隆，齐桓设庭燎之礼，故有匡合之功。寰区至广也，生民至众也，以一人之心智耳目御之，其敝精劳神而迄无成功，亦不待烛照数计而龟卜矣。自古贤王劳于求贤，逸于得人，然得人始逸而求贤则劳，毋论求之不以道，得之不以实，所得非其人，所求作其贤，而天下之万民，不可以一日而不养。为君难，盖诚乎其难矣！"(《清高宗御制文初集》卷一)乾隆此玺，以明其求贤若渴，绥远抚近之心迹。

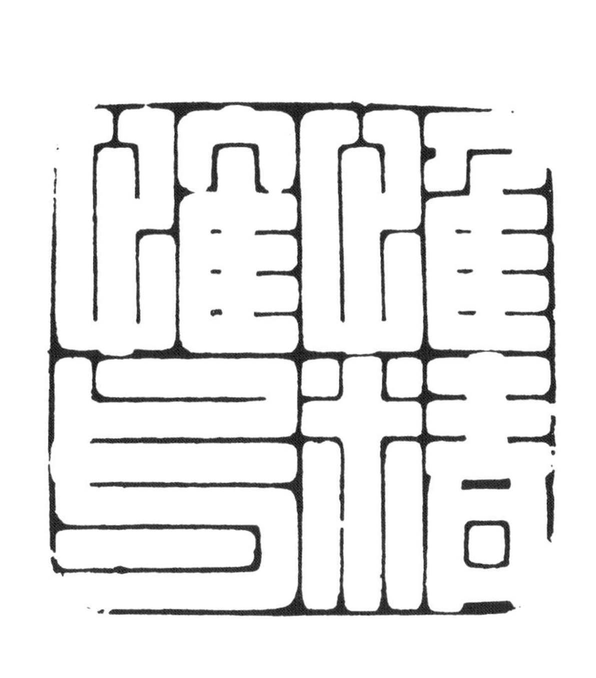

187. 惟精惟一

昌化石质，随形雕苏轼《赤壁赋》文意方形玺。篆书。面6.9厘米见方，通高11.9厘米。贴黄签一，上墨书“惟精惟一御宝一方”。此玺与“乾隆宸翰”相配，钤诸御笔书画之上。“惟精惟一”语出《尚书·大禹谟》：“人心惟危，道心惟微，惟精惟一，允执厥中。”此言所以为君治民之法，恰如孔疏所云：“居位则治民，治民必须明道，故戒之以人心惟危，道心惟微。道者，经也，物所从之路也。因言人心，遂云道心。人心为万虑之主，道心为众道之本。立君所以安人，人心危则难安，安民必须明道，道心微则难明，将欲明道，必须精心，将欲安民，必须一意，故以戒精心一意，又当信执其中，然后可得明道以安民耳。”为人君者，应“精一”兼执，修行己身。

188. 即事多所欣

青玉质，瑞兽纽方形玺。篆书。面6.5厘米见方，通高7厘米，纽高3.9厘米。此宝为乾隆退政后所镌。在政务繁杂多事之世从事训政的年迈乾隆太上皇帝，以刻此玺作为自己处世的座右铭。

189. 谨起居慎出令（组玺）

二方，与另一方“抑斋”玺同为一组，是对“抑斋”题额立意的诠释。乾隆自谓：“深居九重，暇余万几。宵衣旰食之际，左右史之职，废已久矣。夫谁与记之？而公府奏进己志，其能陈天命之艰，觖书漏之隐者，亦鲜焉。是在自谨其起居，自任其出令，以代左右史之职。凛顾諟，钦几微，以通公府之志。”又言为人君之抑之艰曰：“斯其大者，至于一言之不谨，一事之不慎，其害将贻天下后世。呜呼！今日之抑之艰，岂昔日之抑之易所可相提并论者哉？”（《清高宗御制文二集》卷十一）此“抑”之意，正可用“谨起居，慎出令。凛顾諟，钦几微”四言阐释之。亦是乾隆为自己制定的行为规范。

谨起居慎出令

碧玉质、辟邪纽方形玺。篆书。面2.6厘米见方，通高6.8厘米，纽高1.5厘米。

凛顾諟钦几微

碧玉质、辟邪纽方形玺。篆书。面2.6厘米见方，通高6.7厘米，纽高1.5厘米。

190. 德日新

白玉质，蹲龙纽长方形玺。篆书。面宽2厘米，长3厘米，通高5.2厘米，纽高1.9厘米。多钤于御书之引首。出于《尚书·商书》：“德日新，万邦惟怀，志自满，九族乃离。”乾隆于此多有宏论。“日新之谓盛德”，何谓日新？“日新非必日日务求有所新益，盖君子自强不息即所以进德也。”何以进德？进德须防习染。“盖习染之最易害人心，如尘埃之最易生室宇，日日扫之，尘埃未必能尽去，日日新之，习染未必能尽除，日日新，又日新，如是而已矣。”（《清高宗御制文二集》卷二）又曰：“刚健而无笃实，或失其躁，笃实而无刚健，或失其固。躁与固则不能日新其德矣。则健而济之以笃实，以日新其德耳。夫日新其德，非所谓自强不息乎？”为君为臣，亦应“无私以敕几协民”，则“有不日新而辉光者乎？”，“若夫九二为刚中之臣，六五为柔中之主，此正刚柔相济不失其养，亦日新其德之道也。”（《清高宗御制文三集》卷一）

191. 得大自在

白玉质，螭纽方形玺。篆书。面1.9厘米见方，通高2厘米，纽高1.1厘米。“大自在”为佛家语，言广大之力用无论何事皆作得也。《法华经·弟子授记品》曰：“诸佛有大自在神通之力”。另佛教诸神中亦有神名之曰“大自在”者。《天台观音义疏下》曰：“大自在，即色界顶摩醯首罗也。楼炭称为阿迦尼吒，华严称为色究竟。或有人以为第六天。而诸经论多称大自在是色界顶。”《释论》云：“过净居天有十，住菩萨号大自在，大千界主。”此玺之“大自在”当为前者。清诸帝多研佛法。雍正帝曾于康熙五十一年（1721年）、五十二年（1713年）在藩邸举行法会，进行坐七，与章嘉活佛、迦陵性音论说佛法，受到章嘉指点而得蹈“三关”，章嘉赞许他“得大自在矣！”（清世宗《御选语录》卷十八）雍正曾收门徒十四人，乾隆帝名列其一，号“长春居士”。乾隆曾有诗曰：“喜得大自在，而无俗虑竞。安佚非素怀，聊以适吾性。”（《乐善堂全集》卷十五）。

192. 开卷有益

青玉质，覆斗纽方形玺。篆书。面2.1厘米见方，通高1.6厘米，纽高0.9厘米。乾隆读书，讲求境界。非唯随书入境，超然一切而浑然不觉也。其读书并非死读书，要之发幽阐微，窥见义蕴，求人生之道理，得治国之方略。检高宗御制诗文集，每每有《静夜读书》之作，“开卷有益”之求时露笔端。诸如：“深宫夜静漏声长，芸籍闲披御案香。为念民依难洞悉，频观书史鉴兴亡。”（《御制诗初集》卷二）“几余何所乐，书史案头横。稽古征文献，诠时验治平。”（《清高宗御制诗初集》卷五）皆言读书所应取法者。“开卷有益”实为高宗读书之一境界耳。

193. 心清闻妙香

碧玉质，盘龙纽方形玺。篆书。面 4.4 厘米见方，通高 6.7 厘米，纽高 3.4 厘米。语出杜甫诗《大云寺赞公房四首》之三。原诗为：“灯影照无睡，心清闻妙香。夜深殿突兀，风动金琅珰。天黑闭春院，地清栖暗芳。玉绳迥断绝，铁凤森翱翔。梵放时出寺，钟残仍殷床。明朝在沃野，若见尘沙黄。”乾隆摘此句刻入宝玺，与杜甫当时之心境不同，而是以心清自比，以妙香喻外，盖言身处太平之世，身心俱佳，得无限清幽之乐耳。

194. 养心殿精鉴玺

青田石质，光素长方形玺。篆书。面 1.7 厘米宽，4.2 厘米长，通高 8.5 厘米。清代宫中所藏书画分庋于各宫殿，为区别藏品之所在，于是制各宫殿鉴藏玺，钤于本宫殿所藏之书画。“养心殿精鉴玺”即其中之一。《石渠宝笈·凡例》载：“书画分贮乾清宫、养心殿、重华宫、御书房等处，俱各用鉴藏玺以别之。”又“惟藏乾清宫者，则加‘乾清宫精鉴玺’。养心殿、寿宁宫，御书房皆如之。”（徐珂《清稗类钞》）

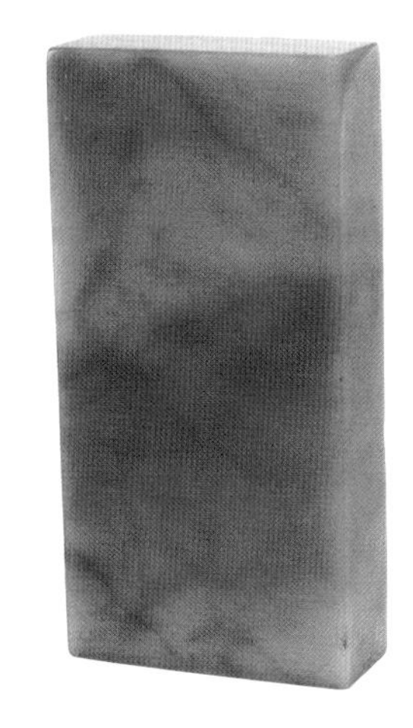

195. 三希堂精鉴玺（组玺）

二方，共贮于紫檀木匣。匣盖上嵌金“三”卦和方“隆”字。同匣装有青玉圆形印泥盒。此二玺是乾隆著名的鉴赏类印章，二玺相互配套使用。三希堂，在紫禁城内养心殿西暖阁，因这里藏有稀世之珍的王羲之《快雪时晴帖》、王献之《中秋帖》、王珣《伯远帖》而得名。从艺术鉴赏角度看，“三希堂”便成为著名艺术品的典藏地而闻名于世。与之相对应的“三希堂精鉴玺”和“宜子孙”玺便当然成为鉴定性标志。“‘石渠宝笈’、‘乾隆御览之宝’二玺，册、卷、轴皆同。上等者则盖以‘乾隆鉴赏’、‘三希堂精鉴玺’，‘宜子孙’三玺。”（《石渠宝笈·凡例》）在古书画中，二玺的钤用位置大致是：“上方之左曰‘乾隆鉴赏’，正圆白文，右曰‘乾隆御览之宝’，椭圆朱文，左下曰‘石渠宝笈’，长方朱文；右下曰‘三希堂精鉴玺’，长方朱文，曰‘宜子孙’，方白文。”（徐珂《清稗类钞·鉴赏类·石渠宝笈所钤之玺》）此说可聊备一格。

三希堂精鉴玺

青玉质。虎螭纽长方形玺。篆书。面宽2.2厘米，长4厘米，通高1.9厘米，纽高1厘米。

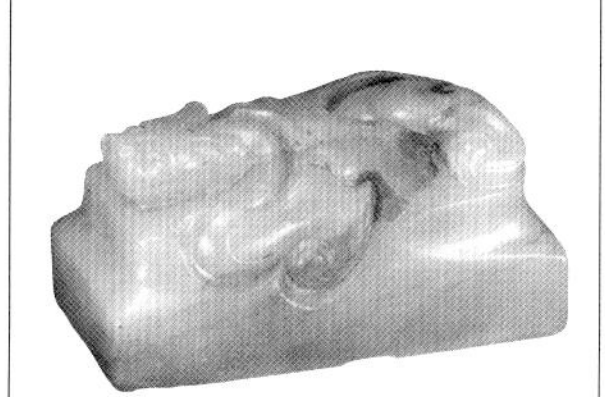

宜子孙

汉玉质，瓦纽方形玺。篆书。面2.5厘米见方，通高1.5厘米，纽高0.8厘米。

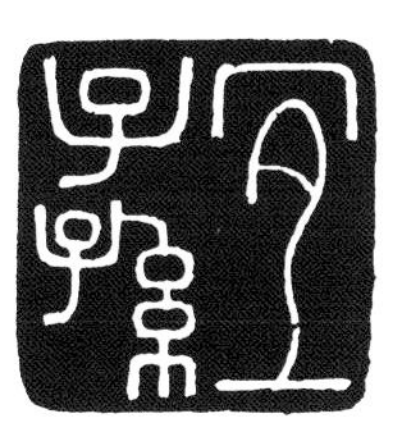

196. 信天主人

田黄石质，光素长方形玺。篆书。玺文两边围二升龙。面宽 2.5 厘米，长 3.2 厘米，通高 5.5 厘米。乾隆早年曾著《开惑论》，仿四子讲德之意，设为春秋硕儒、臻成大夫二人问答，其文中有："枭瞯文身，无不内属，褰义归仁，鸿庸爰建，千古未闻。若子者所谓菽麦未辨，安足以知我信天主人哉？信天主人乃召大夫、硕儒而告之曰：'若二子者所谓楚即失之，齐亦未为得也。'"其中"信天主人"乃乾隆自称，取"顺天者昌，逆天者亡"之意。(《清高宗御制文初集》卷三）乾隆在七十五岁时又做《信天主人自箴》诗云："开惑昔年著论曾，信天爰以主人称。谓危反用成安屡，逮失还资为得仍。事定不堪回回忆，途长惟益励心兢。信天天眷古稀有，顾我何修遇此能？"(《清高宗御制诗五集》卷九）表达了乾隆以"信天主人"为号的意旨。

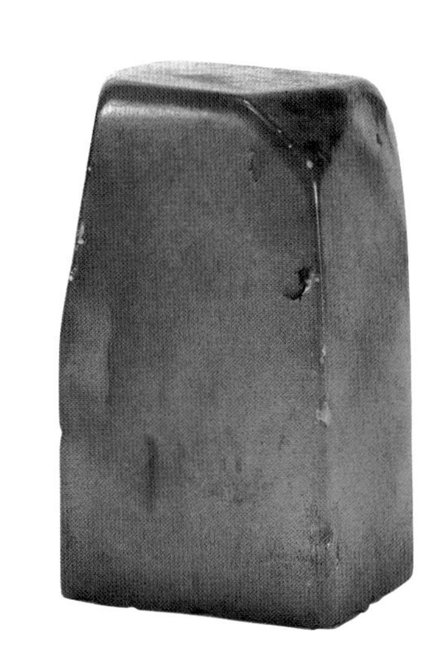

197. 古稀天子之宝（组玺）

碧玉质，交龙纽方形玺。篆书。面 12.9 厘米见方，通高 7.8 厘米，纽高 5.2 厘米。附系黄色绶带。四周阴刻填金乾隆御制《古稀说》。与"八徵耄念之宝"共贮一紫檀木宝匣，匣外壁四面分刻《古稀说》与《八徵耄念之宝记》。此玺制于乾隆四十五年（1780 年）。是年乾隆七十圣寿。稽诸史籍，"自三代以下帝王年逾七十者：汉武帝、梁高祖、唐明皇，宋高宗、元世祖、明太祖凡六帝。"但在乾隆看来其中前面四君均是不足为法的，余下的元世祖忽必烈和明太祖朱元璋虽为创业之君，于国于身皆有建树，但仍不乏"礼乐政刑有未遑焉"的遗憾。而把他自己看成是千古之中唯一年登古稀的英明君主。于是便镌刻了"古稀天子之宝"以纪念之，并作《古稀说》云："余以今年登七袠，因用杜甫句刻'古稀天子之宝'，其次章即继之曰'犹日孜孜'，盖予宿志有年，至八旬有六即归政而颐志于

宁寿宫。其未归政以前，不敢弛乾惕。犹日孜孜，所以答天庥而励己躬也。”此时的乾隆还相当明智，虽自负但不自满。“夫由斯不自满，歉然若有所不足之意充之。以是为敬天之本，必益凛且明，毋敢或逾也。以是为法祖之规，必思继前烈，而慎聪听也。”他要做到“励慎终如始之志，以竭力敬天法祖，勤政爱民。”这才把“犹日孜孜”作为“古稀天子之宝”的副章，相配使用。透过这方“古稀天子之宝”及其产生的背景，恰好反映出乾隆那种壮志未泯，雄心未已，励精图治而且是相当自负的精神状态。

犹日孜孜

白玉质，云龙纽方形玺。篆书。面 3 厘米见方，通高 6.8 厘米，纽高 3 厘米。“古稀天子之宝”的副章。乾隆帝曾说：“予年七十时，用杜甫句镌‘古稀天子之宝’，而即之曰‘犹日孜孜’，不敢怠于政也。”要用此玺来时刻告诫、勉励自己应和过去一样，在归政之前孜孜不倦，勤于政事。

198. 八徵耄念之宝（组玺）

碧玉质，交龙纽方形玺。篆书。面 13 厘米见方，通高 11 厘米，纽高 5.4 厘米。附系黄色绶带。四周阴刻乾隆御笔《八徵耄念之宝记》。与“古稀天子之宝”共贮一匣。此玺制于乾隆五十五年（1790 年），乾隆八十圣寿之时。为刻治此玺，乾隆曾作《八徵耄念之宝记》曰：“予年七十时，用杜甫句镌‘古稀天子之宝’，而即继之曰‘犹日孜孜’，不敢怠于政也。蒙天眷佑，幸无大陨，越于兹又浃旬矣。思有所以副八旬开袠之庆，镌为玺，以殿诸御笔，盖莫若《洪范》八徵之念。”观此文可知乾隆在八十圣寿时镌刻此宝的原因。在刻治“八徵耄念之宝”之同时，又刻治“自强不息”玺作为副章，其用意也显而易见。

自强不息

碧玉质，云龙纽方形玺。篆书。面 3.2 厘米见方，通高 6.8 厘米，纽高 3.2 厘米。乾隆五十五年（1790 年）以后刻治，作为“八徵耄念之宝”的副章，与之相配而用。“自强不息”出《周易》：“天行健，君子以自强不息。”乾隆御制诗文中，曾多次提到关于此玺之情况。如“自强不息重铭志，归政乾乾待丙辰。”其注云：“予即镌‘八徵耄念之宝’，复副以‘自强不息’，亦犹七旬时刻‘古稀天子之宝’，副以‘犹日孜孜’，皆铭乾惕之志也。”（《清高宗御制诗五集》卷五十一）

199. 十全老人之宝

碧玉质，交龙纽方形玺。篆书。面 12.8 厘米见方，通高 15.3 厘米，纽高 5.4 厘米。附系黄色绶带。四周阴刻填金《十全老人之宝说》。“十全”，指乾隆在位期间十次远征边疆的重大胜利。“十功者，平准噶尔为二，定回部为一，扫金川为二，靖台湾为一，降缅甸、安南各一，即今两次受廓尔喀降，合为十。”（《清高宗御制文三集》卷八）但到后来乾隆命刻此“十全老人之宝”时，却赋予“十全”更多的内容。其《御制十全老人之宝说》云：“十全记即成，因选和阗玉镌‘十全老人之宝’并为说曰：十全本以纪武功，而‘十全老人之宝’则不啻此也。何言之？武功不过为君之一事，幸赖天佑，劼劬蒇局，未加一赋，而赋乃蠲四；弗劳一民，而民收无万。祇或免穷黩之讥耳。若夫老人之十全，则尚未全也。盖人君之职，岂止武功一事哉？朱子曰：一日立乎其位，则一日业乎其官，一日不得乎其官，则一日不敢立乎其位。官者何？职之谓也。君之职不能尽言，况敢云尽其职乎？未尽其职，则‘十全老人之宝’，不亦涉自欺与夸而增惭愧乎？然老人之十全，实更有奢望，不敢必以敬待天佑者。十全之武功，诚叨天佑矣。则十全之尽君职，或亦可以希天佑乎？夫适百里者半九十里，予今三年归政之全人，不啻半九十，而且如三十年之久矣。是以逮七十而系“犹日孜孜”以为箴，至八十而系“自强不息”以为勉，则此可必可不必。三年中敢不益励宵衣旰食之勤，益切敬天爱民之念，虔俟昊贶，或允臻十全之境，视三年诚如三十年之远，幸何如之，企何如之，惕何如之。是为说。”乾隆制此宝，不仅是要显扬其十全武功，而且是要时时勉励自己尽君之全职，以实现其“千古全人”之夙愿。可以这样说，此玺即是乾隆的纪功之物，也是他的自励之玺。

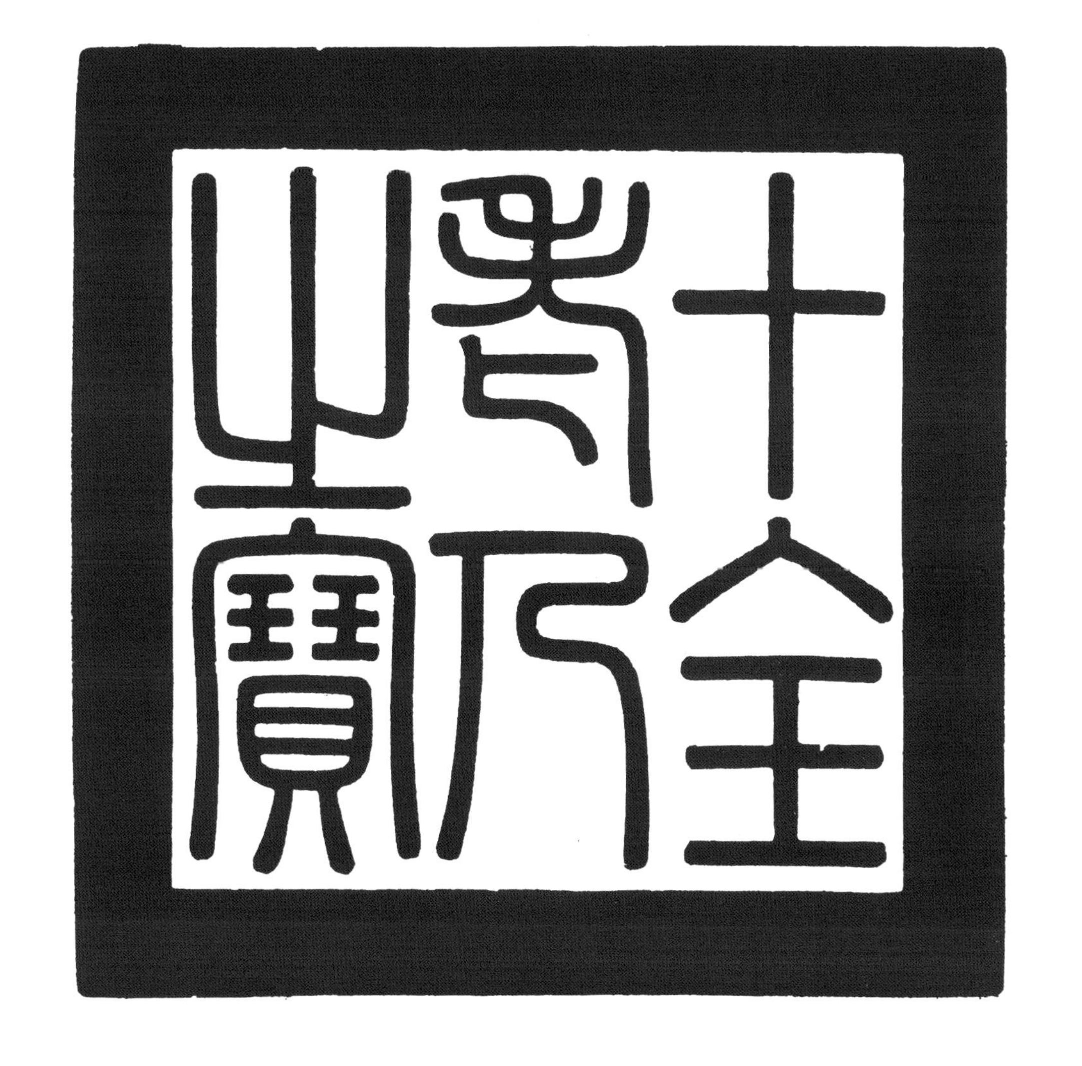

200. 五福四得十全之宝

碧玉质，交龙纽方形玺。篆书。面9.7厘米见方，通高9厘米，纽高4.5厘米。附系黄色绶带。承之以紫檀描金漆海水云龙纹宝匣。乾隆把他一生得意的几件事全刻为一玺，意在褒扬自己的文德武功，为自己树立一座纪念的碑石。“五福”出《尚书·洪范》，箕子所陈洪范九畴为：“初一曰五行，二曰敬用五事，次三曰农用人政，次四曰协用五纪，次五曰建用皇极，次六曰乂用三德，次七曰明用稽疑，次八曰念用庶徵，次九曰向用五福，威用六极。”乾隆对洪范九畴极为重视，曾著文：“《洪范》一书为箕子衍神禹之言，以诰武王者，不唯姬周一代制治之源，即万世帝王制治之源也……予之所以有会心者，向在皇极之建九畴省。”（《清高宗御制文三集》卷十四）正因为如此，乾隆皇帝的许多玺文便从《洪范》中的语句衍化而来。这里的“五福”，即指《洪范·九畴》中的第九“向用五福”的“五福”。包括寿、富、康宁、攸好德、考终命，乾隆认为他于这五个方面可以说做得相当不错。“四得”指“位，禄、名，寿”人生四大端。乾隆可说是名副其实。因此曾作《四得论》和《四得续论》阐发之曰：四者“皆因德而得之”（《清高宗御制文三集》卷二），以此标榜他自己德高盖世之功。“十全”详见“十全老人之宝”条。“五福四得十全之宝”为乾隆一生业绩之自我总结。

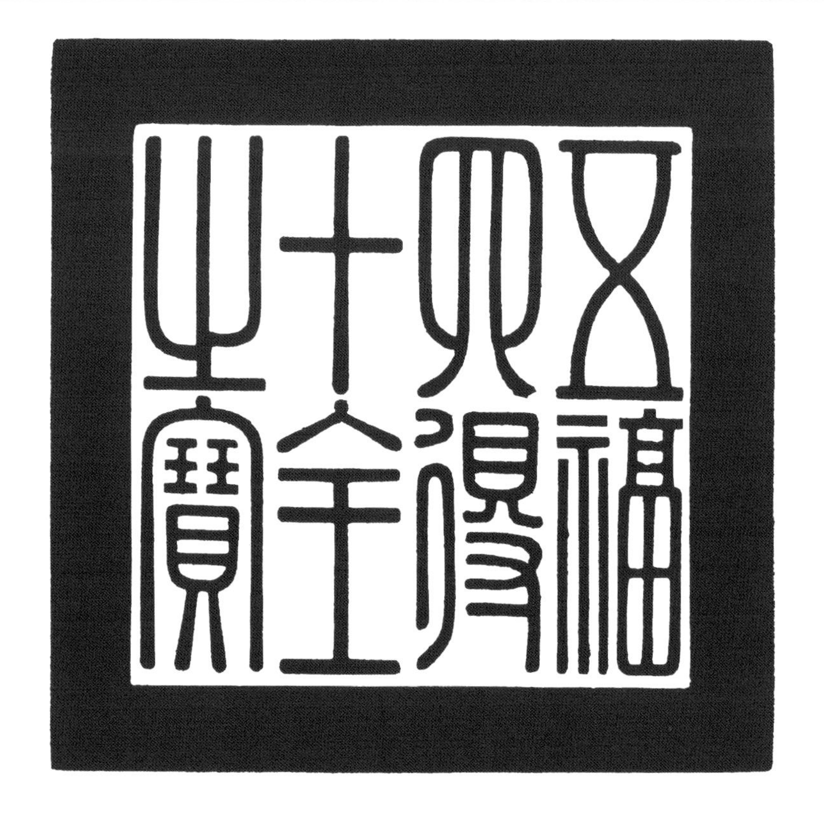

201. 太上皇帝之宝

碧玉质，交龙纽方形玺。篆书。面22.5厘米见方，通高15厘米，纽高7.3厘米。附系黄色绶带。四周阴刻乾隆御制《自题太上皇宝》诗。檀香木匣，匣座为须弥座。盖上五面雕刻云龙。乾隆六十年（1795年）九月初三日，即乾隆即位周甲之年，宣布立皇十五子颙琰为皇太子。第二年新正乾隆亲自举行授受大典，并下诏："……皇太子于丙辰正月上日即皇帝位。朕亲御太和殿躬授宝玺，可称朕为太上皇帝。"（《清高宗御制文余集》卷一）这样，乾隆结束了长达六十年之久的皇帝生涯，成为清代唯一的太上皇帝。在宣布传位颙琰后不久，九月二十八日，他又传下谕旨，"朕归政后，应用喜字第一号玉宝，刻太上皇帝之宝、册。即将御制十全老人之宝说，镌刻作为太上皇帝册，用彰熙朝盛端。"（《国朝宫史续编》"典礼一·盛典一"）这方"太上皇帝之宝"即是当时留下来的。至今看来，仍完好如初，光彩耀人。乾隆皇帝对此玺十分看重，陈设在皇极殿御案上。"太上皇帝授玺后，爰将旧存和阗贡玉喜字第一号玉宝镌太上皇帝玉宝，并镌圣制《十全老人之宝说》，作为玉册，于皇极殿御案陈设。""俟昊贶今岁元日礼成，宁寿宫皇极殿案上左陈'太上皇帝之宝'，右陈'十全老人之宝说册'，盛典炜煌，开辟以来真所罕见。"（《清高宗御制诗余集》卷一）

自題太上
寶
古來
上皇徽稱
號謂非當
所載太上
帝有加上
號之文在
時意取尊
寶皆繁文
節深所不

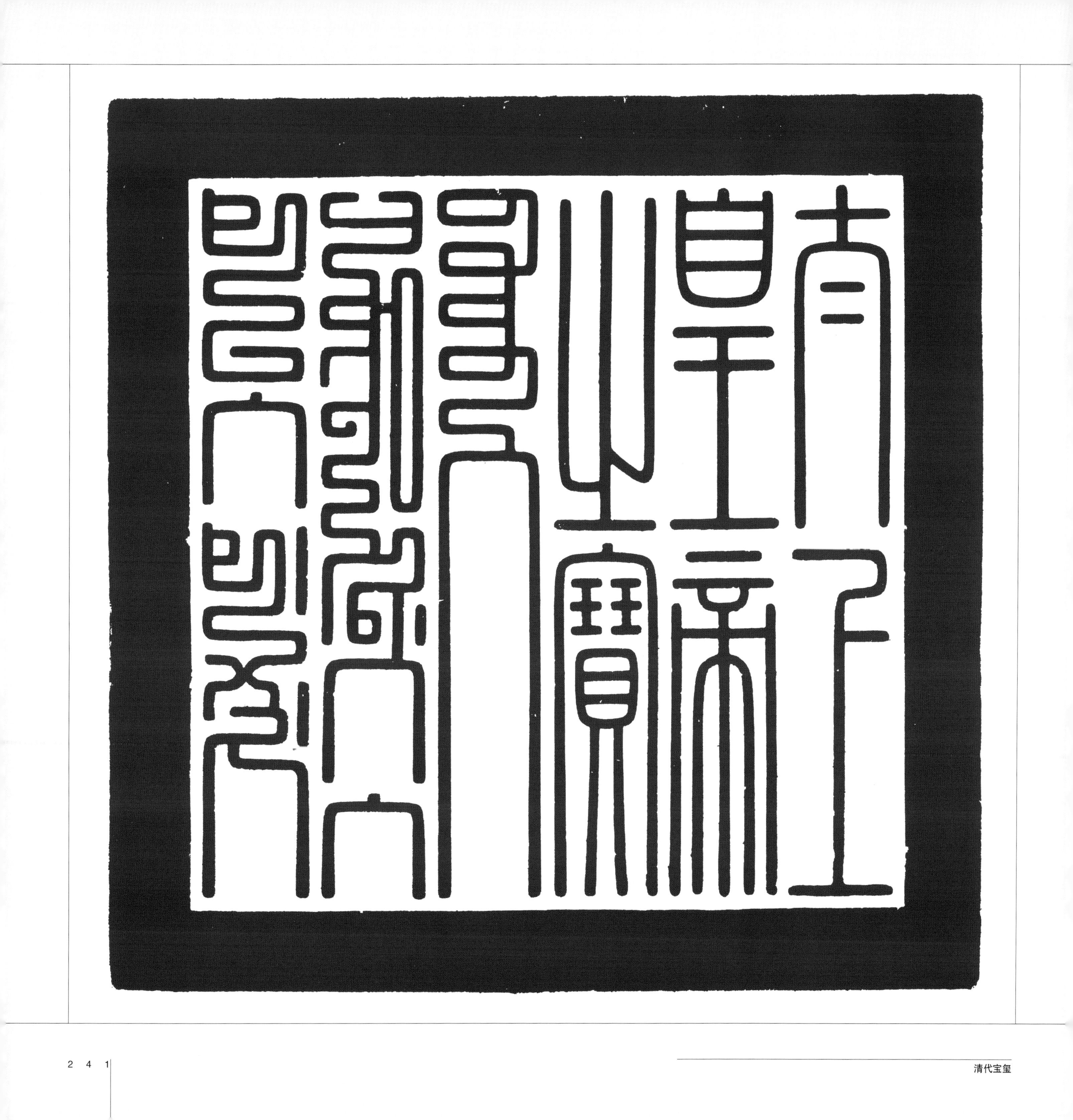

202. 归政仍训政

青玉质，交龙纽方形玺。篆书，面6.3厘米见方，通高5.6厘米，纽高2.7厘米。附系黄色绶带。刻于乾隆归政之后，乾隆曾有诏旨："归政后，凡遇军国大事，及用人行政诸大端"，"仍当躬亲指教。嗣皇帝朝夕敬聆训谕，将来知所秉承，不致错失。"（《清高宗实录》卷一千四百八十六）此后，训政便作为乾隆的合法权力和施政方式，时时出现于他自己的言谈话语中。"徼幸己躬最无射，频繁眷佑愧难承。虽云归政仍训政，两字心传业与兢"（《清高宗御制诗余集》卷一）。"今又届元夕，风月清佳，余揣精神纯固，训政如常，实为高年盛事。"（《清高宗御制文余集》卷二）"自丙辰元日授玺，心愿符初，迄今已阅三年，而训政敕几，仍未敢一日稍懈。"（同上卷二）乾隆训政一直延续到嘉庆三年十一月他去世为止。"归政仍训政"一直是乾隆作为太上皇时的行为准则，他以此对嘉庆帝进行约束，保证了国家政治仍然按照他的意图运转。在乾隆晚期诸玺中此玺显得尤为重要。

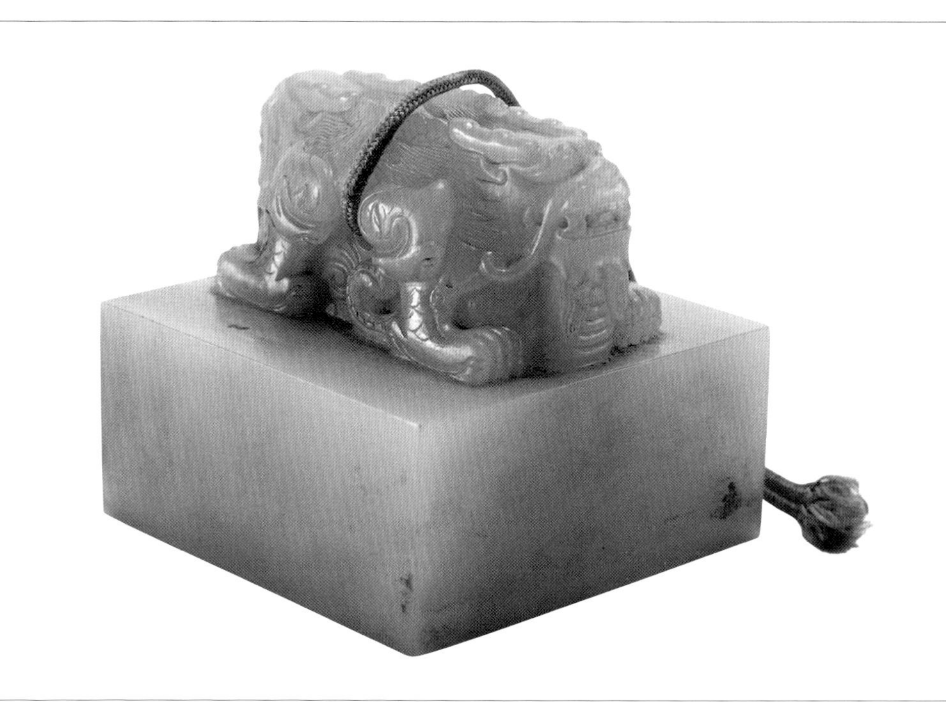

203. 心愿符初

碧玉质，交龙纽方形玺。篆书。面9.7厘米见方，通高10.3厘米，纽高5.2厘米。乾隆帝晚年刻治。乾隆晚年，除了训政之外，还经常沉浸在对自己一生辉煌历程的回味之中。津津乐道于“得遂初心”、“心愿符初”，在这种回味中得到了巨大的满足和精神寄托。乾隆晚年多次提到有关“心愿符初”的事情。譬如：“朕自御宇初年，即焚香敬告上苍，若纪年周甲，当传位嗣子，不敢仰希皇祖，以次增载之数。节经明降谕旨，宣于中外，今敬迓洪釐，幸符初愿，新岁大廷授玺。”（《国朝宫史续编》卷十一）“纪元周甲，心愿符初，今岁元正大廷授玺，称太上皇帝，幸为千古全人。”（《清高宗御制文余集》卷一）“朕今寿望九秩，精神康健，视听未衰。若来岁归政，遂思自暇自逸，竟置天下重务于不问，则非所以敬承天眷，亦非御极初年，定期归政，不肯恋位之初心矣。”（《清高宗御制文三集》卷三）“自丙辰元曰授玺，心愿符初，迄今已阅三年。”通过以上引文，可知乾隆所谓的“心愿符初”，大致有以下两个方面的含义。其一：纪元周甲。作为皇帝，御极天下六十年，是很不容易的事情。乾隆虽口口声声强调“不敢仰希皇祖，以次增载之数”，但实际上他所享有的已远远超过了康熙，这是他从未明言的心愿。其二，授玺归政，称太上皇，从而有资格同历史上的贤主明君比较，堪称“古今帝王第一”。

204. 嘉庆尊亲之宝

寿山石质，随形纽方形玺。篆书。面9.7厘米宽，9.3厘米长，通高17.8厘米。边题："含章发采，镂形九如，义标雅什，珍俪璠玙。旃蒙大渊献月在执徐。"据《尔雅·释天》，太岁"在乙曰旃蒙"，是为岁阳，"在亥曰大渊献"，是为岁名，是年为嘉庆二十年乙亥(1815年)。此宝周身雕山石树木，并有"九如"穿插其间。"九如"源出《诗·小雅·天保》。九个如字连用，为祝贺福寿延绵之意。"如山如阜，如冈如陵，如川之方至，以莫不增，……如月之恒，如日之升，如南山之寿，不骞不崩，如松柏之茂，无不尔或承。"尊亲之宝，专以荐徽号时用。徽号，褒美称号。清朝规定：国有庆典，必于皇太后尊号前叠加二字或四字，以示尊崇，是为上徽号。

205. 嘉庆御览之宝

白玉质，交龙纽方形玺。篆书。面9厘米见方，通高8厘米，纽高3.9厘米。附系黄色绶带。嘉庆几暇之余，流览书画，钤用此宝。《珠林三编凡例》规定：三编中所录“臣工书画，则用‘嘉庆御览之宝’。”

206. 嘉庆御笔之宝

寿山石质，螭纽方形玺。篆书。面8.6厘米见方，通高8.5厘米，纽高4.1厘米。边刻夔龙云纹。

207. 惟几惟康

昌化石质，随形雕云龙纽方形玺。篆书。面 7.1 厘米见方，通高 14 厘米。语出《尚书·益稷》：“安汝止，惟几惟康，其弼直。”盖言人君奉天命以临民，安其位者，惟在慎几，惟在慎微。嘉庆以“惟几惟康”为治世之要道，故刻之于玺，垂诸万世，固当与典谟训诰共昭法守。

208. 嘉　庆（连珠玺）

白玉质，随形螭纽连珠玺。篆书。"嘉"，圆形，阳文，面径2厘米，"庆"，方形，阴文，面2.4厘米见方。颙琰做皇太子时，封嘉亲王。乾隆六十年（1795年）八十六岁的乾隆帝退位，授玺仪式在太和殿举行，乾隆特赐新即位子皇帝年号为"嘉庆"。在《御制丙辰元日传位子皇帝并却上尊号诏》中对此加以说明："朕用嘉焉，已取吉袛告地宗庙社稷。"嘉庆皇帝在《御制诗余集·周甲延禧之宝联句》叙及年号来历说："庚辰（乾隆二十五年，1760年）[皇考] 元旦试笔，得长律二首，复即景成《岁朝图》，书之帧端，以迓新韶嘉庆。"当年十月，嘉庆诞生于圆明园。"是嘉庆新元，仰承眷顾厚恩，已肇锡于我生之先。"

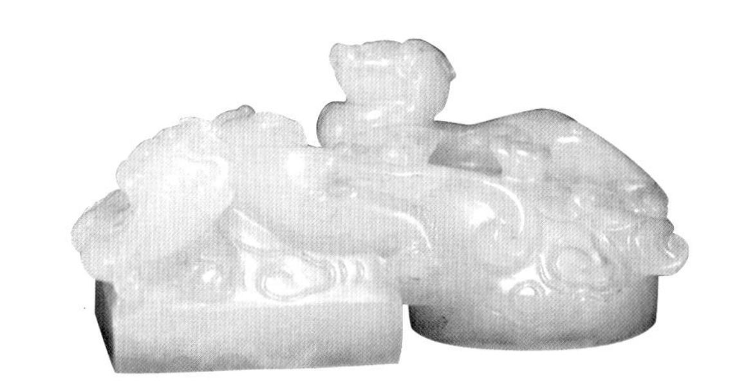

209. 传心基命

青玉质，云龙纽方形玺。篆书。面4.1厘米见方，通高7.3厘米，纽高3.1厘米。此玺原存嘉庆做皇太子时所居毓庆宫。《尚书·大禹谟》云，舜命禹曰："人心惟危，道心惟微，惟精惟一，允执厥中。"此之谓心法，"传心"即指此四句。传心殿正中礼皇师伏羲、神农、轩辕、帝师尧、舜；王师禹、汤、文、武；左右周公、孔子。帝王以精一之道为心法。基命，语出《诗·周颂·昊天有成命》，"夙夜基命宥密"。孔疏："基，始也；命，信也，宥，宽也；密，宁也。"《仁宗御制诗余集·周甲延禧之宝联句》曰："传心基命，帝心之宥密可见。"

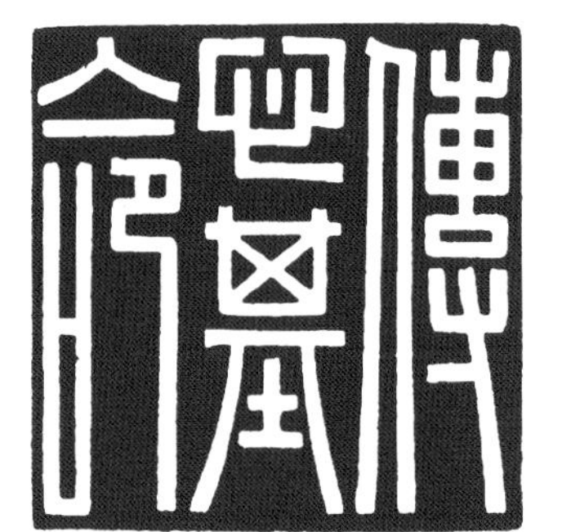

210. 嘉庆宸翰

寿山石质，随形纽方形玺。篆书。面3.3厘米见方，通高7.5厘米。宸，原指北极，即紫微垣，后借指帝王居处。翰，古以羽翰为笔，凡用笔所书者曰翰。唐代已有用“宸翰”专指帝王笔墨之迹。沈佺期有“花迎宸翰发”之句。

211. 夙闻诗礼凛心传

青玉质，交龙纽方形玺。篆书。面6.5厘米见方，通高5.8厘米，纽高2.7厘米。附系黄色绶带。夙闻诗礼，语出《论语·季氏》：“鲤趋而过庭。曰：‘学诗乎？’对曰：“未也。”不学诗无以言。鲤退而学诗。他日又独立，鲤趋而过庭，曰：‘学礼乎？’对曰：‘未也’。不学礼无以立。鲤退而学礼，闻斯二者。”凛心传，《大学衍义》云：“师弟以学说相传授亦曰心传。”嘉庆皇帝深受传统诗书礼仪熏陶和皇父言传身教，铭刻心间并要承继下来。

212. 俯寻周孔（组玺）

共七方。共贮于一紫檀木匣。原存澄观斋。嘉庆诸宝有一方一匣，三方、五方一匣，以至三十五方一匣者不等，“或从其文之类，或因其地之宜，每匣盖用正书标识，皆以紫檀为质。”（《仁宗御制诗余集》卷一）

稽则黄轩

青玉质，台纽长方形玺。篆书。面宽 3.4 厘米，长 3.6 厘米，通高 3.5 厘米，纽高 1.7 厘米。稽，稽考。黄轩：语出汉张平子《东京赋》，“改奢即俭，则合美乎斯干。登封降禅，则齐德乎黄轩。”黄轩指始祖黄帝。黄帝，号轩辕氏，亦称黄轩。《仁宗御制诗余集》释“俯寻周孔”、“稽则黄轩”二玺，“宝文曰：上参尧舜，俯寻周孔，稽则黄轩，……则道集大成，可仰见矣”。

俯寻周孔

青玉质，瓦纽方形玺。篆书。面 3.8 厘米见方，通高 2.5 厘米，纽高 1.2 厘米。俯寻：俯身探求。周孔：语出汉张平子《归田赋》，“弹五弦之妙指，咏周孔之图书。”周，指西周政治家周公旦，孔，指教育家孔丘。

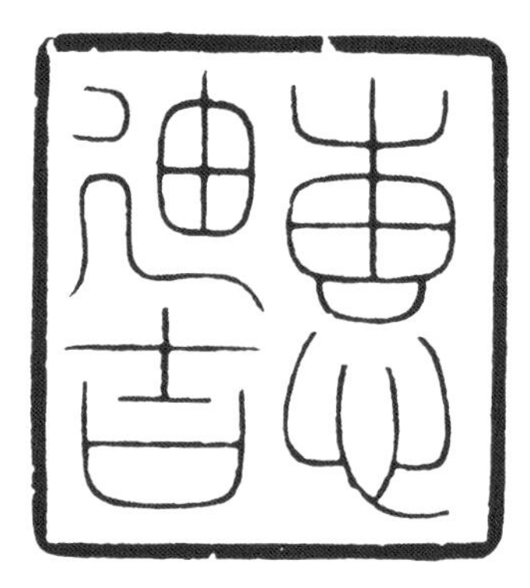

惠迪吉

青玉质，瓦纽方形玺。篆书。面宽 4.2 厘米，长 4.4 厘米，通高 2 厘米，纽高 0.8 厘米。惠迪吉，出自《尚书·大禹谟》。惠，顺应。迪，道。玺文含意是，顺应，合乎道理则祥和。《仁宗御制文初集》卷二引用此语，“励精克勤，孜孜犹日，八弊永除，庶民迪吉。”

韫灵呈瑞

青玉质，瓦纽方形玺。篆书。面4.2厘米见方，通高3.5厘米，纽高1.7厘米。韫，蕴藏，灵，有灵性之物；呈瑞，呈现祥瑞。古人附会自然界出现某种现象为吉祥之兆。王充《论衡》讲瑞，“王者受富贵之命，故其动出见吉祥异物，见则谓之瑞。”

澄观斋

青玉质，螭纽方形玺。篆书。面宽2.3厘米，长2.5厘米，通高1.7厘米。

包元履德

白玉质，螭纽方形玺。篆书。面3.2厘米见方，通高3厘米，纽高1.7厘米。包元：包含元德。取意《南齐书·乐志》，“于铄我皇，体仁苞元。”“元者，善之长也。”（《易·乾·文言》）意即天生万物，是最大的善，即是天的元德。履德：履行德政。嘉庆以为“人君为政之纲，莫先于修德。德者，得也。”（《仁宗御制文初集》）

测妙通微

白玉质，瓦纽方形玺。篆书。面宽3.4厘米，长3.7厘米，通高2.8厘米，纽高1.3厘米。微妙，精微深奥。老子：“古之善为上者，微妙玄通，深不可识。”玺文含意是：既能测识精微之处又能通晓深奥。

213. 保泰持盈

青玉质，瑞兽纽葫芦形玺。篆书。面宽2.4厘米，长4.1厘米，通高3.1厘米，纽高1.9厘米。“保泰持盈”是嘉庆帝为政要略，多次申明。践祚不久，即自勉“艰哉时保泰，凛若慎持盈。”（《仁宗御制诗初集》御太和殿作）道光帝追述其父功绩时，把“九有归怀”归功于嘉庆帝“承累洽重熙之治，著持盈保泰之规。”《养正书屋全集定本·恭跋御制木兰记》更推而广之，“大清亿万年无疆之庥，默运于大圣人朝乾夕惕，持盈保泰之衷。”

214. 仁心流露

青金石质，龙纽方形玺。篆书。面3.3厘米见方，通高5.4厘米，纽高2.6厘米。原存春好轩。以“仁”为本是嘉庆主张。御制诗文中“仁心”、“仁政”篇目屡见不鲜，尤以《仁宗御制诗三集·昭仁殿》最具代表性。“四始授时纪孟春，为人君必止于仁。苍生仰荷无疆泽，谟训昭垂衷敬循。久安习俗渐漓浇，敷教难期化敝凋。慎选贤才使司牧，仁心仁政庶宣昭。”

澄神静虑

青玉质，鹰纽方形玺。篆书。面2厘米见方，通高4.3厘米，纽高2.2厘米。玺文意指清心寡欲，无为而治。嘉庆皇帝对此有独到见解。“人君日理万几，非澄心则无以坐照。而澄心则又自无欲始，予惟澹泊宁静，以冀保泰持盈，勉思继绳焉耳。”（《仁宗御制诗三集》卷五十三）

215. 艺与道兼（组玺）

共三方，与六方“嘉庆御笔”及“笔正心正”、“怡神”、“契妙”，十二方青玉玺共贮于一紫檀木匣。

艺与道兼

青玉质，兽纽方形玺。篆书。面1.8厘米见方，通高3.9厘米，纽高2厘米。艺、道指学问和技能。《周礼·天官宫正》：“会其什伍而教之道艺。”注：“道谓先王所以教道民者；艺谓礼、乐、射、御、书、数”。“艺与道兼”，表明皇帝作为人主，学问与技能二者兼而有之的心迹。

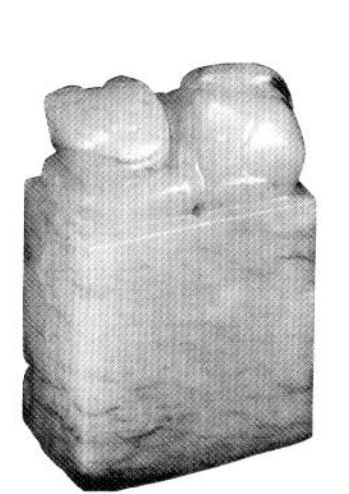

谦自牧

青玉质，异兽纽方形玺。篆书。面宽1.3厘米，长2.1厘米，通高3.2厘米，纽高1.9厘米。语出《易·谦卦》：“谦谦君子，卑以自牧也。”

216. 福绪祥源

寿山石质，佛手茎蔓纽方形玺。篆书。面4厘米见方，通高9.3厘米，纽高3.5厘米。

217. 高云情（组玺）

共三方，共贮于一紫檀木匣，原存漱芳斋东室，三宝无论是质地、纽还是宝文选取风格均一致。

高云情

碧玉质，蹲龙纽长方形玺。篆书。面宽2.9厘米，长4.5厘米，通高7厘米，纽高3.5厘米。漱芳斋东室曰高云情。

阳春布德泽

碧玉质，蹲龙纽方形玺。篆书。面4.5厘米见方，通高7厘米，纽高3.5厘米。玺文语出汉无名氏诗：“阳春布德泽，万物生光辉。”阳春，温暖的春天，又引申为惠政。玺文含意是，为人君贵乎有德，仅独善其身是不够的，必思施于民。

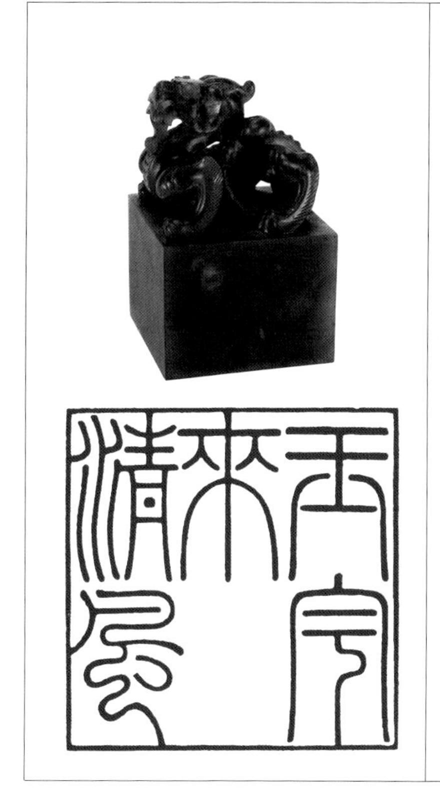

玉宇来清风

碧玉质，蹲龙纽方形玺。篆书。面4.5厘米见方，通高7厘米，纽高3.5厘米。玉宇，传说中神仙之住所。此处指明净的天空。玺文含意是，皇恩似和风吹拂众生。

218. **作字在敬（组玺）**

共四方，与“嘉庆御笔”三方及“玉润金生”、“天形得妙”共九方青玉玺共贮于一紫檀木匣。

作字在敬

青玉质，兽纽长方形玺。篆书。面宽1.5厘米，长3.7厘米，通高2.8厘米，纽高1.7厘米。此玺为宸翰之宝。《礼记·曲礼》：“毋不敬，俨若思。”敬的含意是注意。文华殿后有主敬殿。

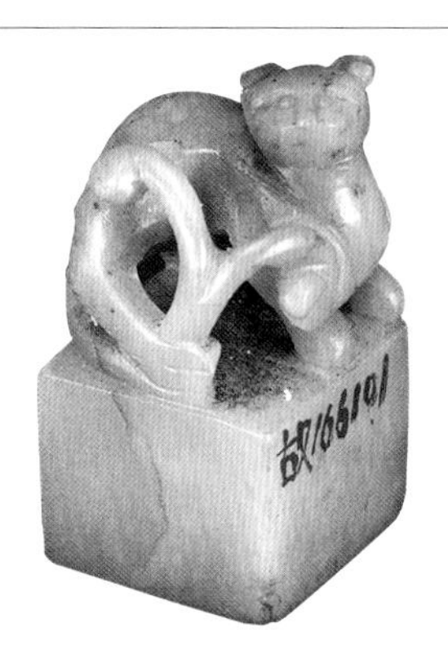

神动天随

青玉质，兽纽方形玺。篆书。面2厘米见方，通高3.9厘米，纽高2.2厘米。古人认为天是有意志神，是万物主宰。皇帝作为天之元子，与上天心意相通，相互感应，故天子神动，上天相随。此玺文的皇帝口吻与气派淋漓尽致。

流霞成彩

青玉质，兽纽长方形玺。篆书。面宽1.6厘米，长2.8厘米，通高2.8厘米，纽高1.4厘米。流霞：飘动的红色云彩。《文选》汉扬雄《甘泉赋》：“吸青云之流暇（霞）兮，饮若木之露英。”

烟云布濩

青玉质，兽纽长方形玺。篆书。面宽1.5厘米，长2.8厘米，通高3.9厘米，纽高2.5厘米。布濩：散布。晋谢灵运《传山居赋》：“山纵横以布濩，水迴沈而萦浥。”

219. 金昭玉粹（组玺）

共三方，共贮于一盒。原存漱芳斋后之金昭玉粹。嘉庆因“诸宝位置以懋勤殿藏者甚多，余则分贮各宫殿及圆明园、热河等处，以备钤用时按薮可考。”（《仁宗御制诗余集·周甲延禧之宝联句》）

金昭玉粹

碧玉质，蹲龙纽长方形玺。篆书。面宽2.9厘米，长4.5厘米，通高7厘米，纽高3.5厘米。此方是以殿名为玺文。

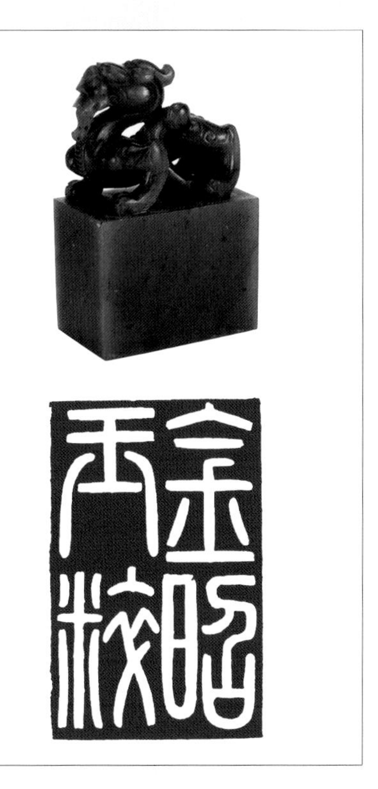

金锡炼而精

碧玉质，蹲龙纽方形玺。篆书。面4.5厘米见方，通高7厘米，纽高3.5厘米。玺文含意是，金、锡共融于一炉冶炼后，才更精良。

圭璧性有质

碧玉质，蹲龙纽方形玺。篆书。面4.5厘米见方，通高7厘米，纽高3.5厘米。圭、璧均为诸侯朝会、祭祀时所用符信玉器。古时又以玉比德。《诗·卫风·淇奥》：“有匪君子，如金如锡，如圭如璧”。玺文含意是，方圭圆璧本有其质性。

220. **平生知己是梅花**

青玉质，双鱼纽方形玺。篆书。面宽1.7厘米，长3.1厘米，通高4厘米，纽高2.2厘米。

221. **珠林三编**

青玉质，蹲龙纽方形玺。篆书。面3厘米见方，通高5厘米，纽高2.2厘米。刻于嘉庆二十年（1815年）二月至二十一年闰六月之间，《秘殿珠林三编》的简称。《秘殿珠林》是内府藏释道二家书画目录。乾隆九年（1744年），五十八年（1793年）分别有初编、续编。嘉庆年间，四朝宸翰，前编、续编所未载入者又得千余件。嘉庆御笔书画，臣工所进及旧编阙略者，积成二千余件，允宜辑三编。英和等分司编纂，三编成于嘉庆丙子（嘉庆二十一年）。《三编凡例》定诸玺使用范围。"恭遇列圣宸翰、皇上御书则用'珠林三编'或曰'宝笈三编'，'秘殿珠林所藏'或曰'石渠宝笈所藏'凡二玺。今臣工书画，则用'嘉庆御览之宝'，……凡五玺，又如'珠林三编'或曰'宝笈三编'一玺，以示别于续编。"

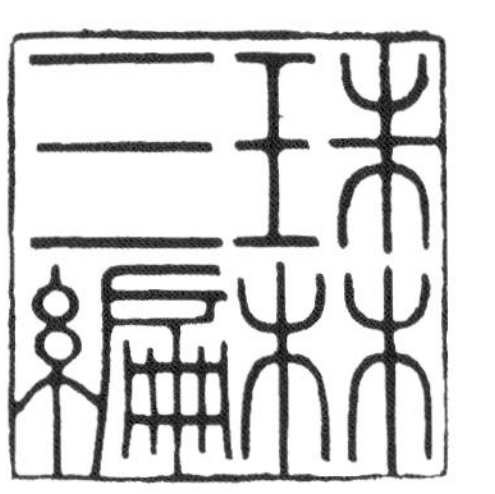

222. 宝笈三编

青玉质，蹲龙纽方形玺。篆书。面3厘米见方，通高5厘米，纽高2.3厘米。与“珠林三编”同时刻制，《石渠宝笈三编》简称。《石渠宝笈》是与《秘殿珠林》同步编纂的内府藏书画目录。分书册、画册、书画合册；书卷、画卷、书画合卷、书轴、画轴、书画合轴九类。每类又分上、次两等。于每一书画真迹，皆详记其纸绢，尺寸，款识，印记，题咏，跋尾等项。“宝笈三编”玺钤用范围与“珠林三编”相同。

223. 宁寿宫续入石渠宝笈

白玉质，狮纽方形玺。篆书。面3.4厘米见方，高6.1厘米，纽高3.7厘米。承之以须弥座紫檀木宝匣。刻制于乾隆五十八年（1793年）季春，《石渠宝笈续编》完成之时。《石渠宝笈初编》收录分贮乾清宫、养心殿、重华宫、御书房四处的书画。续编时补充宁寿宫所藏，并规定贮五处之书画分钤玺一：“乾清宫鉴藏宝”、“养心殿鉴藏宝”、“重华宫鉴藏宝”、“御书房鉴藏宝”、“宁寿宫续入石渠宝笈”。

224. 道光御览之宝

青玉质，瑞兽纽方形玺。篆书。面 3.4 厘米见方，通高 2.2 厘米，纽高 1 厘米。

225. 道光御笔之宝

白玉质。瑞兽纽方形玺。篆书。面 2.5 厘米见方，通高 3 厘米，纽高 2 厘米。

226. 道光御笔

白玉质，瑞兽纽方形玺。篆书。面 2.2 厘米见方，通高 2.6 厘米，纽高 1.4 厘米。

227. 道光御用

碧玉质，蹲龙纽方形玺。篆书。面 4.6 厘米见方，通高 7 厘米，纽高 3.5 厘米。

228. 道光鉴赏

青白玉质，桃纽椭圆形玺。篆书。面宽 1.5 厘米，长 3 厘米，通高 2.6 厘米，纽高 0.8 厘米。

229. 道　光（连珠玺）

仿汉玉质，随形连珠玺。篆书。面宽 1.4 厘米，长 3 厘米，两珠面均 1.4 厘米见方，通高 2.9 厘米。

230. 恭俭惟德

寿山石质，随形雕灵芝葡萄纽方形玺。篆书。面6厘米见方，通高9.5厘米。语出《尚书·周官》："恭俭惟德，无载尔伪。"道光皇帝在《养正书屋全集定本》卷三十二中说："《书》曰：推贤让能，庶官乃和，盖言谦也，恭俭惟德，无载尔伪，盖言德也。"并申明为政之要，务德为首，"在内则节身谨度，屏去浮华，崇尚恭俭，而忠良任之勿贰，谗佞去之勿疑，虚心礼下，常念满损之戒。"

231. 政贵有恒

寿山石质，通体云龙纹方形玺。篆书。面4.6厘米见方，通高9.9厘米。语出《尚书·毕命》周康王向毕公语："政贵有恒，辞尚体要，不惟好异。"

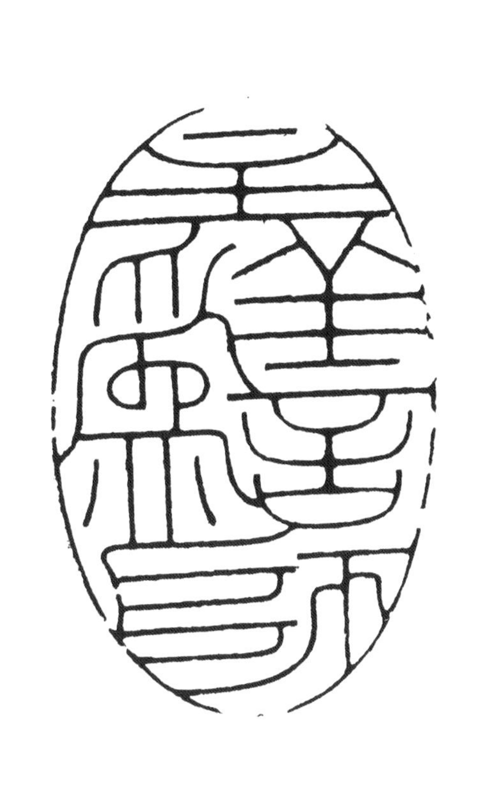

232. 主善为师

寿山石质，随形雕六螭灵芝椭圆形玺。篆书。面宽5.2厘米，长8.2厘米，通高12.5厘米。《尚书·咸有一德》："其难其慎，惟和惟一，德无常师，主善为师。"意云德无固定效法榜样，以善为主，便可做楷模。道光皇帝在《养正书屋全集定本》卷三十五中说："善者，乃人生固有之良，所以主万物之命，而行万事之本也。"人君治理天下，以善为宝，集思广益。当众议纷纭之会，应"主善以为师"，否则"虽发言盈廷，亦无异筑室谋道"。

233. 虚心实行

寿山石质，光素方形玺。篆书。面5.4厘米见方，通高9.3厘米。

234. 咸丰御览之宝

田黄石质,随形纽方形玺。篆书。面宽9.3厘米，长9厘米，通高13厘米。三面有边款分别题："惟清"，"坚栗精密，泽而有光。五色发作，以和柔刚。心逸"，"玉蜜滋"。

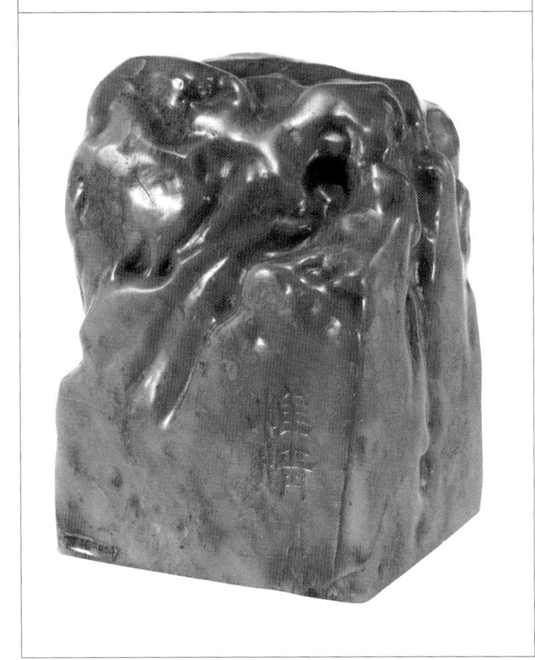

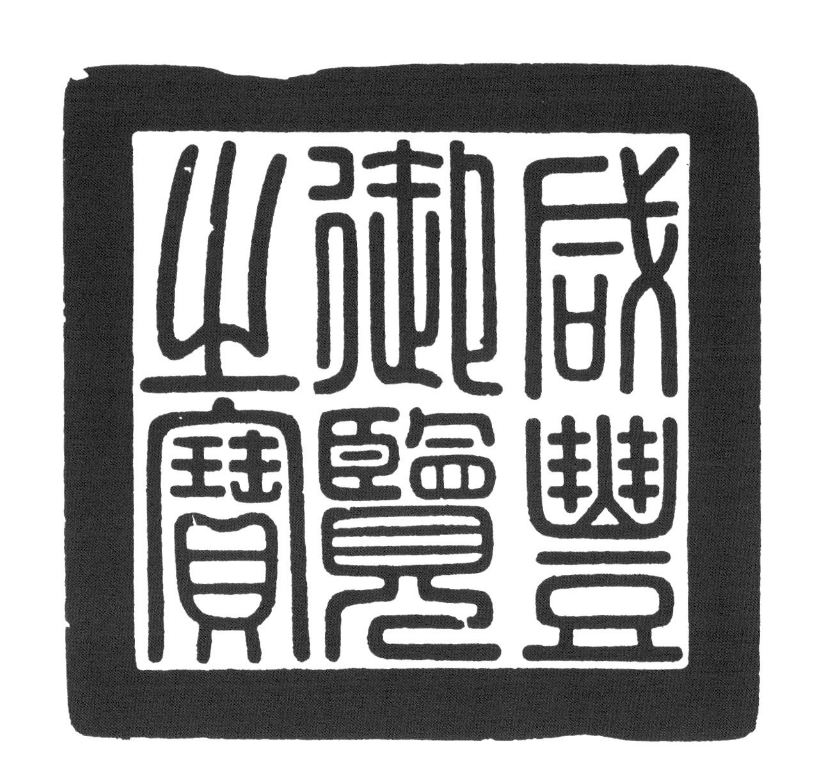

235. 咸丰御览之宝

寿山石质，夔凤纽椭圆形玺。篆书。面宽3.7厘米,长3.5厘米,通高5厘米,纽高2.5厘米。

236. 咸丰御览之宝

竹质，瓦纽方形玺。篆书。面 2.3 厘米见方，通高 5.2 厘米，纽高 0.9 厘米。

237. 咸丰之宝

墨晶质，狮纽方形玺。篆书。面 6.2 厘米见方，通高 12.3 厘米，纽高 5.7 厘米。

238. 咸　丰（组玺）

均鸡血石质，光素方形玺，高 15.7 厘米。“咸”字玺，篆书，阳文。面径 4 厘米，有万字回纹；“丰”字玺，篆书，阴文。面 4 厘米见方，亦有万字回纹。两玺组合使用。以一圆一方连珠组合使用年号玺，并用万字回纹装饰，始于乾隆时期。

239. 咸丰鉴赏

寿山石质，狮纽方台圆面玺。篆书。面径 3.8 厘米，通高 3.1 厘米，纽高 1.5 厘米。

240. 咸　丰（连珠玺）

象牙质，桥纽连珠玺。篆书。通高2.3厘米。“咸”，阳文，面径1厘米，“丰”，阴文，面1厘米见方。

241. 克敬居

田黄石质，瑞兽纽长方形玺。篆书。面宽2.8厘米，长4厘米，通高4.8厘米，纽高2.8厘米。语出《尚书·太甲中》：“惟天无亲，克敬惟亲。”意云天于人无亲疏，惟敬能亲。

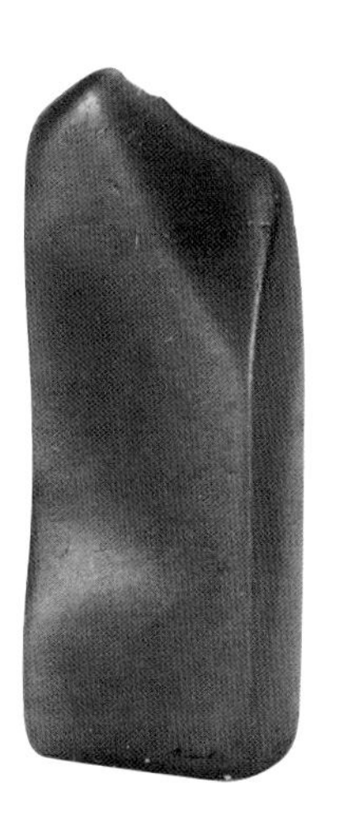

242. 御赏

田黄石质，光素长方形玺。篆书。面宽1厘米，长2厘米，通高5厘米。与“同道堂”小玺共贮一匣。此玺是咸丰帝鉴赏书画时常钤用的小玺。《军机处上谕档》载：咸丰十一年七月十六日谕，立载淳为皇太子，命载垣、端华、景寿、肃顺等八人为辅政大臣。同时规定：此后以“御赏”、“同道堂”两玺为发布谕旨的凭信。“御赏”为印起，“同道堂”为印讫，凡应朱笔处用此代之。“御赏”由皇后钮祜禄氏慈安掌管，“同道堂”由嗣皇帝载淳掌管。因载淳年幼，慈禧以嗣皇帝生母身份，代子钤印。

243. 同治尊亲之宝

水晶质，连环桥纽方形玺。篆书。面4.8厘米见方，通高5.2厘米，纽高2厘米。此玺曾钤于慈安皇太后、慈禧皇太后《行乐图》。“同治”是穆宗皇帝载淳年号。载淳嗣位后，原拟年号“祺祥”，大学士周祖培奏请更正。议政王、军机大臣受命恭议，乃以“同治”二字进呈，慈安、慈禧两太后允行。同治二字表示两宫太后临朝而治。

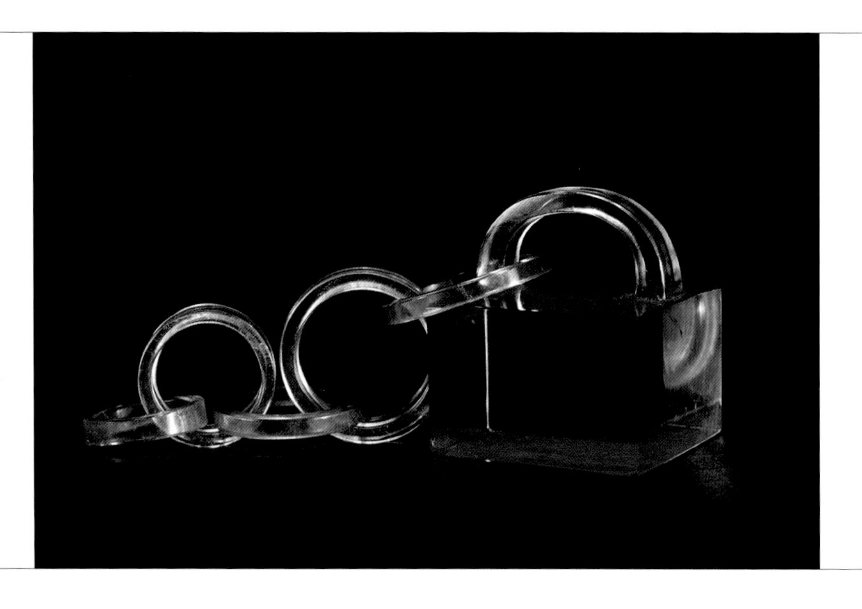

244. 同治御笔之宝

青玉质，交龙纽方形玺。篆书。面9.7厘米见方，通高9.4厘米，纽高5.2厘米。附系黄色绶带。承之以紫檀木匣。

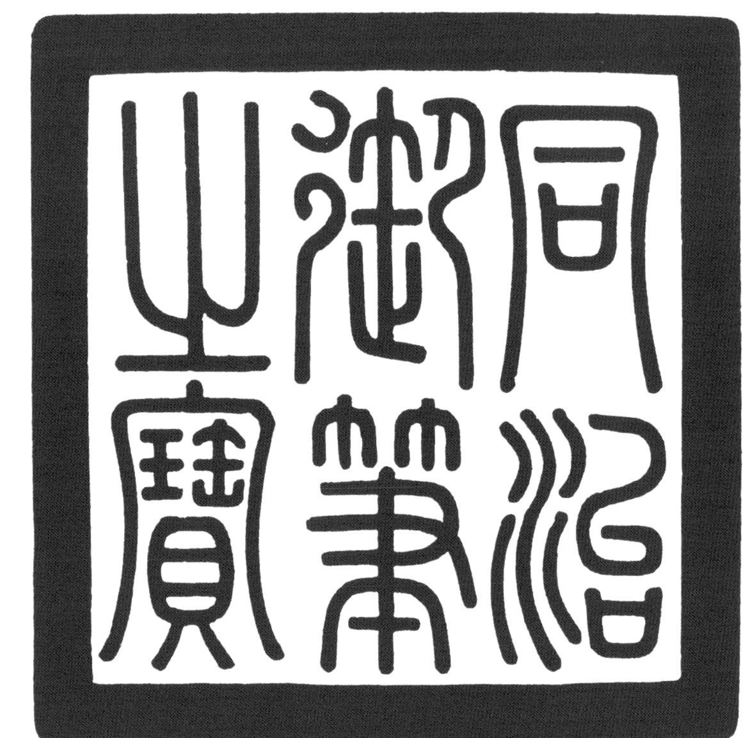

245. 同治宸翰

青玉质，螭纽方形玺。篆书。面3.5厘米见方，通高4.7厘米，纽高2.2厘米，承之以紫檀木匣。

246. 同治之宝

青玉质，螭纽方形玺。篆书。面3.5厘米见方，通高4.5厘米，纽高2厘米。承之以紫檀木匣。

247. 同治　敬书（连珠玺）

昌化石质，随形光素连珠玺。篆书。面宽1.1厘米，长2.7厘米，两珠分别为1.1厘米见方，通高5.3厘米。

248. 同治　敬绘（连珠玺）

昌化石质，随形光素连珠玺。篆书。面宽 1.1 厘米，长 2.8 厘米，两珠分别为 1.1 厘米见方，通高 5.6 厘米。

249. 同　治（组玺）

均寿山石质，螭纽方形玺。篆书。通高 6.2 厘米，纽高 3.2 厘米。“同”字玺，阳文，外围有万字回纹圆案，面径 4.4 厘米；“治”字玺，阴文，外围有万字回纹图案，面 4.4 厘米见方。

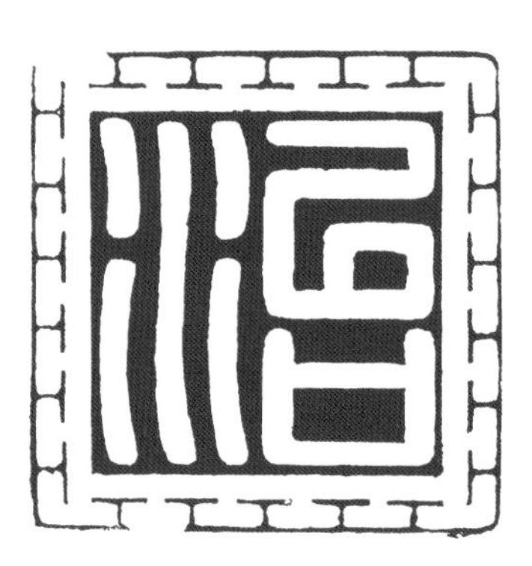

250. 光绪御览之宝

青玉质，交龙纽方形玺。篆书。面 9.7 厘米见方，通高 9.8 厘米，纽高 5.2 厘米。

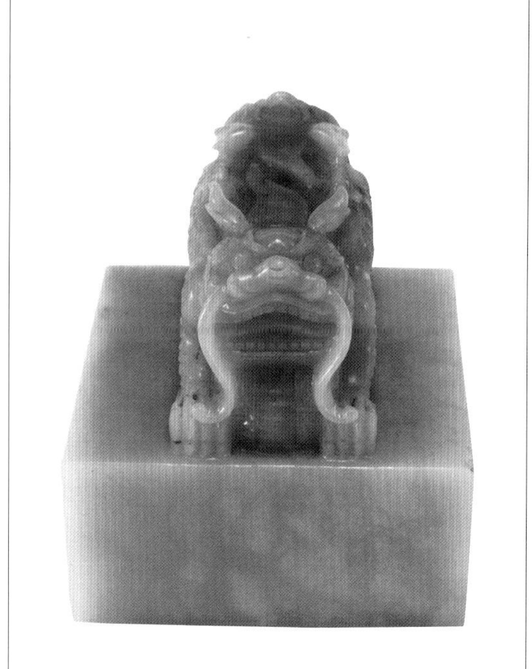

251. 光绪御笔之宝

青玉质，交龙纽方形玺。篆书。面 13 厘米见方，通高 9.3 厘米，纽高 4.5 厘米。

252. 光绪之宝

檀香木质，柱纽方形玺。篆书。面 10.7 厘米见方，通高 15 厘米，纽高 10.7 厘米。

253. 光　绪（组玺）

均白玉质，江山万代纽方形玺。篆书。面1.8厘米见方，通高3.6厘米，纽高1.3厘米。两玺形制一样，组合使用。

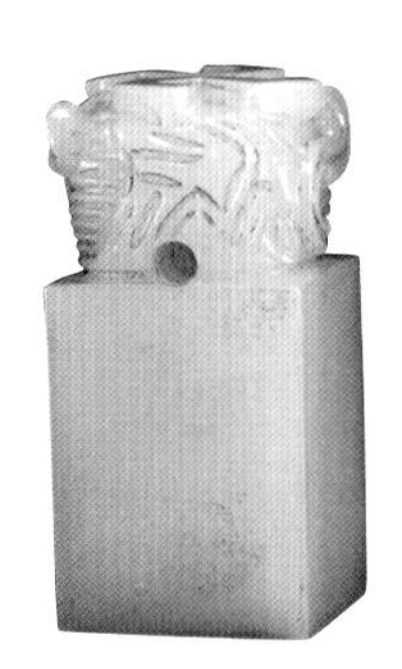

254. 光　绪（组玺）

均青玉质，蹲龙纽方形玺。篆书。“光”字玺，阳文。面径4.7厘米，通高5厘米，纽高1.5厘米。“绪”字玺，阴文。面4.7厘米见方，通高5.2厘米，纽高2.2厘米。二玺台形制均同，惟面一圆一方，组合使用。

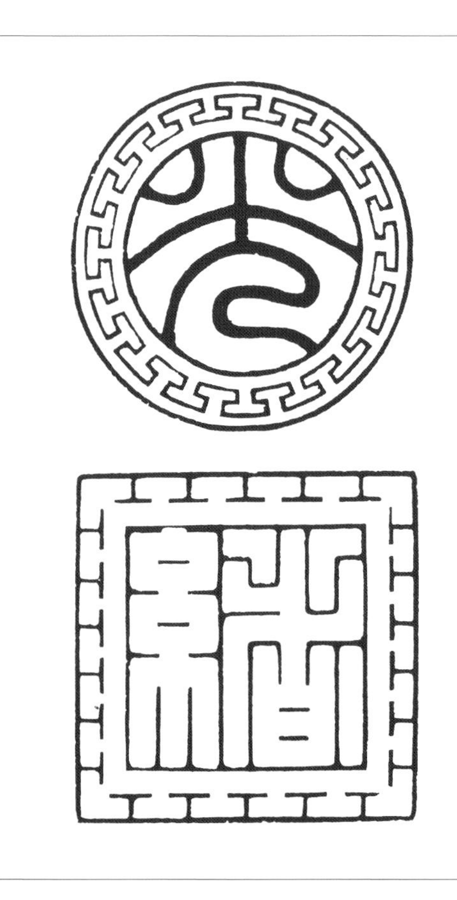

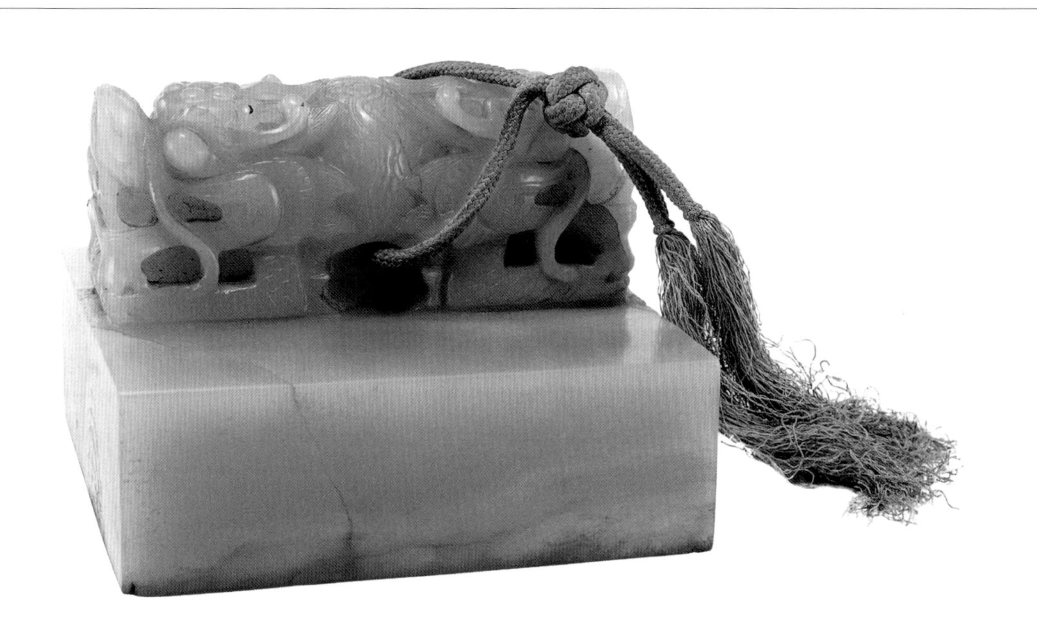

255. 宣统御览之宝

青玉质，交龙纽方形玺。篆书。面 12.9 厘米见方，通高 9.4 厘米，纽高 5.1 厘米。宣统是溥仪年号，退位后，在宫中帝号仍存不废，享有优待条件。1924 年夏，溥仪派陈宝琛、宝熙、耆龄、袁励准等，查点宫中珍本书籍和历代名人书画，曾在书画上钤“宣统御览之宝”及宣统所用鉴赏诸玺。

256. 宣统宸翰

寿山石质，光素方形玺。篆书。面 1.5 厘米见方，通高 2.9 厘米。边题："臣载洵恭刊"。钤有"宣统宸翰"的匾联，有一部分是朱益藩代笔。溥仪自己书匾联时，事先由师傅把拟定词句写在纸上，再由人按笔划用针刺出小孔，撒上白粉后，漏在另一纸上，白粉就勾勒出字形。溥仪照白粉字形来描书，最后盖上"宣统宸翰"之类宝玺。载洵是醇亲王载沣六弟，光绪十一年（1885 年）四月初七日生，曾任海军大臣，1949 年 3 月死于天津。与"宣统宸翰"同时刻制的还有"宣统御赏"，二玺共装一檀香木匣。

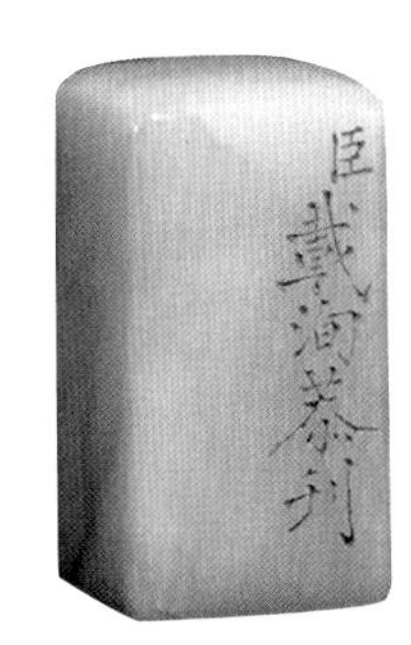

257. 宣统鉴赏

象牙质，光素方形玺。篆书。面 2.6 厘米见方，通高 5.7 厘米。

258. 即此是学

鸡血石质，光素方形玺。篆书。面 2 厘米见方，通高 7.9 厘米。边题："臣金绍城敬篆"。即此是学，指帝王应具备的学识和涵养，都要学习。金绍城（1878-1926 年），字巩北，号北楼。浙江吴兴人。嗜画，兼工书法、篆刻及古文辞。

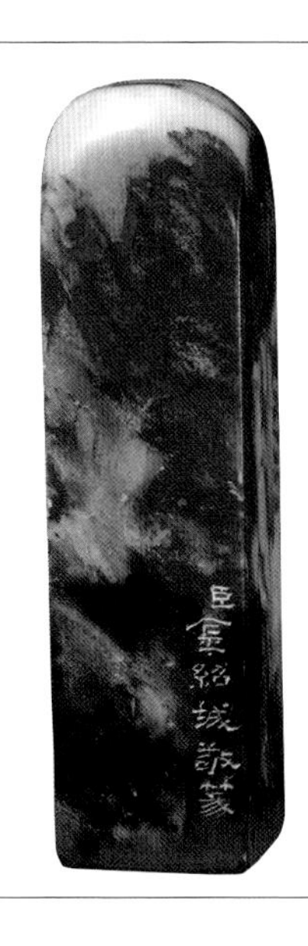

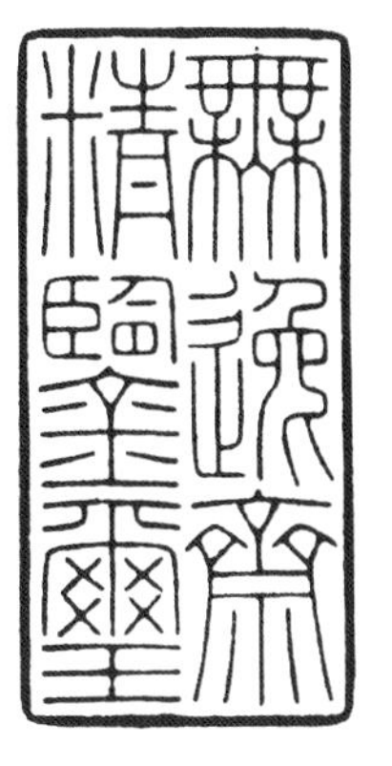

259 无逸斋精鉴玺

象牙质，光素长方形玺。篆书。面宽 2.4 厘米，长 4.9 厘米，通高 5.9 厘米。宣统鉴赏古代书画钤用之玺。语出《尚书·大禹谟》：“周公曰 ：呜呼！君子所其无逸，先知稼穑之艰难乃逸，则知小人之依。”紫禁城和圆明园均有无逸斋。

260. 无逸斋精鉴玺

象牙质，光素长方形玺。篆书。面宽 1.7 厘米，长 3.1 厘米，通高 7.8 厘米。

后妃宝玺

HOUFEI BAOXI …… 关雪玲

清代后妃宝玺种类不一，大体有三类，即尊号宝玺、徽号宝玺、御书钤用诸玺，都是宫廷玺印的重要组成部分。

崇德前，“宫闱未有位号”，诸后妃均按满洲旧制称“福晋”。太宗嗣位后，仿中原礼制颁定位号。“以中宫大福晋哲哲为皇后，居清宁宫；大福晋海兰珠为宸妃，居关雎宫；大福晋那木钟为贵妃，居麟趾宫。”至此，“五宫并建，位号既明，等威渐辨。”（《清史稿》卷二百十四》）又分别循中原旧典，举行册封仪式。康熙以后，典制大备。规定：皇后居中宫，主内治；皇贵妃一位，贵妃二位，妃四位，嫔六位，分居东西十二宫，佐内治。皇帝册立皇后，册封妃、嫔需铸金宝、金印，嗣皇帝上皇太后徽号也要进金宝或玉宝。宝印各有定式，据《大清会典》卷三十四载：

“皇后金宝，清、汉文玉筯篆，交龙纽，平台，方四寸四分，厚一寸二分。用三等赤金五百两。宝盝高七寸八分，方八寸。宝色池，高二寸，方四寸八分，均金制。外椟，绘凤文。皇贵妃金宝，清、汉文玉筯篆，蹲龙纽，平台，方四寸，厚一寸二分。用六成金四百两。宝盝，金制。宝色池，银制，金饰。外椟，朱髹，金饰，绘鸾凤文。贵妃金宝与皇贵妃同，外椟绘云龙文。妃金印，清、汉文玉筯篆，龟纽，平台，方三寸六分，厚一寸。用五成金三百两，印盝，印色池如贵妃。”

需要说明的是，后妃宝玺的“皇后之宝”、“贵妃之印”，并不专属于某一皇后或贵妃个人，性质类似于二十五宝中的“皇帝之宝”，依皇后或贵妃位号易人而传于新获位号者。

金宝、印的制造程序亦有规定。《大清会典》卷三十四载：先拨造蜡模，按台纽尺寸定式进呈后，铸印局官会同内务府官于造办处祭炉监造。择吉日行礼颁发。

皇后尊号之上再加颂词，是上徽号。如某某皇太后、某某太皇太后。上徽号所进册宝为徽册、徽宝。

清代上皇太后徽号之举沿袭明旧制。顺治八年（1651年）二月，世祖亲政。举上徽号、奉册宝之礼。规定：“新君践阼，奉母后为皇太后，皇太后为太皇太后，则上尊号；国家行大庆，则上徽号，或二字或四字，递进以致推崇。”（《清史稿》卷八十八）有清一代，上徽号凡三十四次。其中孝庄文皇后九次，徽号字样共十字；孝钦显皇后八次，徽号字样共十六字。顺治十一年（1654年）六月授意群臣上皇太后徽号谕旨：“致治莫先于敦本。化行自近，礼崇所生，盖以达孝忱而慰众望也。……惟圣母昭圣慈寿恭简皇太后，训育深思，敷扬罔既。兹复慎遴淑女，作配朕躬，睠兹内治之有人。益仰慈恩之难报，宜弘昭显德，丕著彝章。加上徽号曰：昭圣慈寿恭简安懿皇太后，庶因备美之名，用广锡类之孝。”（《世祖实录》卷八十四）

徽号册宝分金册宝、玉册宝两种。《清史稿》卷八十六载：册宝初制用金，康乾时兼用嘉玉，道光后专以玉为之。据今存实物，应该说是乾隆三十六年（1771年）后专用玉。这次变革起因是：乾隆三十四年（1769年）检稽体仁阁尊藏法物，见康熙年间历次加奉太皇太后玉册、玉宝俱存。再者，乾隆认为册宝用金，不辨等威，“下逮亲藩封爵，册宝亦得范金，是嘉玉较良金尤为宝贵”，册宝用玉“礼特重”。（《高宗实录》卷八百四十八）故此，诏以辛卯之岁（乾隆三十六年，1771年），皇太后八旬万寿，用和阗岁贡大玉中之最佳者，恭制册宝。乾隆四十七年（1782年）把重刻五朝谥册宝所余和阗良玉中玉色较白而未能一律者，编为“喜字号”。乾隆进而指定“喜字号”玉料为上徽号专用。“嗣位之皇子崇上尊称，即将此玉成造册宝，并嗣后皇孙、皇曾孙辈，有承事东朝，尊崇徽号者，皆以此等‘喜字号’玉一体呈用，永为定制。”（《清高宗御制文二集》卷九）乾隆四十九年（1784年）十月，又把五份纯洁玉料编入“喜字号”，交广储司存贮。光绪二十年（1894年），慈禧皇太后六旬大寿所用册宝，就是从两份“喜字号”玉料中择取的。

册宝定制分太皇太后、皇太后不同等级。太皇太后金册十页；金宝，盘龙纽，平台，方四寸四分，厚一寸二分；玉宝，交龙纽，方四寸四分，纽高二寸六分，台高一寸八分；俱用玉箸篆。皇太后金册十页，高七寸一分，广二寸二分，每页用三等赤金重十有八两，联以枢纽，面钑升降龙纹。内椟高九寸，长一尺，广六寸五分。外椟高尺有三寸，长尺有三寸五分，广一尺。架高二尺一寸，方一尺八寸。均楠木，朱髹，金饰，绘龙凤纹褀垫，均用黄缎。金宝，盘龙纽，平台，方四寸四分，厚一寸二分。清篆左，汉篆右，篆用玉箸体。宝盝高七寸八分，方八寸。宝色池高二寸，方四寸八分，均以六成金制。盝重百有七两，池重六十两。外椟绘龙凤纹，高尺有二十，椟架高二尺一寸，方尺有八寸。均楠木制，朱髹，褀垫均用黄绮。

徽册中规格最高，数量最多的玉册，文献中不见定制。但现藏清代遗存的玉册可分前后两时期。前期页数不等，依册文长短而定，最多的达十七页。册页单面刻字，册文由光素阴刻过渡到阴刻并填青或金。相邻两页间用丝织带穿系，开合如古书帙状。后期玉册册页划一，均为十页，两面刻字，册文填金。同治、光绪时册面纹饰间或有海水江崖纹。册页不再用丝织带穿系，而是散页，顺序叠放，为方便阅视，每页均标明页码。本书所选两件玉册均属于后期。

徽号册宝制造“有典有则”。仅以玉册为例，首先拟徽号字样。由内阁敬拟，大学士恭阅有司撰拟文后，奏请钦定。钦定字样移会各衙门一体遵照。其次，备玉料，册文、宝文撰写。玉料由内务府采办，册文由翰林院撰写，宝文由翻书房与内阁合篆。再次，册宝镌刻。一般由内务府造办处承担，有时也交由苏州织造办理。册宝镌刻完竣，由内阁核对收贮，待典礼时用。最后，工部办理盛装玉宝金箱、金印池及为捆扎册页时作别子之用的金钱、匣架、褀、褥、锁钥、宣读之册宝等项事宜。

上徽号，进册宝，举行隆重仪式，是为上徽号仪，属于嘉礼。上徽号仪分祭告礼节，进奏书礼节，恭进册宝、受贺礼节，进表、颁诰礼节。

后妃御书钤用诸玺与金宝、金印不同，选材、形制、文体、使用范围等，均无定制，可以依照后妃喜好，随意为之。印材有玉、石、木；形制有长方、正方、椭圆、圆形等，纽则有龙纽、兽纽、花卉纽、随形纽等，文体不必清汉两种文字，都是汉文篆书或楷书，或阴文或阳文，亦有朱白相间的连珠玺。

后妃除“主内治”、“佐内治”外，有时则藉丹青消闲。慈禧皇太后亦有时赐臣工御笔福、寿及字画。御题字画、匾额、楹联上均钤用小玺，以示对臣下恩宠。《清宫词》有“蕙质兰心秀并如，花钿回忆定情初，珣瑜颜色能倾国，负却宫中左手书。”说的是同治帝皇后貌虽亚于珣、瑜，但工书，尤能以左手作大字。同治帝瑜妃尤为颖慧，能诗工乐，堪称女中有才智者，且于泰西各国之掌故俗尚，亦了若指掌。居室陈设简朴，但图书四壁，颇有雅趣，其诗多凄戚之音，有所感也（《清宫遗闻》）。此说或许过誉，但瑜妃学识确实过人，在晚清四太妃中居首位。其两方闲章，“静者之怀和若春”、“所乐自在山水间”，反映出宫中生活枯燥无奈，瑜妃只好修身养性，寄情书画的心态。

后妃所谓御笔书画，并非均亲笔所作，而有如意馆画师手笔。名噪一时的缪太太——嘉蕙就是慈禧代笔人。慈禧作画时，如意馆差役手托颜料碟在旁侍候，缪嘉蕙“指点”。慈禧画不来之处，缪嘉蕙便恭敬照样画出。又曾为慈禧刻制连珠“御笔”小玺。

御书钤用诸玺大致可分为：御笔、御览类。如“慈禧皇太后御笔之宝”、“端康皇贵妃御笔”、“储秀宫御览”、“翊坤宫鉴赏”等。抒情类。后妃有感而发，直抒胸臆，玺文内容或多或少能窥见其心态。慈禧垂帘听政，政治上满足，“恩风长扇”、“天地一家春”显示王化之帡幪。“澂心正性”、“仁者寿”则是修养身性，以祈长寿的夙愿。端康皇贵妃则是无为于政事的另一种心态。“乐琴书”、“寿永年”、“平安”便心满意足。端康墨迹所留不多，现存清东陵的一御笔团扇，钤有上述小玺，贞顺门内供奉珍妃屋内亦有端康所书“怀远堂”匾和“精卫通诚”横幅，每幅均钤“端康皇贵妃御笔”玺。

261. 皇后之宝

金质，交龙纽方形玺。满汉文篆书。面14厘米见方，通高10厘米，纽高6厘米。附系黄色绶带。《清文宗实录》载："咸丰二年十月甲午，上御太和殿，宣制册立皇后。王以下文武大臣，官员行庆贺礼。命大学士裕诚为正使，礼部尚书奕湘为副使，持节赍册、宝，册立钮祜禄氏为皇后。"《清穆宗实录》载："同治十一年九月十四日寅刻，上礼服御太和殿，阅视皇后册、宝。遣惇亲王奕谅为正使，贝勒奕劻为副使，持节奉册、宝，诣皇后邸，册封阿鲁特氏为皇后。"以上两处所说的"宝"，即"皇后之宝"。

262. 贵妃之宝

檀香木质，瑞兽纽方形玺。篆书。面12.8厘米见方，通高13厘米，纽高8.1厘米，附系黄色绶带，有“贵妃之宝”牙牌。

263. 道光八年进恭慈康豫安成皇太后徽册

青玉质，长 25.6 厘米，宽 11.3 厘米，厚 0.7 厘米。共 10 页。满汉文。恭慈康豫安成皇太后，钮祜禄氏。初为仁宗侧室福晋，嘉庆六年（1801 年）册为后。嘉庆二十五年(1820 年)宣宗嗣位，尊为皇太后，徽号"恭慈"。道光二年（1822 年）以册立皇后礼成，加上徽号，尊为恭慈康豫皇太后。道光八年（1828 年）十一月，平定张格尔之乱，礼部以"元恶生擒，红旗奏捷"，加上皇太后徽号。册文如下：

维道光八年岁次戊子十一月丁酉朔越八日甲辰，子皇帝臣旻宁谨稽首再拜，上言：尧门笃祜，共球胪万国之忱；姒幄承庥，干羽洽两阶之化。秉璇闱而戢武，区宇欢腾；奉琼册以扬徽，宫庭庆集。钦惟圣母恭慈康豫皇太后陛下，道隆矩地，德备俔天。雍肃垂型，佐皇考重华之治；泰和锡羡，启国家奕叶之谟。兹当边徼之荡平，爰极隆仪之尊显。溯彼窃居蜗角，包容并育于化钧，岂知渐逞狼心，翦戮莫逃于威钺，简师命将征西，张九伐之声；执锐被坚逐北，壮六军之气。负固而孽由自作，羽翼齐摧，擒渠而法有难宽，根株尽铲。比岁运筹旁午，常从定省以垂询际。兹报捷元辰，仰荷圣慈之曲，慰听凯歌于夏甸；颂奏升平，叨福荫于春晖。功臻耆定，祗承燕喜，宜晋鸿称。镂采镌华，耀文玉精璆之色；嘉声茂实，表櫜弓脱剑之隆。谨告天、地、宗庙、社稷，率诸王、贝勒、文武群臣，恭奉册、宝，上徽号曰：恭慈康豫安成皇太后。恪进芝函，肃申葵悃。配坤维而立极，安土敦仁；导颐悦以无疆，成民造福。斯典章所特重，尤中外所同。钦伏愿景耀宣敷，祥和绥懋，阐元符于兰殿；金石含章，熙洪号于萝图。垓埏衍祉，被四海而轮裳毕集，蕃釐备协殷畴；歌九如而川岳同增，戬毂永陈周雅。臣诚欢诚忭，稽首顿首，谨言。

264. 恭慈康豫安成皇太后之宝

青玉质，交龙纽方形玺。满汉文篆书。面12.7厘米见方，通高9.5厘米，纽高4.6厘米。附系黄色绶带。

265. 同治十一年进慈安端裕皇太后徽册

青玉质，长 23 厘米。宽 10.2 厘米，每页厚 0.7 厘米。共 10 页。满汉文。慈安端裕皇太后，钮祜禄氏，广西右江道穆扬阿女，事文宗潜邸。咸丰二年（1852 年）由贞贵妃立为后。咸丰十一年（1861 年）七月，穆宗嗣位，上尊号为“母后皇太后”，加徽号“慈安”。同治十一年十月初八日，同治大婚礼成，加徽号“端裕”，尊为“慈安端裕皇太后”。光绪七年（1881 年）三月壬申崩。册文如下：

维同治十一年岁次壬申十月朔壬子越八日己未，子皇帝臣载淳谨稽首再拜，上言：慈晖普遍，九围歌怙昌之仁；崇号显扬，万国遂瞻依之愿。宫闱衍庆，海宇胪欢。钦惟母后慈安皇太后陛下，德协安贞，功资博厚。威仪是力，著懿范于家邦；慈惠为怀，被仁风于中外。服澣衣而敦节俭，佐皇考之旰宵；临黼座而敕几康，训藐躬以政治。河洲协吉，属嘉礼之初成，天阙增辉，仰慈颜之有喜。循视膳问安之典，兰殿春长；运承先启后之谟，萱帏日永。以天下养冀，酬鞠育之恩。惟寿母慈莫罄，尊亲之戴，肃遵经礼，虔展悃忱。谨告天、地、宗庙、社稷，率诸王、贝勒、文武群臣，恭奉册、宝，加上徽号曰：慈安端裕皇太后。伏愿颐寿长臻，洪恩普被，晋宝册而星辉云烂，绥履无疆，播徽音于玉节金和，蕃厘永迓。臣诚欢诚忭，稽首顿首，谨言。

266. 慈安端裕皇太后之宝

青玉质，交龙纽方形玺。满汉文篆书。面 13 厘米见方，通高 9.5 厘米，纽高 4.7 厘米。附系黄色绶带。

267. 慈禧皇太后御览之宝

寿山石质，随形雕瑞兽纽方形玺。篆书。面10.4厘米见方，通高12厘米，纽高9.9厘米。慈禧太后万几余暇，偶然观画，而后钤用此玺。

268. 慈禧皇太后御笔之宝

青金石柱纽铜镀金方形玺。篆书。面3.5厘米见方，通高11厘米，纽高10.7厘米。慈禧太后是清代后妃留有墨迹最多的一位。此宝常钤用于御笔书画。慈禧翰墨、匾联代笔者有潘祖荫、张仁黼等，绘画代笔者为缪嘉蕙。缪嘉蕙，字素筠，昆明人，翎毛、花卉，秀逸清雅，小楷亦楚楚合格。光绪中叶入宫，慈禧置诸左右，朝夕不离，并免其跪拜，赏三品服色。从此，慈禧赏大臣之花卉扇轴等物，多为嘉蕙手笔。亦有如意馆画士屈兆麟所绘者。

269. 兹禧皇太后御笔之宝

檀香木质，交龙纽方形玺。篆书。面25.3厘米见方，通高16.7厘米，纽高7.3厘米。附系黄色绶带。

慈禧皇太后御筆之寶

270. 慈禧皇太后之宝

檀香木质，花卉纽方形玺。篆书。面2.3厘米见方，通高4.2厘米，纽高1.8厘米。

271. 养寿

青田石质，三鱼纽长方形玺。篆书。面宽1.6厘米，长3.6厘米，通高9.3厘米，纽高4.4厘米。寿是《尚书·洪范》“寿、富，康宁，好德、考命”五福之一。

272. 乐琴书　寿永年（连珠玺）

寿山石质，狮纽长方形连珠玺。篆书。面宽1.4厘米，长3.1厘米，两珠均1.3厘米见方，通高10厘米，纽高3厘米。

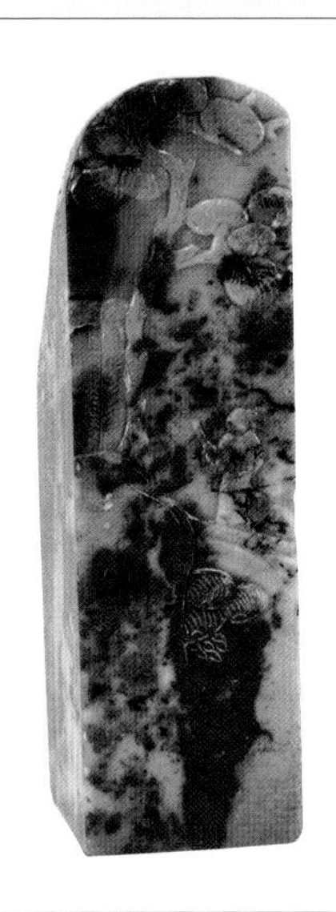

273. 福寿仁恩

寿山石质，随形雕松荫人物纽方形玺。篆书。面 2.8 厘米见方，通高 9.4 厘米。玺文意为对己愿福祥长寿，对人施以仁义恩泽。

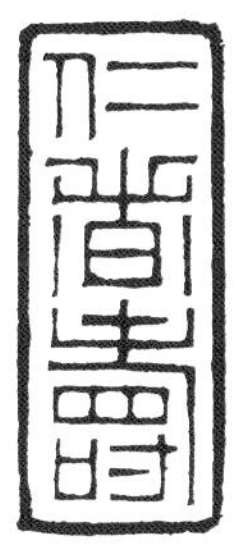

274. 仁者寿

寿山石质，双狮纽长方形玺。篆书。面宽 1.4 厘米，长 3.4 厘米，通高 8.4 厘米，纽高 3.8 厘米。边题款："臣吴永恭制"。仁者寿，语出《论语·雍也》："知者乐，仁者寿。"意为仁者少思寡欲，性常安静，故多寿考也。慈禧太后御笔匾联多钤用此玺。

275. 吉善长久

寿山石质，狮纽方形玺。篆书。面 3.1 厘米见方，通高 6.7 厘米，纽高 3.4 厘米。

276. 恩风长扇

寿山石质，狮纽长方形玺。篆书。面宽1.6厘米，长3.7厘米，通高7厘米，纽高3.7厘米。

277. 雅道清心

檀香木质，交龙纽长方形玺。面宽4.6厘米，长4.8厘米，通高4.7厘米，纽高2.2厘米。

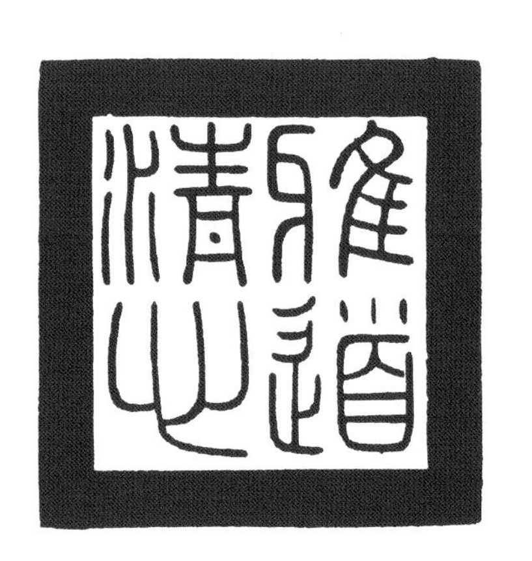

278. 和神当春

鸡血石质，随形方形玺。篆书。面 1.8 厘米见方，通高 5.8 厘米。边题“臣吴永恭制”。和神，使身心惬意，心旷神怡。《汉书·车千秋传》：“玩听音乐养志和神”，把陶冶性灵之事，看作像春天来临一样。“和神当春”和“怡情悦性”两玺，大小相同，共装一匣。吴永，字槃公，号渔川，浙江吴兴人。

279. 怡情悦性

鸡血石质，随形方形玺。篆书。面 1.8 厘米见方，通高 5.8 厘米。边题：“臣吴永恭制”。

280. 数点梅花天地心

檀香木质，交龙纽方形玺。篆书。面19厘米见方，通高13.9厘米，纽高7厘米。附系黄色绶带。慈禧太后御笔匾联上多钤用此玺。

281. 平　安（连珠玺）

青田石质，狮纽长方形连珠玺。篆书。面宽 0.6 厘米，长 2.5 厘米，两珠均 0.6 厘米见方，通高 6.5 厘米，纽高 1.5 厘米。

282. 欢喜园

白玉质，螭纽方形玺。篆书。面 2.4 厘米见方，通高 1.6 厘米，纽高 0.8 厘米。欢喜园是佛教用语，意即乐园。佛经称诸天入此园，皆生欢喜。

283. 大雅斋（组玺）

共四方，共贮于一檀香木匣，是慈禧皇太后常用闲章。

大雅斋

檀香木质，荷花纽长方形玺。篆书。面宽 1.2 厘米，长 3.2 厘米，通高 3.7 厘米，纽高 1.6 厘米。大雅斋位于宫中养心殿区域。慈禧皇太后对此格外钟爱，她喜好的瓷器等物品上均冠有“大雅斋”款。

天地一家春

檀香木质，荷花纽长方形玺。篆书。面宽 1.2 厘米，长 3.2 厘米，通高 3.7 厘米，纽高 1.6 厘米。圆明园有殿堂名“天地一家春”。

澄心正性

檀香木质，荷花纽长方形玺，篆书。面宽 1.2 厘米，长 3.2 厘米，通高 3.8 厘米，纽高 1.6 厘米。长春宫前门有匾额曰：“澄心正性”。《淮南子·泰族训》“凡学者能明天人之分，通于治乱之本，澄心清意以存之，可谓知略矣”。“正性”，《典引篇》：“体行德本，正性。”玺文意为，排除杂念干扰，全心全意守住仁义道德。

乐寿堂

檀香木质，荷花纽长方形玺。篆书。面宽 1.2 厘米，长 3.2 厘米，通高 3.8 厘米，纽高 1.6 厘米。此是以堂名入玺。有关乐寿堂来历，高宗《题乐寿堂诗》自注云：“向以万寿山背山临水，因名其堂曰：乐寿，屡有诗。后得董其昌《论古帖》，知宋高宗内禅后，有乐寿老人之称，喜其不约而同，因以名宁寿宫书堂，以待倦勤后居之。”慈禧皇太后亦曾居位于此堂，并在此召见各国公使。

284. 光绪二十一年封珍妃册

银镀金，长 22.2 厘米，宽 10 厘米，厚 0.1 厘米。共 10 页。满汉文。珍妃，他他喇氏，礼部左侍郎长叙之女，光绪宠妃。光绪十四年（1888 年）入宫，次年二月甲午，遣礼部尚书李鸿藻为正使，礼部右侍郎文兴为副使，持符赍册封为珍嫔。旋晋为妃。光绪二十年（1894 年）十月壬申降为贵人。次年(1895 年)，复妃号。二十六年(1900 年)，北京义和团起事，慈禧皇太后与光绪帝出京西遁。行前，珍妃被沉于井。次年，追晋皇贵妃。其封妃册文如下：

维光绪二十一年岁次乙未十一月丁酉朔越十二日戊申，皇帝制曰：朕惟位备六宫，椒掖佐肃雍之化，教遵四德，兰闱彰柔顺之仪。寅承久协于珩璜，申命宜昭夫典策。尔珍嫔他他喇氏，安贞赋性，温惠宅心。敬慎毋违，克赞内朝之治，恪恭弗懈，上承圣母之欢。幸逢称庆于宫闱，仰荷推恩于嫔御。兹承懿旨，封尔为珍妃。尚其祗膺象服，用襄坤德之含章；式迓鸿庥，长介春晖之纯嘏。钦哉！

285. 珍妃之印

金质，龟钮方形玺。满汉文篆书。面11厘米见方，通高11.5厘米，纽高8厘米。

286. 光绪二十一年进珣妃册

银镀金，长 22 厘米，宽 10 厘米，厚 0.1 厘米。共 10 页。满汉文。珣贵妃，阿鲁特氏，大学士赛尚阿女，同治帝孝哲毅皇后姑。同治时由嫔进妃。光绪二十一年（1895 年）进贵妃。其册文如下：维光绪二十一年岁次乙未五月辛未朔越六日丙子，皇帝谨言：椒涂望重，夙昭翟服之仪；芝诰荣颁，特贲鸾章之宠。爰稽茂典，肇锡嘉名。惟珣妃，淑慎丕昭，柔嘉维则，昔著徽音于兰幄，西掖杨庥，今承色笑于蘐闱。南宫侍养，万年笃祜，际茂典之恭逢，九御叨荣，允隆称之。特进，谨以册、宝，尊为珣贵妃。宝箓恒春，荷殊恩于有永，璇图并寿，介景福于无疆。谨言。

287. 珣贵妃之宝

铜镀金，蹲龙纽方形玺。满汉文篆书。面宽 12.4 厘米，长 12.8 厘米，通高 10.5 厘米，纽高 6.8 厘米。

288. 珣皇贵妃之宝

金质，蹲龙纽方形玺。满汉文篆书。面13厘米见方，通高12.8厘米，纽高4.1厘米。珣贵妃，宣统即位尊为皇考珣皇贵妃。民国初年，宫中帝号仍存。1913年3月12日加封为庄和皇贵妃，住储秀宫。1921年4月24日病逝。

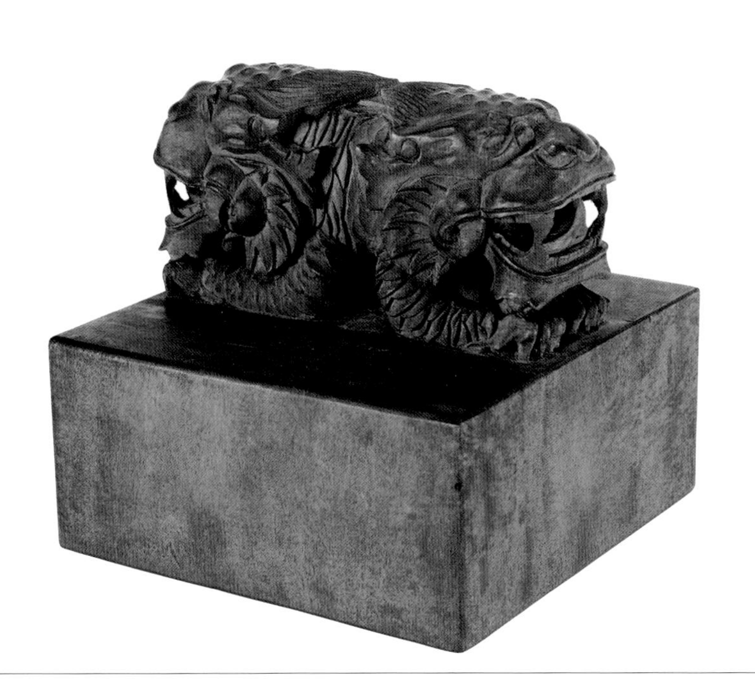

289. 敬懿皇贵妃之宝（组玺）

共三方，共贮于一檀香木匣。敬懿皇贵妃，赫舍里氏。初以嫔事同治帝，同治十三年十一月十五日由瑜嫔升为瑜妃。光绪二十年正月初一晋封为瑜贵妃。光绪三十四年十月二十五日，光绪去世仅四天，宣统皇帝即尊封瑜贵妃为瑜皇贵妃。1913 年 3 月 12 日（旧历三月初五），废帝溥仪又尊封瑜皇贵妃为敬懿皇贵妃。1924 年溥仪出宫时移居荣寿固伦公主宅。1931 年 2 月 14 日（旧历十二月二十七日）病死，终年七十六岁，赠谥献哲皇贵妃。

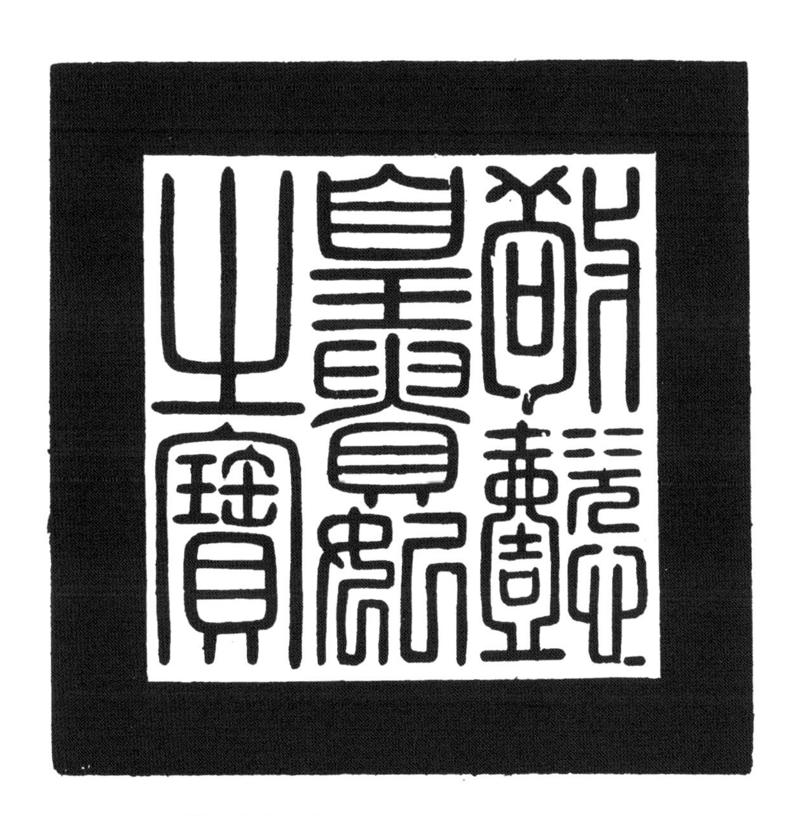

敬懿皇贵妃之宝

檀香木质，交龙纽方形玺。篆书。面 9.7 厘米见方，通高 9 厘米，纽高 4.4 厘米。

静者之怀和若春

檀香木质，交龙纽方形玺。篆书。面9.5厘米见方，通高9厘米，纽高4.5厘米。唐孟浩然诗：“所居最幽绝，所住皆静者”。和若春，像春风和煦。

所乐自在山水间

檀香木质，交龙纽方形玺。篆书。面9.6厘米见方，通高9厘米，纽高4.5厘米。

帝后升祔庙号谥号册宝

DIHOU SHENGFU MIAOHAO SHIHAO CEBAO …… 恽丽梅

皇帝崩，未上尊谥前称“大行皇帝”，升祔太庙然后有谥号庙号。

清代帝后，前两个字为庙号，后面是颂词，最后是谥号。颂词两字为一组，皇帝二十字，皇后十二字。光绪皇帝庙号为德宗，颂词为“同天崇运大中至正经文纬武仁孝睿智端俭宽勤”，谥号为“景”。也有屡次议谥的，如：崇德元年（1635年）为努尔哈赤上谥曰：“承天广运圣德神功肇纪立极仁孝武皇帝”。康熙元年（1662年）改谥为“承天广运圣德神功肇纪立极仁孝睿武弘文定业高皇帝”。雍正元年（1723年）加“端毅”二字。乾隆元年（1736年）加“钦安”二字。全谥为：“承天广运圣德神功肇纪立极仁孝睿武端毅钦安弘文定业高皇帝”。

上谥号礼仪，先由皇帝降旨命六部九卿议奏，奉旨圈出之后由钦天监择吉日，经礼部具奏上尊谥，上谥前三天斋戒，并在上谥前一日，遣官祀告天、地，太庙后殿、奉先殿、社稷等处。

是日，在太和门外中央，鸿胪寺官设宝案在右，册案在左，由銮仪卫官设宝册彩亭在阶下，册亭在前，宝亭在后，并在大行皇帝梓宫门外设大驾卤簿。

上谥仪，皇帝率群臣行三跪九叩礼，典仪官宣“进册”，“进宝”，宣读册、宝文之后把绢宝及绢册同祀文、奠帛焚化。次日颁诏天下。

康熙六十一年（1722年），圣祖崩，大殓，命王公大臣入乾清门瞻仰梓宫，并命皇子、皇孙行礼丹墀上，公主、福晋等咸集几筵殿前，雍正帝及诸皇子成服。以东庑为倚庐，颁遗诏，谕礼臣增订仪节。群臣议进尊谥，帝亲刺指血圈用“圣祖”字。礼臣进仪注未惬意，更定。前期并祇告奉先殿，至日阅册、宝讫，帝行一跪三拜礼，东次西向立，俟册宝亭行始还宫，豫至殡倚庐恭俟（《清史稿》卷九十二）。雍正元年（1723年）世宗母仁寿皇太后乌雅氏崩，丧礼如孝惠，谥曰孝恭仁皇后，与圣祖合葬景陵。时帝遭圣祖丧，斋居养心殿，服竟，仍终太后丧。辅臣援圣祖丧礼请服阕行祫祭，帝曰：“父母之丧，人子之心则一，帝后之礼，国家之制迥殊。今届皇妣释服期，诹日祭告

奉先殿，无颁谕中外为也。”（《清史稿》卷九十二）

清朝制度，凡上大行皇帝尊谥“香册、香宝致祭时恭献后即奉安山陵，绢册、绢宝宣读送燎位，是皆上尊谥所用也。若夫进玉册、玉宝则以尊藏太庙。”（《清朝文献通考》卷一百零九）又规定：“凡皇帝恭上皇考、皇妣尊谥、庙号，敕工部制玉册、玉宝，加上列圣、列后尊谥，敕重制玉册，改镌玉宝。”（《清朝续文献通考》卷一百六十）玉册、玉宝之制，从顺治时始。册长八寸八分，广三寸九分，厚四分，册页数十，面底二页镌升降龙。宝方四寸二分，厚一寸五分，纽二寸七分，长四寸二分，广二寸五分，宝盉金质。凡太庙用宝皆用玉，色青白。册文骈体，宝文同谥号。曰“某祖某宗某皇帝之宝”，后曰：“某皇后之宝”（《清史稿》卷八十六）。乾隆二十四年又规定：“玉册计十页，每页高九寸，宽四寸五分，厚四分，龙文二页，各镌升降行龙二，折宽一寸，长一尺一寸，鳞角全，满刻流云，清文五页，汉文三页。玉钱一，径二寸，厚六分。钱孔一，见方五分，围起线边，刻清汉“天下太平”字。册文填青，徽号填金，玉宝交龙纽，纽高二寸九分，台高一寸六分，通高四寸五分，见方五寸，纽镂玲珑龙身。宝面镌清汉字，均储楠木大箱，由内务府制办，另有香册香宝，祭后即奉安山陵，绢册绢宝宣读送燎，皆上尊谥所用，则系工部制造库制办。”（《清朝续文献通考》卷一百六十）

皇帝圈出大行帝后谥号，由礼部通过工部领取物料，准备绢册宝、香册宝。制成后，工部回报礼部，再由钦天监选择吉日，翰林院官豫撰册文，翻书房译清文照例合篆宝文，然后移交内阁典籍厅，由刊刻工匠执刻，册宝成，敬贮内阁。玉册、玉宝制作程序是：由内务府造办处镌刻宝型及册页，内务府将制成的玉册、玉宝交内阁，翰林院撰写宝册清文，内阁书写汉篆；由钦天监选择吉日刊刻，由内务府造办处匠作玉工镌刻册宝文。册宝文镌刻完毕，由翰林院派官赴内阁核对册宝文，内阁满本堂核对满文，确定无误，交内务府，移至太庙。进册宝礼成，册宝尊藏太庙中殿柜中，柜为黄漆木质，置列帝后神龛旁；如果加议帝后尊谥，则重造玉册，改镌玉宝。

290. 顺治五年上肇祖原皇帝谥册

青玉质，长 28.3 厘米，宽 11.7 厘米，厚 1 厘米。共 10 页。满汉文，楷书填蓝色，附黄金缎册套、黄云缎包袱各一。两封面均刻升降龙。肇祖原皇帝，爱新觉罗氏，名孟特穆，又称猛哥帖木儿。曾任元朝斡朵里万户，归明后任建州卫指挥使，建州左卫指挥使、都督佥事、右都督等职。素有智略，谋恢复满洲，歼其仇。移居苏克苏浒河赫图阿拉。宣德八年（1432 年），七姓野人木答忽等纠阿速江等卫头人弗答哈等掠建州卫，因众寡不敌，力战而亡。永乐十年（1421 年），孟特穆曾以都指挥使身份晋京侍卫永乐帝。其册文如下：

维顺治五年岁次戊子十一月辛酉朔越八日戊辰，孝玄孙嗣皇帝福临稽首顿首，上言于皇祖泽王；今天下一统，大业已成，皆由皇祖笃祜所致，爰修典礼，用殚孝思，敬荐册、宝，尊上谥号曰：肇祖原皇帝。以垂功德于万禩。谨言。

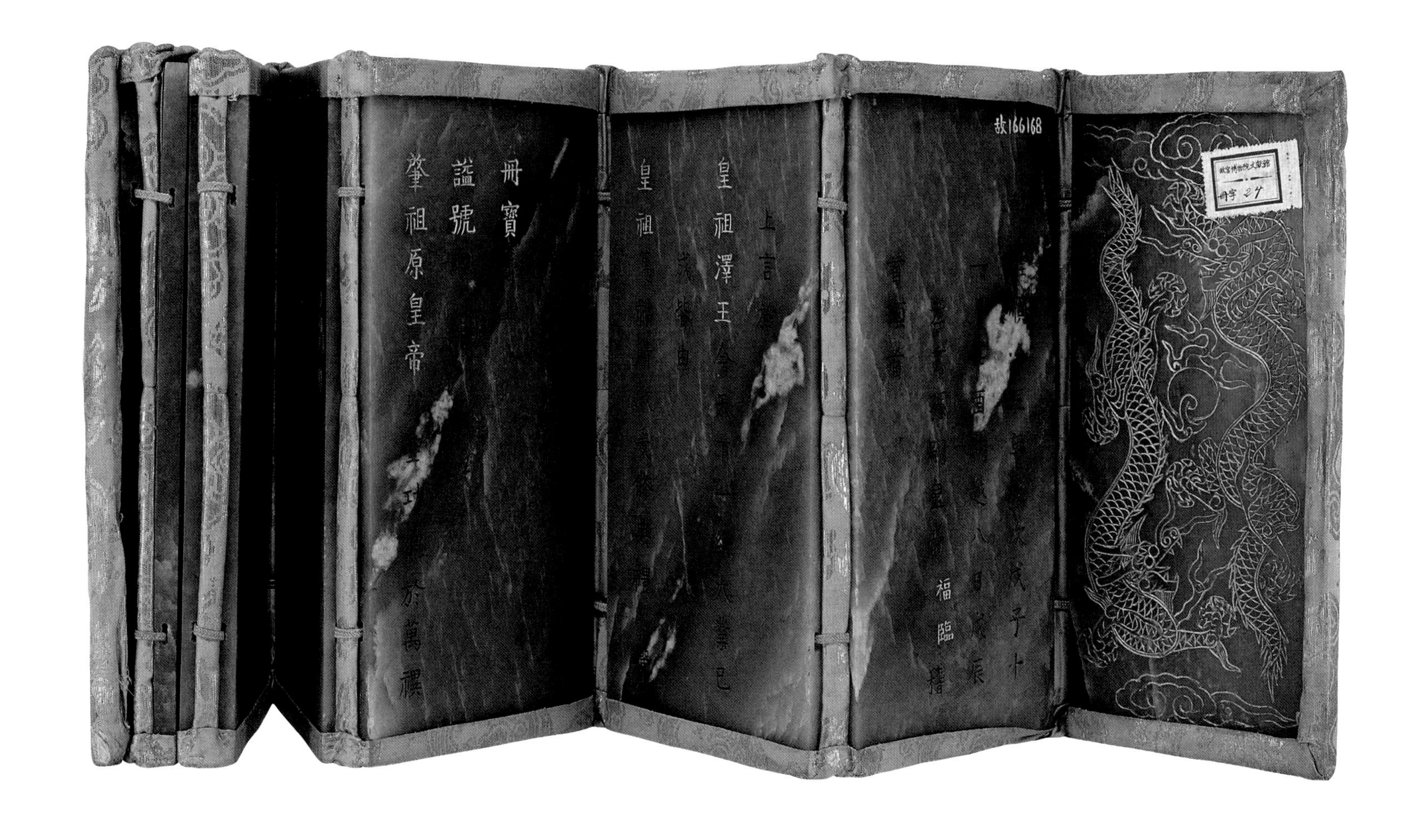

291. 肇祖原皇帝宝

白玉质，蹲龙纽方形玺。汉文篆书满文本字。面 13.7 厘米见方，通高 14.6 厘米，纽高 8.4 厘米。

292. 乾隆元年上太祖高皇帝谥册

青玉质，长 28.9 厘米，宽 12.6 厘米，厚 0.9 厘米。计 10 页。满汉文。面刻描金二龙戏珠图案。附黄云缎套、袱各一。太祖高皇帝，爱新觉罗氏，名努尔哈赤。号淑勒贝勒。显祖先皇帝长子，母喜塔喇氏，生于建州左卫苏克素护部赫图阿拉城（今辽宁新宾）。明万历三年（1575年），从外祖王杲反明，兵败被俘，获释还里。娶佟佳氏为妻，采办山货，与明互市。后投明辽东总兵李成梁，以弓马娴熟，武艺超群，尝每战必先登。越数年，离成梁返里。次年，尼堪外兰唆明兵误杀祖景祖翼皇帝觉昌安，父显祖先皇帝塔克世，因之袭父职，任建州左卫指挥。尝与蒙古、朝鲜遣使通好，又赴明都北京朝贡八次，累擢至龙虎将军。次第用兵，先后征服建州女真、海西女真、野人女真。设官定制，始定国政，明令刑罚，始创满文，创建八旗制度。于万历四十四年（1661 年），遂黄衣称汗，立国号大金，建元天命，定都赫图阿拉城。天命三年（1618 年），以“七大恨”告天，起兵反明。初战克抚顺城。次年，获萨尔浒大战胜利，歼明军十余万。又连下开原、铁岭等地。天命六年（1621 年），率军力克辽、沈，辽河以东大小七十余城俱相继剃发归降。遂迁都辽阳，兴建东京城，继后再迁都沈阳。次年，力战陷于广宁。其后推行计丁授田，按丁编庄，废除托克索制。又建八大贝勒共理国政之制。天命十一年（1626 年），亲率六万大军征明，克右屯、锦州，松山、大凌河、小凌河，杏山、连山、塔山诸城池。又挥兵宁远，为明镇边名将袁崇焕所败。回师沈阳，身患毒疽，卒于叆鸡堡，终年六十八岁。葬福陵。其谥册文如下：

维乾隆元年岁次丙辰三月乙未朔越十一日乙巳，孝孙嗣皇帝臣弘历谨稽首再拜，上言：天开泰运，升日驭于东维；帝握乾符，建斗枢于北极。定万年之统绪，启百世之升平，盛业常昭，鸿名弥耀。钦惟太祖承天广运圣德神功肇纪立极仁孝睿武端毅弘文定业高皇帝，聪明天亶，智勇性成。大德体元，参三才而正位；至诚立极，周庶务以成能。纬地经天，卜世之功日永；民胞物与，肇基之迹方新。声教讫于四方，仰同光被；神武昭于九有，望切来苏。合讴颂以归心，集贤才而佐治。国书初设，制字母以谐音，军制新颁，按卦图而取义。际天与人归之会，肇建邦启土之熏。造草昧而大经纶发祥自远，首庶物而膺图箓裕后方长。缅惟垂统之隆，宜极尊崇之礼。祗承丕绪，敬考彝章。谨奉册、宝，增上尊谥曰：太祖承天广运圣德神功肇纪立极仁孝睿武端毅钦安弘文定业高皇帝。伏冀圣鉴长昭，皇图永固。益启绵长之泽，弥臻熙皞之风。谨言。

293. 太祖承天广运圣德神功肇纪立极仁孝睿武端毅钦安弘文定业高皇帝之宝

碧玉质，交龙纽方形玺。汉文篆书满文本字。面 12.5 厘米见方，通高 11.7 厘米，纽高 6.1 厘米。

294. 宣统元年上德宗景皇帝谥册

青玉质，长 27.3 厘米，宽 12.7 厘米，厚 0.9 厘米。计 10 页。楷书填金两面刻。附千金织幅。德宗景皇帝，爱新觉罗氏，名载湉。又称光绪帝。醇亲王奕譞子，母为慈禧胞妹醇王福晋。同治十三年（1874 年）十二月，同治帝因天花不治而卒，无嗣。以慈禧太后意迎入宫中，于光绪元年（1875 年）正月即皇帝位，时年四岁。两宫太后复垂帘听政。光绪十三年（1887 年）亲政，慈禧皇太后仍训政。十五年（1889 年），慈禧皇太后撤帘归政，仍操朝纲军政实权。二十年（1894 年），日本侵朝，光绪帝下诏对日宣战，谕李鸿章扩充海军，慎选将材，精求训练。次年正月，威海、刘公岛相继失陷，水师损兵折舰，陆师亦败，遂命李鸿章为头等全权大臣使日本。三月，订《马关条约》。二十四年（1898 年）四月，颁《明定国是诏》，力行变法。是月至八月，屡颁诏令，起用康有为、谭嗣同等维新人士，黜革守旧大臣，广开言路，裁撤冗员，改革科举，设京师大学堂，派宗室王公出洋游历考察，建铁路，兴农学。八月六日被慈禧皇太后派人囚于西苑瀛台。垂帘听政之制再度复行。新法遂废，旧制多复。光绪二十六年（1900 年）七月，八国联军陷京师，遂受慈禧之挟西行至西安，次年还京，仍无朝纲操柄定是之权。三十四年(1908 年)十月，病卒于瀛台涵元殿。终年三十八岁。葬崇陵。其谥册文如下：

维宣统元年岁次己酉正月初一日壬午朔越二十八日己酉，嗣皇帝臣溥仪谨再拜稽首，上言：臣闻圣德同天，巍焕上承。夫三古仁功，匪寓讴思，遍洽于九州，扬显号以荐徽称，考彝章而崇典礼。欢胪臣庶，光耀简编。钦惟皇考大行皇帝，治协登咸，道斋覆载，宪天立极，嵩宫严宥宿密之神；法祖垂型，枕被仰文明之化。侍璇闱而训政，卅四载尊养攸隆；握玑镜以膺图，亿万姓就瞻倍切。报功崇德，精诚默懔于斋宫；春献秋赏，昭格上通于原庙。善继善过，超亘古而立隆；作君作师，复于今而为烈。兹博询夫公议，朝允洽于君情。上奉鸿名，冀扬骏业，纪耆意大图之宝，英睿性成；彰生安元迪之称，聪明天亶。谨奉册、宝，恭上尊谨曰：同天崇运大中至正经文纬武仁孝睿智端俭宽勤景皇帝。庙号曰：德宗。於戏！耿光赫濯，宏烈昭垂。伏冀鉴临，永贻丕绪。谨言。

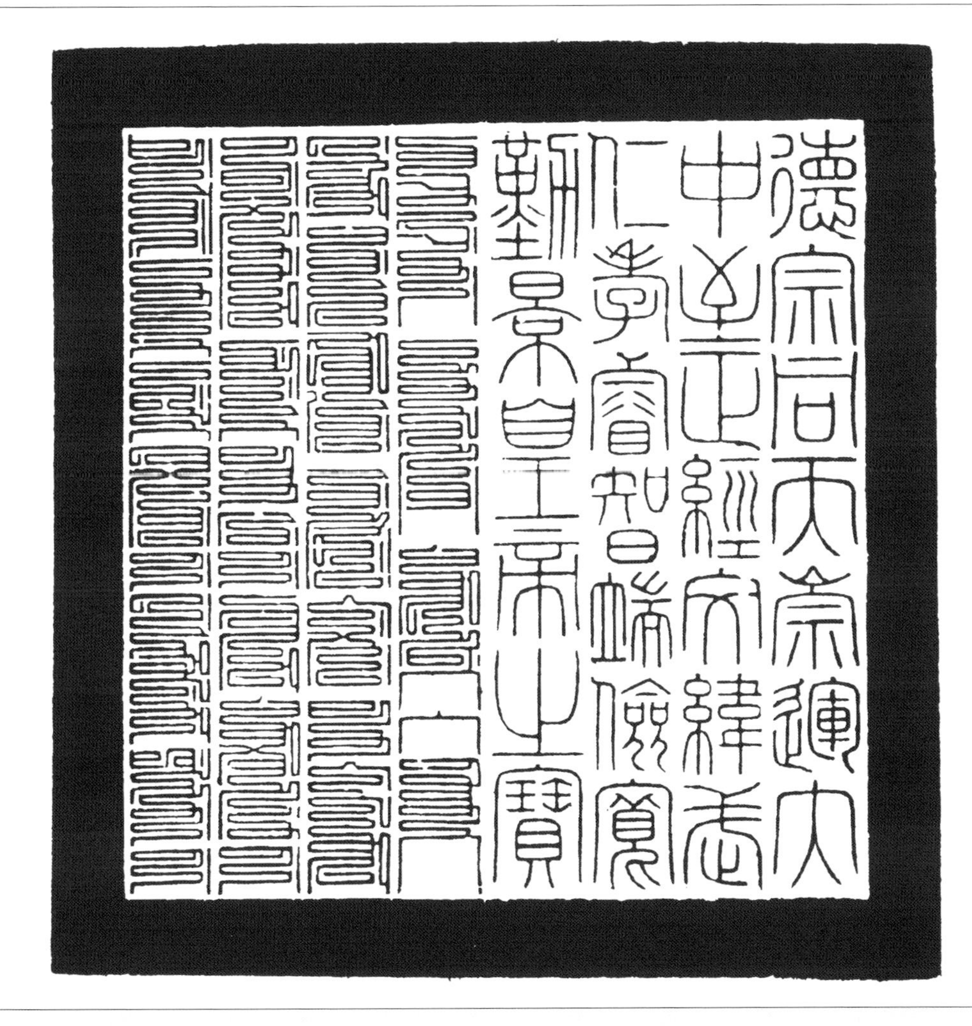

295. 德宗同天崇运大中至正经文纬武仁孝睿智端俭宽勤景皇帝之宝

青玉质，交龙纽方形玺。满汉文篆书。面 12.1 厘米宽，12.5 厘米长，通高 10.4 厘米，纽高 5.7 厘米。

296．乾隆元年上孝庄文皇后谥册

青玉质，长28.4厘米，宽12.8厘米，厚0.9厘米。计10页。满汉文楷书。附太平钱青玉别子一个，黄绸线幅及袱各一。孝庄文皇后，博尔济吉特氏，科尔沁贝勒寨桑之女，与姑孝端文皇后同侍太宗皇太极。天命十年（1625年）入皇太极宫。崇德元年（1636年）封永福宫庄妃，三年（1638年）诞皇九子福临。福临即位，尊为皇太后。孙玄烨即位，尊为太皇太后。三藩之乱期间，尝发宫中金帛犒赏清廷用兵将士。闻各省灾，辄发帑赈恤。性温善，明大义，不预政。然圣祖每有黜陟，多告之而后行。康熙二十六年（1687年）卒，终年七十五岁。葬于孝陵近地。其谥册文如下：

维乾隆元年岁次丙辰三月乙未朔越十一日乙巳，孝孙嗣皇帝臣弘历谨稽首再拜，上言：范高兰掖，远垂内则之芳型；德冠珠宫，遥溯母仪之令望。肃瞻玉几，虔捧瑶函。钦惟孝庄文仁宣诚宪恭懿至德翊天启圣文皇后，安贞作则，宏绥福履，璇闺傅樛木之仁；茂著臧嘉，绮殿被葛覃之化。正位乎内，克佐栉风沐雨之勋；长发其祥，爰征绕电流虹之瑞。诞我世祖章皇帝钟灵毓秀，受箓膺图，敷天蒙圣善之庥，率土颂仁慈之泽。洎乎圣祖，弥资鞠育深恩；逮及世宗，备举钦崇钜典。统两朝之孝养，受福绵长，极三世之尊亲，垂光奕叶。顾惟冲藐，丕缵鸿基。缅怀懿德于千秋，载颂徽音于九庙。谨奉册、宝，增上尊谥曰：孝庄仁宣诚宪恭懿至德纯徽翼天启圣文皇后。伏冀慈灵垂裕，纯嘏凝禧。永绵佑启于万年，长笃皇安于百世。谨言。

孝莊仁宣誠憲恭
懿至德純徽翼天
啟聖文皇后之寶

297. 孝庄仁宣诚宪恭懿至德纯徽翼天启圣文皇后之宝

青玉质，交龙纽方形玺。汉文篆书满文本字。面 12.6 厘米见方，通高 11.7 厘米，纽高 6.4 厘米。

298. 宣统元年上孝钦显皇后谥册

青玉质，长28.8厘米，宽12.7厘米，厚0.8厘米。计10页。满汉文两面刻楷书描金字，面刻二龙戏珠。附白玉别子一个。孝钦显皇后，叶赫那拉氏。亦称西太后、慈禧太后。满洲正黄旗人。安徽徽宁池广太道惠征女。咸丰元年（1851年）入宫，封懿贵人，亦称兰贵人。咸丰六年（1856年）诞育皇子载淳。次年，晋封懿贵妃。咸丰十年（1860年），英法联军犯北京，随咸丰帝赴热河避暑山庄。次年，载淳即皇帝位，尊为皇太后，上徽号慈禧，称“圣母皇太后”。偕慈安太后与恭亲王奕䜣等谋收顾命诸臣所操军政大权，杀肃顺等，罢黜赞襄政务诸大臣，行垂帘听政之制。采纳奕䜣“借洋兵助剿”之策，重用曾国藩、左宗棠、李鸿章等湘、淮军将帅，先后平太平天国、捻军及回、苗、彝族诸地兵事。同治十二年（1873年）撤帘归政。次年十二月（1875年1月），载淳以天花不治而卒。因无嗣，遂除斥从近支王公溥字辈中择立之议，以胞妹醇亲王福晋之子载湉嗣奕詝之后，迎入宫中即皇帝位，是为光绪帝。复行垂帘听政之制，用奕䜣、李鸿章等兴办新式机器工业，训练新式陆海军，于与诸国邦交中屡订辱权之约。光绪十五年（1889年）撤帘归政，仍以训政之名握朝纲大政。光绪二十四年（1898年）以不容于新政，囚光绪帝，杀谭嗣同等人，废新政诸事，复旧制。二十六年（1900年）于京津诸地义和团兴盛之际，对外宣战。八国联军入北京时，挟光绪帝西遁西安，命奕劻、李鸿章等与列强议和，次年，订《辛丑条约》。晚年命“励行新政”，“预备立宪”。光绪三十四年（1908年）十月，授醇亲王载沣为摄政王。二十一日，光绪帝卒，命载沣之子溥仪嗣载湉之后，迎入宫中立为皇帝。尊为太皇太后。次日，病卒。终年七十四岁。葬定东陵。其谥册文如下：

维宣统元年岁次己酉正月初一日壬午朔越二十二日癸卯，孙皇帝臣溥仪谨再拜稽首，上言：臣闻崇徽茂著，镌瑶筴以扬华，慈范昭垂，奉璃函而纂懿。思名言之莫罄，彰懿矩于无穷。钦惟皇祖妣大行太皇太后，型齐妫汭，圣协庆都。敷上理而赞化参天，致中和而含章应地。掖庭垂教，仰宫中之有圣人；海寓归仁，临天下而为大母。徽猷所被，直超有宋之宣仁，怙冒无垠，远迈炎刘之明德。肇熙称而赫濯，允征盛德之符；稽上谥而推崇，难罄前型之懿。镂文纂懿，冀在天灵爽之凭；循实歆名，修告庙肃雍之礼。谨奉册、宝，恭上尊谥曰：孝钦慈禧端佑康颐昭豫庄诚寿恭钦献崇熙配天兴圣显皇后。於戏！璇宫掩曜，冀陟降之在兹；长乐垂辉，询阐扬之有炜。敢祈昭格，永祚繁昌。谨言。

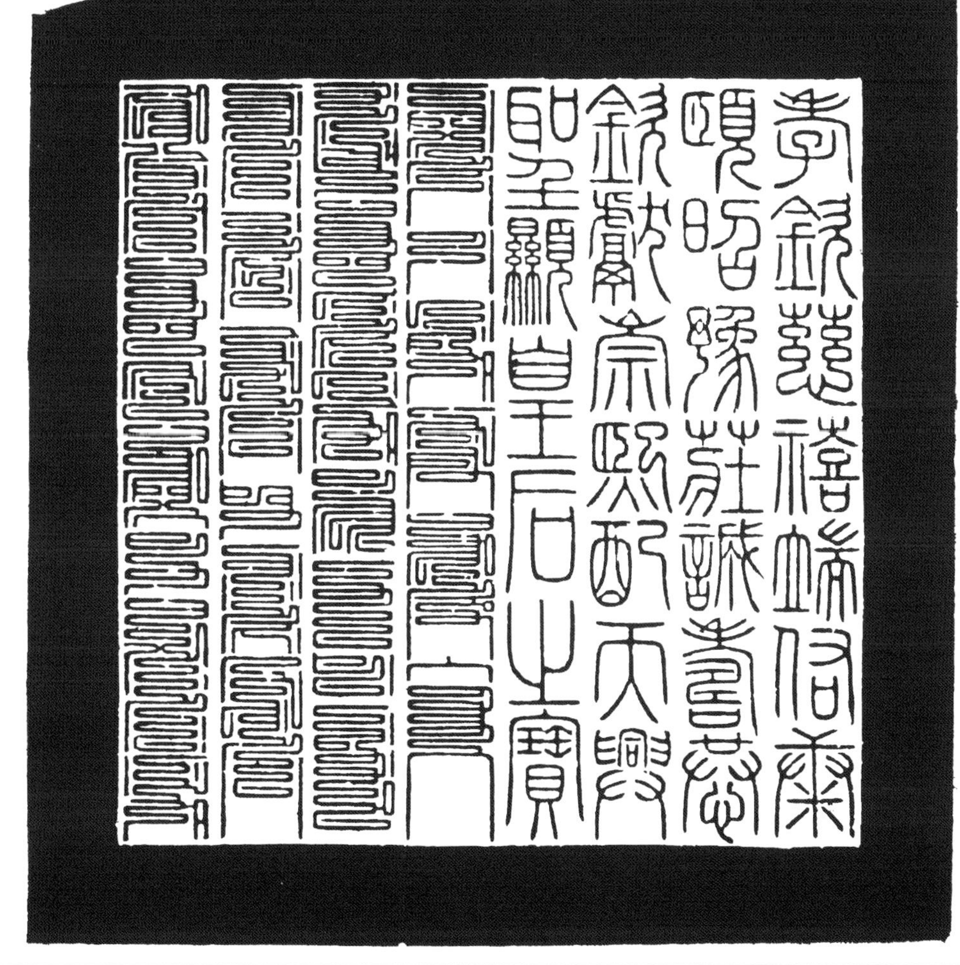

299. 孝钦慈禧端佑康颐昭豫庄诚寿恭钦献崇熙配天兴圣显皇后之宝

青玉质，交龙纽方形玺。满汉文篆书。面宽 12.7 厘，长 12.9 厘米，通高 10.8 厘米，纽高 5.7 厘米。

附录 符牌

FULU FUPAI …… 关雪玲

符是帝王调兵遣将的凭证，示信之物。出土和传世的文物中，以虎形的“虎符”居多。1979年西安市郊出土秦统一前杜虎符，其铭文详细写明符的使用方法和范围：“兵甲之符，右在君，左在杜。凡兴士被甲，用兵五十人以上，必会君符，凡敢行之。燔隧之事，虽毋会符，行殴。”（《文物》1979年9期）汉代杜诗曾说：“旧制发兵，皆以虎符，其余调发竹使而已。间　者发兵，但用玺书或以诏令。如有奸人诈伪，无由知觉。”唐代，符除用于发兵外，又用于门禁。“官城门、城门给交鱼符、巡鱼符，左箱、右箱给开门、闭门符，左符进内，右符监门掌。”（《文献通考》卷一百一十五）后世，发兵用诏令，不再单以符为征信。《明会要》载：洪武四年（1371年）五月，曾造用宝金符。有诏发兵，中书省、大都督府以牌人内府，出宝用之。清沿明旧制，调遣兵将凭钤用国宝的诏令，而作为禁城夜间特殊出门证的合符却延续至清，且相当重要。符的材质，间或有竹、木、玉、金、铜等，最终，铜符以其不易破损作伪，使用便利的特点，为后世沿用。铜符剖分为二，双方各执其一。使用时需两半吻合为一，内容符合，方可执行。

清代的北京由步军统领衙门统辖防卫治安。宫阙禁地则由前锋营、护军营、神机营等警跸护卫。圆明园则由圆明园护军营专管。警跸护卫各机关大权由皇帝独掌，归皇帝统一调遣，现存有“调前锋护军营官兵”合符一扇。此符铜镀金，面钑二龙戏珠纹。雍正年间定门禁之制，凡四：首合符，次宿卫，次传筹，次门钥（《清官述闻》卷三）。合符是夜间出入禁城唯一凭证。雍正四年（1726年）八月谕旨：夜间遇有开城门事件，“令尔等传旨者，若无勘验实据，看门人等难以凭信。著造办处制合符四件”。这四件合符，一交乾清门值班大臣，一交左翼，一交右翼，其一“尔等收贮，凡夜间开门，将符合对，以为凭据”（《国朝宫史·卷三》）。同年十一月二十八日，由大内颁发八扇合符并口谕合符之制。这八扇合符颁于东路景运门、东华门，西路隆宗门、西华门及北边神武门；一扇留给内务府总管，余两扇发给正阳门和西直门。合符以铜镀金为之，共两扇，镌阳文“圣旨”字符一扇及外匣、钥，均藏大臣。阴文符一扇由各城门领掌管。若开苍震门和启祥门，俟阳文合符到门，护军参领报知统领，亲赍阴文合符到门验明。若开景运、东华、隆宗、西华、神武等门，则由参领取阴文合符验明启钥，仍报知统领。而正阳，西直二门，则不需统领到门，只需合符照验，即可启，于次日具奏。俟皇帝车驾行幸，阳文合符交留京办事大臣轮班交替看守。大臣日诣文华门办事，卯刻四人同入，非直班者，申初散出。直宿班者，在内守合符，俟次晨交替合符而后出。皇帝回跸还宫，即恭缴交入大内（《养吉斋丛录》卷十六）。皇上回跸驻圆明园，径送御园宫门缴进。合符之制的各门不同验勘手续，说明京城内九门、禁城四门、内廷各门稽察程度严细有别。

顺治至乾隆间逐渐完备的宫禁制度，自嘉庆始，日渐废弛。午门之外本属禁区，但嘉庆十年（1805 年），市井闲人只图行路方便，穿出朝门，来往自如，无人过问。史有甚者，嘉庆十八年（1822 年）大理教与太监联络，内外应合，分两路从东华、西华门攻入禁城。西路进入到隆宗门，直逼内廷。当时有隆宗门护军知事急，“怀合符于身，亦被数刃，懵然卧阶下，合符得以保全。”（《啸亭杂录》卷六）鉴于癸酉之变是在皇帝出巡期间，所以，道光十七年（1837 年）三月，道光奉皇太后诣㪍髻山拈香，特为夜间开城门事，谕：皇帝外出期间，如遇紧急军务而需开城门时，仍照夜间开门旧例，著兵部值班章京亲自检验合符、火牌，并将准许出入城门者，悉行登记人数、姓名，然后饬令门卫开门放行，待皇上还宫后，具折奏闻。

自从雍正四年（1726 年）大批颁发合符后，历朝制造合符情况，记载不详。故宫现存合符数十扇，多为同治元年（1862 年）所造。这些合符有木质、金质和铜镀金几种，分属两大类。

（一）调动国家军事各机关合符。如“圣旨步军统领衙门符”、“前锋营符”、“护军营符”、“健锐营符”、“内火器营符”，“外火器营符”、“神机营符”等。这类合符，一扇面刻某某营合符及制作年、月、日，内侧阳文“圣旨”。另一扇，面钑二龙戏珠纹，内侧阴文“圣旨”。

（二）城门合符。如“圣旨开阜城门”、“奉旨开午门”、“奉旨开神武门”等。这类符，椭圆形，长 7.4 厘米，宽 9 厘米，每扇厚约 1 厘米。面刻城门名及制作年、月、日，内侧为阳、阴文“圣（奉）旨开某某门”。

古者，符玺并称，掌符玺之官有符玺郎。明代尚宝监掌宝、玺、敕、符、将军印信。《清朝文献通考》卷一百四十三《王礼考》有《宝玺符印》门。故合符收入本书。

300. 神机营合符

铜镀金，椭圆形，长14厘米，宽9.3厘米，厚0.7厘米，一扇。面刻“神机营合符 同治元年 月 日制”，内侧阳文“圣旨”。据《光绪大清会典事例》卷一千一百六十六载，道光年间已铸神机营印，但未建成军。咸丰十一年（1861年）从八旗骁骑营、前锋营、护军营、步军营、火器营、健锐营等营中挑选一万名精兵建成神机营。神机营银印由礼部颁发，议政王奕䜣、醇郡王奕譞督率管理。神机营职掌：负责紫禁城及三海墙外守卫，随皇帝出巡作扈从警卫。

301. 内火器营合符

铜镀金，椭圆形，长14厘米，宽9.3厘米，厚0.6厘米。一扇。面刻“内火器营合符 同治元年 月 日制”，内侧阳文“圣旨”。康熙三十年（1691年）将八旗满洲、蒙古习火器之兵，另组为火器营，分内、外两营以习其艺。内火器营于城内，有枪、炮两营，外火器营于城外蓝靛厂，专习鸟枪。火器营以操演枪炮火器校射为主，亦操演步射、骑射等技艺。其主要职掌：守卫京师和随皇帝出巡扈从警卫等。

302. 健锐营合符

铜镀金，椭圆形，长14厘米，宽9.4厘米，厚0.7厘米。二扇。面刻“健锐营合符　同治元年　月　日制”，内侧阳文“圣旨”。另扇钑双龙戏珠纹。健锐营，又名云梯健锐营，建于乾隆十四年（1749年）。当时为大小金川之役需要，由八旗前锋、护军营内挑选一千名勇健者，日以演习云梯，再征金川时，倚仗云梯之功，“始能捣倾贼窟”。战后，乾隆令其军组为营，正式命名“健锐营”。营分左、右两翼，人数递增，到光绪年间，已增扩至三千九百人。健锐营主要职掌是：常日备静宜园之守卫，皇帝出巡，则派官兵随扈，还承担行宫巡逻及皇帝宿坛时值宿等。

303. 圆明园八旗枪营合符

铜镀金，椭圆形，长14厘米，宽9.3厘米，厚0.6厘米，二扇。正面刻“圆明园八旗枪营合符　同治元年　月　日制”，内侧阳文“圣旨”。另扇钑双龙戏珠纹。圆明园八旗枪营，亦称护军营，建于雍正二年（1724年），是清代守卫圆明园及保卫皇帝从紫禁城移驾至圆明园等处沿途安全的特设军队。

304. 外火器营合符

铜镀金，椭圆形，长14厘米，宽9.3厘米，厚0.6厘米。二扇。面刻“外火器营合符　同治元年　月　日制”，内侧阳文“圣旨”。另扇钑双龙戏珠纹。

305. 调前锋护军营官兵

铜镀金，椭圆形，长14.5厘米，宽9厘米，厚0.5厘米。面钑双龙戏珠纹，内侧阳文“调前锋护军营官兵”。一扇。前锋营、护军营是守卫禁城的军队。前锋营最初设于天聪八年（1634年），由满洲、蒙古官兵组成。其主要任务是警跸宿卫。凡皇帝出巡，前锋营派官兵随扈警卫；皇帝安营，“于御营一二里外，安设前锋旗二，以为门户，左右以次列帐，日则了望，夜则守卫”。护军营，顺治初设，“选八旗满洲、蒙古之精者为护军”。主要职掌：负责紫禁城防卫和朝会、燕飨执事并扈从警跸等，又负责园囿守卫并皇帝来往园中的警卫任务。

306. 圣旨步军统领衙门

金质，17厘米见方，厚0.9厘米。一扇。正面刻“光绪贰拾捌年　月　日制　步军统领衙门”，内侧阳文“圣旨步军统领衙门”。步军统领衙门是京师地区警备、治安机构，又称“九门提督”。顺治初年即设有步军统领等，雍正七年（1729年）始定步军统领衙门。主要职掌：守卫、断狱、门禁，编查保甲、缉捕、巡夜、禁令、救火、发信号炮等。

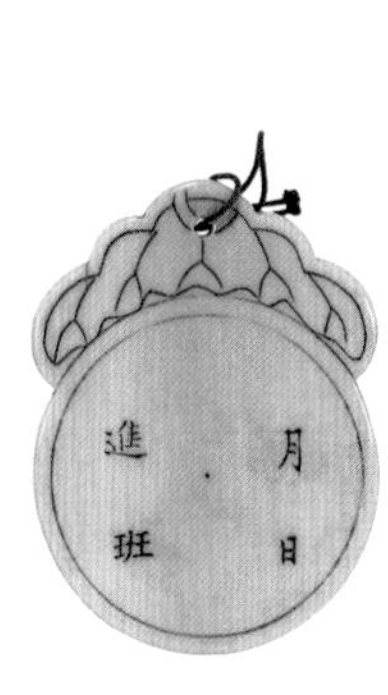

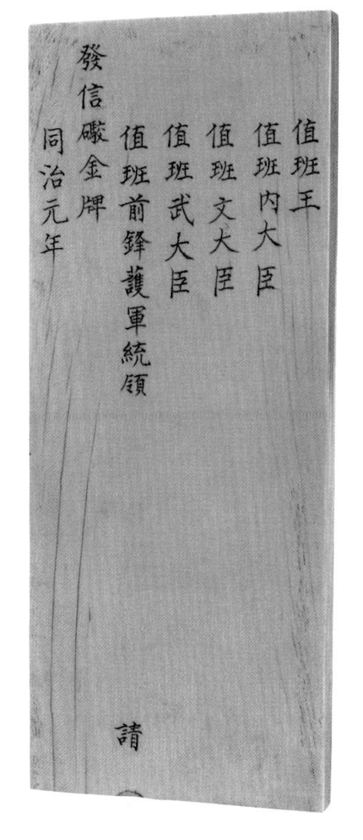

307. 奉旨放炮

木质，椭圆形，长 11.6 厘米，宽 9.2 厘米，厚 0.3 厘米。一扇。面刻“同治元年　月　日制”，内侧阴文“奉旨放炮”。附小牙牌及铭文牌各一。小牙牌两面均刻“月　日　进班”四字。铭文牌，牙质，一面刻“值班王　值班内大臣　值班文大臣　值班武大臣　值班前锋护军统领　请发信炮金牌　同治元年”，另面为单云龙纹，有“信牌”二字的左半部。顺治十年（1653 年），于白塔山、内九门、外七门各设信炮五座。门各竖旗杆五，杆上昼则悬旗，夜则悬灯。遇有警急，声炮为号。白塔炮台以金牌为信，金牌至则举炮，白塔鸣炮，内外城应举炮处，皆应之。各旗官兵闻炮声，皆披甲于应集之处齐集。若传报不及，何方紧急，即先放何门之炮。外七门闻炮，则须加紧防守、巡逻。外火器营官兵于阜城门集结，健锐营官兵于西直门集结，以备调遣。

308. 奉旨开午门

木质，圆形，直径11.6厘米。每扇厚0.8厘米。两扇。面刻“同治元年　月　日制　午门”,内侧分别阴、阳文“奉旨开午门”。午门，紫禁城南门，有五门洞，皇帝出入由正中门，大婚，皇后凤舆亦由此门入，殿试传胪日胪传毕，一甲进士三人随金榜由正中出。文武官出入由左门洞，宗室王公由右门洞。左右掖门不常启，惟大朝升殿，百官各以东、西班由掖门入。

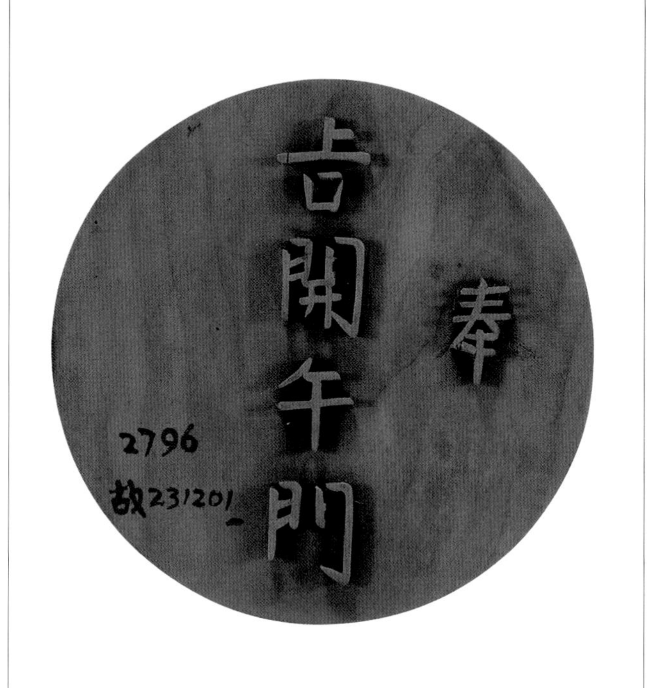

309. 奉旨开东华门

铜镀金，长圆形，长11.6厘米，宽9.4厘米，厚0.7厘米。一扇。面刻“同治元年　月　日　制　东华门”，内侧阴文“奉旨开东华门”。东华门是紫禁城东门，平时朝臣及内阁官员进出此门，帝后梓宫、神牌也由此门出入。门外有下马碑。

310. 奉旨开西华门

木质，长方形，长11.7厘米，宽9.4厘米，每扇厚0.4厘米。两扇。面刻“同治元年　月　日制　西华门”。内侧分别阴、阳文“奉旨开西华门”。西华门是紫禁城西门。帝后及皇太后等幸西苑以及西郊苑囿经常出入此门。门外有下马碑，凡赏紫禁城骑马者，由西华门入，至隆宗门外内务府总管衙门前下马。

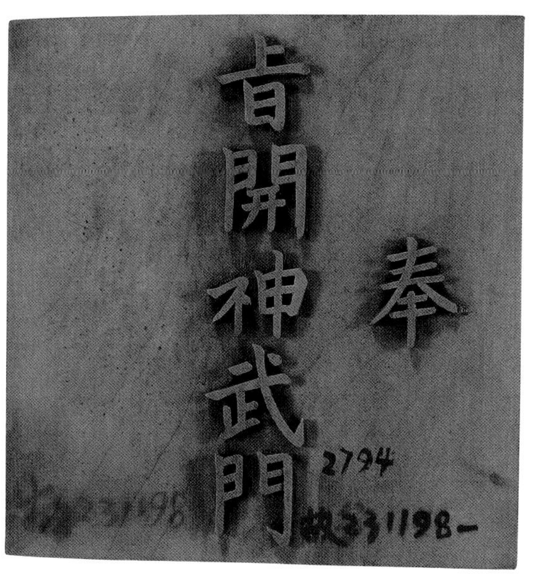

311. 奉旨开神武门

木质，长方形，长11.7厘米，宽11.4厘米，每扇厚0.6厘米。两扇。面刻“同治元年　月　日制　神武门”。内侧分别阴、阳文“奉旨开神武门”。神武门是紫禁城北门，帝后诣景山或北海陟山门由此门出入。清代挑选八旗秀女亦由此门出入。

后　记

中国印章的历史悠久而灿烂。以印章表示符证，长久以来，已成为人们的习尚，其名称多种多样，印章、关防、钤记、条记、印记、图书等等；另有符、牌、券、押等，也具有印章符证的作用。中国的印章，以其内容功能可分为有征信作用和不具有征信作用两种。有征信作用的印章，从不同角度充当凭信工具，具有一定的法律效能；不具征信作用的印章，内容广泛而复杂，形式多样而精巧，人们通常称之为闲章。两类不同作用的印章，在漫长的历史长河中，互相影响，不断发展和完善，交相呼应，组成了中国印章艺术发展史，成为我国文化艺术宝库中不可缺少的组成部分。

在中国印章艺术的历史领域内，皇帝的宝玺占有突出的历史地位。在长达二千多年的古代社会中，皇帝的印章称之为玺或宝，一则古代社会有森严的等级，皇帝是全国的最高统治者，有至高无上的权力，而臣民百姓均视为皇帝的奴仆。在古代的典章制度中，不仅明确规定了皇帝的种种特权，而且皇帝使用的各种专用名称和文字，也被规定为神圣不可侵犯。宝玺是皇帝印章的专用名称，世人均不得使用，一般臣民的印章，仅能称印或章，而不能称之为宝或玺。二则，皇帝的宝玺，是古代皇权的象征，宝玺即是皇权，代表了国家。历代王朝的传位和更替，是以帝王的宝玺传递和更换为其标志的，中国历史上“传国玺”之说和历代帝王对“传国玺”的重视和争求，充分说明了中国人的这一历史观念。从秦六玺到清朝的二十五宝，中国皇帝宝玺制度，有一个发展和完善的过程，到明清两朝，宝玺制度更加系统和完备，从管理机构到制造数量，从玺文内容到形式纹饰，从贮宝处所到使用则例，无不有严密的规定，特别是清代更是如此。故宫博物院收藏着数千方明清帝后的各种宝玺，既有皇帝的各种国宝，更有大量的内容广泛用途不一的各式闲章。它的丰富收藏，是研究明、清两朝的典章制度史、思想史、文化史、哲学史、宗教史、宫廷史、印章艺术史、铭刻学的重要实物资料，对我国古书画文物的鉴定和古籍善本书目的鉴别，有着不可代替的作用，对开拓文化艺术史的研究和发展今天的新印章艺术有着重要的历史意义和现实意义。

由于历史的原因，皇帝的宝玺深藏皇宫大内，世人难以目睹。历史文献的记载也较简略。皇帝常用的国宝，仅在明清官修的会典、实录、正史、宫史中论述，而大量的皇帝御用闲章，即使是官修正史也不述及，仅散见于皇宫收藏的古代书画和典籍及皇帝诗词御笔之中，但终是凤毛麟角。清宫虽将清历代皇帝宝玺编辑成《宝薮》，但仅见印谱而无印形。近几十年来，许多专家学者在研究中国的印章艺术和宫廷历史方面，虽然也涉及到明清帝后宝玺，介绍宝玺文物，但系统深入研究仍不明显，关键仍是资料甚少，实物难见。为了开拓印章艺术发展史的研究，特别是皇帝宝玺制度的研究，我们从故宫博物院馆藏的数千方皇帝宝玺中，遴选出数百方具有代表性的宝玺，其中包括皇帝的国宝、闲章及铁券、符牌等，编辑而成《明清帝后宝玺》，以飨国内外学人，发挥其深藏皇宫大内的珍贵历史文物的作用。

本书的体例，分明、清两个单元。每一个单元又分国宝、御书钤用诸玺、后妃宝玺、皇帝升祔庙号谥号册宝及附录诸部分。由于故宫收藏的明清两代帝后宝玺数量和内容不同，两单元诸部分中简繁不一。明代部分从简，皇帝御书钤用诸玺仅分宫殿名玺、赞颂天道勤求治理祝语玺、道箓青词钤用诸玺及佛菩萨图形三部分，其他部分不分细目。清代宝玺由于数量较多，分目从繁。

清代皇帝御书钤用诸玺，下分宫殿名玺和康熙、雍正、乾隆、嘉庆、道光、咸丰、同治、光绪、宣统诸玺十个细目；后妃宝玺中，分尊号诸宝、徽号册宝、御书钤用诸玺三个细目；帝后升祔庙号谥号册宝中，又分皇帝和皇后两个细目，清比明繁，可以更清晰反映清代帝后宝玺的概况。又，明代铁券和清代符牌，虽然不是皇帝宝玺，但它具有皇帝宝玺符证的作用，自古即有符玺连称之说，人所共识，所以收入本书，惟作为附录，以供学人参考。

是书的编辑出版，是一个集体的作业。在故宫博物院领导的大力支持下，各有关业务部处密切配合，紫禁城出版社辛勤工作和精心设计，得以顺利完成。是书顾问朱家溍先生，是故宫博物院的著名专家，他以知识渊博、治学严谨和成果丰硕而受人尊敬，对本书的策划、编辑都给予了具体的指导。朱家溍先生、李文善先生和我负责本书的总体规划、内容设计、文物遴选、文稿审定及具体的组织实施工作。朱家溍先生还亲自为此书撰写了序言。李文善先生撰写了明代御书钤用诸玺的分论。我撰写了明清两朝皇帝宝玺的总论。郭福祥先生撰写了明代国宝、后妃宝玺、清代国宝、御书钤用诸玺部分的分论。关雪玲女士撰写了明代铁券、清代后妃宝玺、符牌各部分的分论。恽丽梅女士撰写了明代谥册、清代谥册谥宝两部分分论。文物的各条说明撰写、提取文物照相和宝谱的打印都由郭福祥、关雪玲、恽丽梅三位分别承担完成。拓片由郭玉海先生完成。在完成是书的编辑过程中，得到了中国第一历史档案馆、故宫博物院图书馆、陈列部宫廷历史组，保管部金石组的大力支持和协助，他们为此书提供了重要的历史档案、珍贵图书、重要文物和配合照相，在此一并致谢。

是书的编辑出版，我们为能够向专家学者提供这份珍贵的宝玺资料而欣慰。由于水平所限，不足之处甚多，恳请学人们提出宝贵意见。

徐启宪

1994 年 10 月于故宫博物院研究室

出版后记

《故宫经典》是从故宫博物院数十年来行世的重要图录中，为时下俊彦、雅士修订再版的图录丛书。

故宫博物院建院八十余年，梓印书刊遍行天下，其中多有声名皎皎人皆瞩目之作，越数十年，目遇犹叹为观止，珍爱有加者大有人在；进而愿典藏于厅室，插架于书斋，观赏于案头者争先解囊，志在中鹄。

有鉴于此，为延伸博物馆典藏与展示珍贵文物的社会功能，本社选择已刊图录，如朱家溍主编《国宝》、于倬云主编《紫禁城宫殿》、王树卿等主编《清代宫廷生活》、杨新等主编《清代宫廷包装艺术》、古建部编《紫禁城宫殿建筑装饰——内檐装修图典》数种，增删内容，调整篇幅，更换图片，统一开本，再次出版。惟形态已经全非，故不再蹈袭旧目，而另拟书名，既免于与前书混淆，以示尊重；亦便于赓续精华，以广传布。

故宫，泛指封建帝制时期旧日皇宫，特指为法自然，示皇威，体经载史，受天下养的明清北京宫城。经典，多属传统而备受尊崇的著作。

故宫经典，即集观赏与讲述为一身的故宫博物院宫殿建筑、典藏文物和各种经典图录，以俾化博物馆一时一地之展室陈列为广布民间之千万身纸本陈列。

一代人有一代人的认识。2007年修订再版五种，2008年修订再版三种，分别为《明清帝后宝玺》、《明清宫廷家具》、《故宫钟表》。今后将继续选择故宫博物院重要图录出版，以延伸博物馆的社会功能，回报关爱故宫、关爱故宫博物院的天下有识之士。

2008年4月

再版说明

本书于1996年第一版第一次印刷，初版为8开竖排繁体字，朱家溍《弁言》为先生手书，装帧设计由郑志标完成。此次再版，纠正了初版之中个别舛误，改为横排简体字；限于篇幅，删去一些不太重要的玺印，朱家溍《弁言》改为排录简体字；全书钤本仍旧依照原大制版，玺印图版色彩均根据实物重新调整。特此说明。